Mein Freund Flicka

Mary O'Hara Alsop wurde 1885 als Tochter eines Geistlichen geboren. Sie wuchs in Brooklyn Heights, New York, auf und zog 1905 mit ihrem ersten Ehemann nach Kalifornien, wo sie Drehbuchautorin für Stummfilme wurde. Mit ihrem zweiten Mann zog sie 1922 schließlich nach Wyoming. Dort entstanden ihre bekannten Pferdebücher, die in zahlreiche Sprachen übersetzt und mehrfach verfilmt wurden. Mary O'Hara komponierte außerdem einige Klavierstücke und ein Folk-Musical. Sie starb 1980 in Chevy Chase, Maryland.

Mary O'Hara

Mein Freund Flicka

Aus dem Englischen von Elsa Carlsberg

Veröffentlicht im Carlsen Verlag
April 2011
Mit freundlicher Genehmigung des Ullstein Verlages
Die Originalausgabe erschien im Jahr 1941 unter dem Titel
»My Friend Flicka« bei HarperCollins, New York
© 1943 by Estate of Mary O'Hara
© 2006 by Ullstein Buchverlage GmbH, Berlin
© 1987 by Ullstein Verlag, Frankfurt/Main, Berlin
Erschienen im Ullstein Verlag in der Übersetzung von Elsa Carlsberg
Umschlagfoto: © TAREK MOSTAFA/Reuters/Corbis
Umschlaggestaltung: formlabor
Corporate Design Taschenbuch: Dörte Dosse
Druck und Bindung: GGP Media GmbH, Pößneck
ISBN 978-3-551-31034-7
Printed in Germany

Alle Bücher im Internet: www.carlsen.de

Ken muss
ein Fohlen haben

Hoch oben auf dem langen Hügelrücken, der die Sattelhöhe genannt wurde – sie lag hinter den Wirtschaftsgebäuden und der Großen Lincolnstraße –, ritt ein kleiner Junge dahin. Er hielt gen Osten und die aufgehende Sonne schien ihm gerade in die Augen und blendete ihn. Sie war unvermutet über einer dunklen Wolkenbank erschienen und wie ein hoher Besuch grüßte sie lächelnd nach rechts und links; sie erhellte die ganze Welt und alles erwiderte ihren Gruß mit Freuden.

Die drunten eng beieinanderliegenden Dächer des Gestütes, die bisher dunkel ausgesehen hatten, fingen an sich zu röten und die dünnen Arme des Windmotors beim Viehstall zwinkerten und blitzten. Sie erwiderten das Lächeln der Sonne.

»Guten Morgen, meine Gnädige!«, rief Ken ihr zu. Er schwenkte grüßend den Arm, und die kleine braune Stute, auf der er saß, machte einen erschrockenen Satz.

Um sich auf dem Pferderücken zu halten – denn er ritt ohne Sattel –, drückte er ihr die Fersen in die Seiten; wieder ein Satz – dieses Mal mit gesenktem Kopf –, dann ließ sie sich, mit gekrümmtem Rücken, jäh auf die Füße fallen und schlug aus. Einmal, zweimal, dreimal – und Ken lag unten. Er lag vor ihrer Nase, aber die Zügel hielt er fest in der Hand.

Die Stute machte einige Schritte rückwärts und ruckte kräftig mit dem Kopf, um loszukommen – ungefähr wie ein Hund, der sich fest in ein Hosenbein verbissen hat.

»Nicht doch«, keuchte Ken, ihr gegenübersitzend. Er klammerte sich an die Zügel. »Dieses Mal sollst du mir nicht …«

Sie schwenkte den Kopf bösartig nach den Seiten. Ken biss vor Wut die Zähne zusammen.

»Wenn du noch einen Zaum zerreißt …«

Der Gedanke daran machte ihn schlau; seine Stimme wurde einschmeichelnd.

»Zigarette, komm, sei ein gutes Tierchen – du bist ja ein nettes Mädel …« Als Antwort auf den veränderten Ton seiner Stimme streckte sie eins ihrer flach zurückgelegten Ohren vor, wie um in ihn hineinzuschauen und zu erfahren, ob er es ehrlich meinte. Beruhigt trat sie dann einen Schritt näher.

Ken stand missmutig auf, und indem er an das Pferd herantrat, sprach er in beruhigendem Ton, aber mit kränkenden Worten auf das Tier ein: »Freches Mädchen, dumme Fratze, Ho-ho-Baby! Starrkopf! Unvernünftige Person!«, und das Letzte war auf dem Gänseland-Gestüt die schwerste Beleidigung. Denn ein Pferd, das keine Vernunft besaß, hatte hier überhaupt keine Existenzberechtigung.

Zigarette war noch nicht völlig überredet, aber sie ließ sich gern von Kens Hand streicheln und wartete auf das, was nun kommen würde.

»Glaubst du, dass ich je einen so gewöhnlichen Gaul wie dich reiten würde, wenn ich ein eigenes Pferd hätte wie Howard?«

Der vorwurfsvolle Ausdruck verschwand aus seinem Gesicht; seine Augen wurden träumerisch. »Wenn ich bloß ein Fohlen hätte …!«

Schon seit längerer Zeit pflegte er diese Worte vor sich hin zu sprechen. Mitunter sagte er sie nachts im Schlaf. Es war das Erste, woran er gedacht hatte, als er vor drei Tagen auf das Gestüt gekommen war. Er sagte oder dachte es jedes Mal, wenn er seinen Bruder auf Highboy reiten sah. Und wenn er seinen Vater ansah, galt die Sehnsucht in seinem Blick einem Fohlen, das ihm allein gehörte. »Wenn ich ein Fohlen hätte, würde ich es zum herrlichsten Pferd der Welt machen. Es würde immer bei mir sein, beim Essen und beim Schlafen, so wie die Araber es machen in Vaters Buch, das auf dem Küchenregal steht.« Er streichelte Zigarettes Nase gedankenlos wie ein Automat. »Ich würde ein Zelt haben und darin schlafen und das Fohlen würde dicht daneben stehen, und es müsste lernen genauso zu leben wie ich; und ich würde es so gut füttern, dass es größer und schneller würde als alle anderen Pferde im Gestüt. Und ich würde es erziehen, dass es mir überall nachliefe, wie ein Hund …« Hier machte er eine Pause; der Gedanke an ein so anhängliches Pferd beglückte ihn in tiefster Seele.

Die schrägen Strahlen der Sonne hatten noch keine Wärme in sich und der Morgenwind auf dem Bergrücken war kalt, so dass es Ken in seiner dünnen dunkelblauen Baumwolljacke fröstelte. Er wandte sich gegen den Wind und spürte eine ungestüme Frische, die ihm zu Kopf stieg und ihm Lust machte, zu laufen und zu rufen, zu reiten und zu reiten, den ganzen Tag lang, so schnell, wie er nur konnte, ohne je zu halten.

Er war ohne Hut ausgeritten und der Wind zerwühlte sein glattes braunes Haar und brachte Farbe in seine schmalen Wangen, die die Blässe der Winterschultage noch nicht verloren hatten. Seine dunkelblauen, träumenden Augen und der Ausdruck ungezähmter Freiheit in seinem Gesicht machten ihn schön.

Er musste jetzt wieder auf Zigarette hinauf.

Im selben Augenblick, da dieser Gedanke ihm durch den Kopf ging, hatte auch Zigarette ihn erfasst; sie wandte leicht den Kopf und sah ihn an. Ihr Körper machte sich bereit; nicht gerade widerstrebend, eher abwartend.

Zuerst musste er sich entschuldigen; das verlangte die Gerechtigkeit.

Er hatte Zigarette ja die Fersen gegeben und wusste genau, was der Vater dazu sagen würde, wenn er es erfuhr.

»Zigarette bockte und warf mich ab.«

»Was hast du getan? Ihr die Fersen gegeben?«

»Ja, Sir.«

Er und Howard mussten ihrem Vater mit »Ja, Sir –, nein, Sir –« antworten, denn bevor er das Gestüt gekauft hatte, war er aktiver Offizier gewesen und hielt sehr auf Respekt und Disziplin.

Beim Überwerfen des Zügels summte Ken »Ja, Sir –, nein, Sir –« vor sich hin und das schien eine beruhigende Wirkung auf Zigarette zu haben.

Als sein Vater ihm gezeigt hatte, wie er aufsteigen sollte, hatte Zigarette wie eine Mauer dagestanden und sich dann langsam und gemütlich, wie ein gut erzogenes Pferd in einem Park, in Bewegung gesetzt. Aber wenn Ken aufstieg, pflegte sie ihn vier- oder fünfmal nacheinander abzuwerfen, bloß weil er es, sobald er das Bein hinübergeschwungen hatte, nicht bleibenlassen konnte, sich mit den Fersen anzuklammern. Das ließ sie sich nicht gefallen und er wiederum konnte es nicht bleibenlassen.

Er gängelte sie so, dass er ein wenig höher stand als sie. Sie war nicht hoch, aber für einen Jungen wie ihn war es vom Boden aus doch ein recht weiter Sprung auf ihren Rücken und mitunter konnte er sich mit den Armen nicht so recht hinaufziehen. Im vorigen Sommer hatte er es überhaupt nicht gekonnt; da hatte er, wenn er ohne Sattel ritt, von einem Zaun oder einem Stein aus aufsteigen müssen. In diesem Sommer aber war es ihm nur einige Male misslungen.

Er stützte sich auf Widerrist und Rücken, sprang und zog und so allmählich kam er hinauf; nun schwang er vorsichtig das Bein hinüber und setzte sich langsam, ganz wie der Vater, zurecht, während seine Beine lang hinunterhingen.

Zigarette verhielt sich ruhig. Er zog die Zügel an, drückte die Waden ein wenig an ihre Seiten und sie setzte sich in Bewegung.

Etwas, worauf man immer sehr gespannt war, wenn man von der Schule in Laramie zu den Sommerferien nach Hause kam, war das Wetter. Irgendetwas ging immer in der Luft vor. Wind und Regenbogen und ruhige Sommertage, dann vielleicht ein elektrischer Sturm oder Frost und sogar Schneetreiben. Es hieß, das käme daher, dass das Gestüt zweitausendsiebenhundert Meter über dem Meere lag.

Jetzt hatte der Sonnenaufgang alle Wolken am Himmel gefärbt; Rosa, Rot und Gold mischten sich mit scharfem Blau; der Wind war stark und rauflustig; er spielte mit dem jungen Gras, ließ es wogen wie eine seidige Wasserfläche.

»Grüngras, Grüngras!«, sang Ken, während er dahingaloppierte. Er dachte daran, wie anders doch hier das Gras war im Vergleich zu den kleinen viereckigen Rasenflächen vor den Häusern in Laramie. Hier erstreckte es sich so weit, wie man sehen konnte, und Wildkaninchen, die sich darin versteckt hatten, sprangen auf und hüpften in großen Sätzen, wie kleine Hirsche, vor dem Winde her. Hier, auf der Hügelkette, nannte man es Grüngras in einem Wort und das war wichtig. Man konnte es sogar in der Zeitung lesen: Grüngras hier, Grüngras dort, hieß es im Frühling.

Man fragte: »Habt ihr schon Grüngras?«, und sagte stolz: »Wir haben welches.«

Das war wichtig im Frühling, nach dem letzten schweren Schneesturm im Mai, wenn die Pferde und das Vieh durch den langen Winter so mager und schwach geworden waren, dass man fürchten musste, sie könnten es nicht länger mehr aushalten, wenn nicht bald das Grüngras käme. Es kam zuerst nur wie ein blasser grüner Schimmer, der auf den südlichen und östlichen Hängen lag; dann wurde es bald wie grüner Samt und schließlich, Ende Juni, war es wie jetzt: ein Meer, das im Winde wogte.

Ken hielt an, als er den Gipfel des Hügels erreicht hatte, und starrte in die Ferne. Nach Westen hin überblickte er von hier aus mehr als hundert Meilen Grüngras und im Süden lag die weite, gewellte Hochebene, die sich nach den Twinpeak-Bergen zu erstreckte, und dahinter lag ein wildes Gelände von Spalten, Schluchten und versteckten Tälern – ein felsiges Hochland, das allmählich in die breiten Täler des Colorado überging, wo es viele Farmen gab.

Er legte den Kopf zurück und zog den reinen Duft des Grases, des Schnees und des Windes ein. Alles roch scharf und war ganz einfach himmlisch. Das war es, worauf er während der letzten unerträglichen Monate der Schulzeit, in den Schulstunden und mitten im Examen gewartet hatte!

Aber dann überkam ihn plötzlich ein unangenehmes Gefühl. Mit der Post waren gestern die Schulzeugnisse mitsamt einem an den Vater gerichteten Brief des Schulvorstandes gekommen. McLaughlin hatte sie auf das Pult geworfen, um sie später mit den anderen Briefen und Zeitungen zu lesen. Das würde er nun, wenn Ken zum Frühstück kam, bestimmt getan haben. Dieses dumme Examen! Ken wusste, dass er nicht gut abgeschnitten hatte.

Er fragte sich, wie spät es sein mochte, und sah zum Wohnhaus hinunter. Von seinem hohen Aussichtspunkt aus senkte sich der Boden in gebrochenen Erdwellen und Stufen nach Norden zu. Bevor er die Tiefen der Wiesen und des Flusses ganz erreicht hatte, schnitt eine kleine Schlucht zwischen die niedrigen Hügel ein; sie war nach Osten hin von einer Klippe begrenzt und nach Westen von einem steilen Hügel, der ebenso wie der Felsen von schwarzen Kiefern bewachsen war. In der Schlucht selbst gab es Pappeln und junge Espen. Zwischen denen hindurch wand sich ein Flussbett mit einem fadendünnen Wasserlauf und auch ein Weg, der von den Ställen und den Pferdekoppeln auf die dreieckige Lichtung jenseits der Schlucht hinausführte. Diese Lichtung war grasbewachsen und mit einigen Pappeln bepflanzt. Kens Mutter hatte sie den Grasplatz getauft.

Mitten in der Schlucht raste der Windmotor. Er war so aufgestellt worden, dass er auch an windlosen Tagen jeden Lufthauch einfing, der durch diese Erdspalte strich. Dahinter, in einer von dem Hügelrücken eingefriedeten Bucht, stand zur Linken das Arbeiterhaus; es war beinahe unsichtbar und vor Winterstürmen gut geschützt.

Weiter hin an der linken Seite des länglichen Dreiecks lag das aus unbehauenen Steinen gebaute Wohnhaus, und weil der Boden hier abfiel, lag der Fußboden des Esszimmers eine Stufe tiefer als die Küche, das Wohnzimmer eine Stufe tiefer als das Esszimmer, und noch eine Stufe tiefer lag das Schreibzimmer. Die Länge des Hauses wurde durch die kreuz und quer laufenden, spitzen roten Dächer bezeichnet, ebenso durch die lange, grasbewachsene Terrasse an der Ostseite und die niedrige Mauer, die sie stützte.

Nichts regte sich dort unten. Zu früh, dachte Ken. Aber nein, aus beiden Schornsteinen steigt ja Rauch auf! Gus hat für die Mutter Feuer angemacht und ist jetzt im Arbeiterhause beim Frühstück.

Er sah zum Kuhstall hinüber, der den Grasplatz an seiner tiefer gelegenen Seite abschloss; ein weitläufiges Gebäude, das fast eineinhalb Meter tief in der Erde lag, das breite und nicht steile Dach war so tief heruntergezogen, dass von den gekalkten Wänden nur ein drei bis fünf Meter breiter Streifen sichtbar war.

Gelbliche Guernseykühe standen in der Nähe der Pforte, die auf der Ostseite aus der Koppel zur Kälberweide führte. Sie warteten darauf, von Tim eingelassen zu werden. Nach dem Melken öffnete er ihnen die nördliche Pforte, damit sie über die Wiese zum Fluss hinübertrotteten und während der heißesten Tageszeit bei den hohen Pappeln bleiben konnten, deren Wurzeln bis tief unter das Flussbett reichten.

Weit in der Ferne, hinter den Wiesen und den Hügeln, die hier anstiegen, ratterte ein langer Güterzug, zwei winzige Lokomotiven und winzige Wagen, sie sahen wie Spielsachen aus. Der Zug kletterte von Osten kommend gen Westen empor. Bald würde er auf der Wasserscheide der Rocky Mountains angelangt sein, dort eine Lokomotive abkoppeln und dann zum Stillen Ozean hinunterrollen, schneller, immer schneller, in sausender Fahrt.

Ein Pfiff zerriss die Stille. Der Zug näherte sich dem Bahnübergang von Tie-Siding.

Die Kühe trotteten langsam in die Koppel. Und der kleine, schwarze Posten da, der hinter ihnen die Pforte schloss, war Tim.

Nun war es nicht mehr lange bis zum Frühstück. Gewiss waren alle schon wach. Wahrscheinlich rief die Mutter jetzt auf der Treppe beim Heruntergehen: »Jungens, es ist Zeit aufzustehen!« Der Vater saß mit verwühltem Haar und verknülltem Schlafanzug im Bett und streckte die Hand nach einer Zigarette aus. Huh! Wenn er doch nur schon die Zeugnisse gelesen hätte! Und das war ja noch nicht einmal alles. Da war ja noch die Satteldecke, die er verloren hatte …

Er wandte seinen Blick vom Wohnhaus dem Abhang des Hügels zu. Satteldecke, Satteldecke – jedes Mal wenn er den Vater bat ihm ein Fohlen zu schenken, sagte er: »Du bekommst eins, wenn du es verdienst –

14

aber nicht eher!« Die Decke mochte an einem Strauch oder einem Felsen hängengeblieben sein; oder sie lag in einer Bodensenke. Gut, dass ich ihn nicht geweckt habe. Er hat immer so viel vor, aber er kann ja nicht aufwachen. Das kann ich aber …

Ein wildes Kaninchen sprang dicht vor den Hufen seines Pferdes auf. Zigarette machte einen Satz, aber diesmal saß Ken fest. Er stieß einen grellen Schrei aus und jagte hinter dem Kaninchen her.

Zigarette liebte es, gründlich auszugreifen! Ken lehnte sich zurück, streckte die Füße vor und ritt mit losen Zügeln. So hatte McLaughlin es seine Söhne gelehrt. Kaninchen, Pony und Knabe verschwanden hinter dem Rücken der Sattelhöhe.

Vater und Mutter

Nell McLaughlin zog den Tisch aus Kirschenholz aus der Ecke hervor, klappte die Seitenbretter auf, so dass vier Personen bequem daran sitzen konnten, und warf ein rot gewürfeltes Tischtuch darüber.

Durch die Fenster, die auf die vordere Terrasse hinausgingen, fiel der Sonnenschein voll in die geräumige Küche und zeichnete goldene Vierecke auf den apfelgrünen Fußboden. Vor Backtisch, Ausguss und Herd lagen ovale Matten mit hübschen Blumenmustern. Eine kleine braune Katze saß am Herd und putzte sich das Gesicht.

Weder die Mutterschaft noch die harte Lebensweise hier hatten Nells Figur oder ihrer Mädchenhaftigkeit etwas anhaben können. Mit siebenunddreißig Jahren sah sie nicht viel älter aus als damals, da sie in Bryn Maur für die Vielseitigkeit ihrer sportlichen Leistungen einen Silberpokal erobert hatte.

Sie war mittelgroß und schlank, und geübte Muskeln beherrschten die Rundungen ihrer Gestalt. Die Leichtigkeit ihrer Bewegungen entsprang teils ihrer natürlichen, lebhaften Art, teils hing sie damit zusammen, wie sie den Kopf trug; sie schien stets bereit allem, was da kommen mochte, gegenüberzutreten: Gefahren und Gewitter, dem, was sie liebte, was sie erhoffte oder fürchtete.

Ihre Haut war rehbraun und nicht vom Wetter angegriffen und trocken, sondern glatt und ebenmäßig; sie besaß den Schimmer, den ständige Pflege verleiht. Die Lippen ihres ziemlich breiten Mundes mit den klar geschnittenen, feinen Linien waren schwach rosa. Das seidige hellbraune Haar fiel ihr in die Stirn und war im Übrigen gerade lang genug, um im Nacken zu einem kleinen Knoten geschlungen zu werden. Beim Reiten zog sie oft die wenigen Haarnadeln, die sonst darin steckten, heraus und ließ das Haar frei im Winde wehen; dann sah man ihrer klaren Stirn und dem weiten, freien Blick ihrer blauen Augen an, dass Kens Gesicht dem ihren nachgebildet war.

Ken kam zu spät zum Frühstück. Beim Hereinkommen blickte er gleich nach dem Vater, um ihm womöglich anzusehen, ob er die Schulzeugnisse schon gelesen hatte. Dann sagte er: »Guten Morgen, Mutter; guten Morgen, Papa.« Er zog den einzigen noch freien Stuhl hervor und setzte sich; der Stuhl war grün gestrichen, der Sitz aus ungegerbten Lederstreifen. Kens Herz klopfte laut, denn der Vater sah streng und gleichgültig aus. Howard bekam immer gute Zeugnisse. Die beiden Knaben schauten einander über den Tisch hinweg an.

Howard galt als derjenige von ihnen, der besser aussah. Sein Haar war schwarz, wie das des Vaters, und in der Mitte peinlich genau gescheitelt. Die geraden Linien von Mund und Augenbrauen und die kühne, ein wenig arrogante Kopfhaltung ließen ihn als bereits einigermaßen geformt und seinem Charakter nach gefestigt erscheinen, während bei Ken noch alles unbestimmt wirkte: In seinen Zügen lag mitunter eine romantische Schönheit und Versonnenheit; mitunter aber sahen sie wie zufällig zusammengerafft und unharmonisch aus und dann schienen sie recht Zweifelhaftes zu versprechen.

Ken fürchtete sich den Vater anzuschauen; es war schwer, dem flammenden Blick seiner blauen Augen zu begegnen, die so scharf aus dem langen, dunklen Gesicht mit dem vorstehenden Kinn hervorblickten. Ken war es oft, als ob seine eigenen Augen sich vor einer Begegnung mit denen des Vaters zurückzögen; er wandte dann den Kopf ab oder blickte zu Boden.

McLaughlin griff nach einer Karte und einem Brief, die neben seinem Teller lagen. »Ich nehme an, dass es keine Überraschung für dich ist, wenn du hörst, dass du sitzengeblieben bist«, sagte er. »Du willst wahrscheinlich dein Zeugnis selbst lesen.« Damit schob er die Karte zu Ken hinüber.

Nell McLaughlin reichte Ken eine blaue Schüssel voll Hafergrütze mit Sahne und braunem Zucker. »Lass ihn doch erst essen.« Aber Ken nahm die Karte und versuchte seinen Blick darauf zu heften. Das Ganze war ihm so verhasst, dass er kaum etwas sehen konnte.

Während er las, herrschte Schweigen. Howard aß seinen Schinken und lachte vor sich hin. Nells Gesicht war bekümmert, sie blickte nieder und strich sich ein geröstetes Brot.

Ken las die Zensuren durch, die er bekommen hatte, und kam schließlich zu »Englisch«.

Er sah auf und begegnete dem Blick seines Vaters.

McLaughlin beugte sich vor. »Nur eine neugierige Frage«, begann er. »Wie stellst du es an, in einem Examen eine Null zu bekommen? Vierzig in Geschichte, Siebzehn in Arithmetik. Aber eine Null! Erzähl doch mal ganz unter uns: Was geht in deinem Kopf eigentlich vor?«

»Ja, sag doch mal, wie du das machst«, zirpte Howard.

Nell warf ihrem Ältesten einen schnellen Blick zu. »Iss mal erst, Howard«, sagte sie streng.

Ken konnte keine Antwort finden. Er beugte sich mit glühendem Gesicht über seinen Teller und machte sich an seine Hafergrütze.

McLaughlin zog seine Pfeife hervor. Während er sie stopfte und anzündete, herrschte allgemeines Schweigen. Als er damit fertig war, las er laut den Brief vor:

Sehr geehrter Herr Rittmeister,
zu meinem Bedauern muss ich Ihnen mitteilen, dass Kenneths Examenszeugnis ungenügend ist und seine täglichen Leistungen nicht ausgleicht. Er kann nicht versetzt werden. Die Ursache ist nicht Mangel an

Fähigkeiten, sondern eher – dies ist besonders enttäu-schend – Nachlässigkeit und Zerstreutheit. Wenn er während des ganzen Schuljahrs gleichmäßig gearbeitet hätte, wäre er jetzt in die nächste Klasse versetzt wor-den. So wie die Sache nun liegt, muss er in der fünften bleiben.

Mit besten Empfehlungen an Mrs McLaughlin bin ich, mit ausgezeichneter Hochachtung,

Leonhard Gibson

McLaughlin legte den Brief hin und warf einen Blick auf Ken. Dann merkte er, dass seine Pfeife ausgegangen war.

»Glücklicherweise«, sagte er und griff nach einem Streichholz, »sind es noch zweieinhalb Monate, bis die Schule wieder anfängt. Du wirst den ganzen Sommer lang täglich eine Stunde über den Büchern sitzen, um das Versäumte nachzuholen.«

Nell sah, dass Ken zusammenzuckte wie unter einem Schlag. Mit einem verzweifelten Blick sah er zum Fens-ter hinaus.

»Nun«, sagte McLaughlin und seine Stimme war wie ein Peitschenhieb, »antworte doch! Was hast du für dich anzuführen?«

»Ich weiß nicht«, sagte Ken.

»Wie war das englische Examen? Welche Fragen hast du nicht beantworten können?«

»Wir sollten einen Aufsatz schreiben.«

»Was hast du geschrieben?«

»Ich kam gar nicht dazu anzufangen.«

»Hast du kein einziges Wort geschrieben?«

Ken schüttelte den Kopf.

»Fiel dir denn gar nichts ein?«

»Ja, ich hatte alles im Kopf. Ich wollte darüber schreiben, wie du deine Polostute verloren hast. Wie der Albino sie Banner wegstahl …« Ken sah den Vater an. »Wir durften schreiben, was wir wollten; es sollte wenigstens zwei Seiten lang sein.«

»Nun, und was kam denn dazwischen?«

»Ich fing an über sie nachzudenken, über Gipsy und den Albino – und wie es war, als er sie wegnahm – und wohin er sie brachte – und an all die Wildpferde in seinem Rudel – und wo sie die ganze Zeit geblieben sein mochten. Alles das. Ich glaubte, dass noch viel Zeit übrig sei, aber da schellte es schon.«

»Und du hattest noch nicht einmal angefangen?«

Howard sagte: »Er hat die ganze Zeit zum Fenster hinausgeguckt. Ich hab es gesehen.«

Ken fühlte, dass ihm Tränen in die Augen kamen. Wenn doch der Vater aufhören wollte ihn anzusehen!

Es klopfte an die Hintertür und McLaughlin rief »Herein!«. Gus, der schwedische Vorarbeiter, trat ein, mit seinem großen Filzhut in der Hand. Er brachte mit seinem massigen Körper eine Art Verbeugung zu Stande, die als Zeichen seiner Ehrerbietung vor allem für Nell bestimmt war. Er sah sie an, sagte: »Guten Morgen, Missus«, und dann: »Morgen, Herr Rittmeister.« Er kam nicht ganz ins Zimmer herein, sondern stützte sich ein wenig verlegen mit der Hand an den Türpfosten. Ein kleines Lächeln hob seine Mundwinkel, wie bei einem Kinde. Sein rundes, rosiges Gesicht war von dichten grauen Locken umrahmt.

»Was soll heute getan werden, Herr Rittmeister?«

Ken und Howard hörten auf zu essen, um besser hören zu können.

Nur Gus und vielleicht auch die Mutter bekamen eine Antwort, wenn sie den Vater nach dem Arbeitsplan fragten. Wenn die Jungen es taten, sagte er nur: »Abwarten.« Oder er antwortete überhaupt nicht. Und da im Sommer jeder Tag an Ereignissen so reich war wie im Zirkus, verbrachten sie den größten Teil der Zeit in Hochspannung und folgten ihrem Vater überallhin, um nur nichts zu verlieren und womöglich zu gleicher Zeit überall sein zu können.

Das Wetter spielte im Arbeitsplan eine große Rolle. Daher sah McLaughlin, bevor er antwortete, zum Fenster hinaus und stellte fest, dass große weiße Wolken schnell über den tiefblauen Himmel zogen.

»Drüben in den Kiefern ist es windig«, sagte Nell. »Das war das Erste, was ich heute Morgen hörte. Es klingt wie Seegang – wie ein Brüllen.«

»Und der Windmotor geht wie besessen«, sagte Howard.

»Heute wird's klar sein und morgen vielleicht auch«, sagte Gus. »Aber im Südwesten liegt eine große Wolkenbank. Da braut sich ein Unwetter zusammen.«

McLaughlin zog nachdenklich an seiner Pfeife, unbekümmert darum, dass vier Augenpaare auf ihn gerichtet waren und auf seine Worte warteten. Schließlich sagte er, ohne Gus anzusehen, wie zu sich selbst: »Ein guter Tag, um die Pferde wegzubringen.«

»Ja, Herr Rittmeister, es wäre gut, die Pferde nicht länger auf den Wiesen zu lassen. Das Gras ist im Wachsen und braucht viel Wasser.«

Howard konnte nicht ruhig dasitzen. »Darf ich dieses Jahr nicht mithelfen, Vater?«

Ken fragte nicht, denn er durfte nicht hoffen.

McLaughlin sah Howard an, aber er dachte an etwas anderes und antwortete nicht. Er rauchte und Gus stand wartend da. Schließlich sagte McLaughlin: »Ja. Wir haben noch einen Monat bis zum Rodeo. Vier von den älteren Pferden müssen dann in Form sein, das heißt zuverlässig, damit ich sie ausleihen kann. Und diese Dreijährigen müssen nun geritten werden. Ich kann sie nicht länger so laufen lassen.«

»Du wirst es doch nicht selber tun, Rob?«, sagte Nell laut und erschreckt.

Ihr Mann antwortete nicht.

»Du hast es mir im vorigen Jahr versprochen!«, rief sie.

»Es ist meine eigene Schuld, dass es so lange aufgeschoben wurde.«

»Nein, du darfst nicht!« Nells Pupillen wurden so groß, dass ihre dunkelblauen Augen beinah schwarz aussahen.

»Aber Nell …!«

»Ich kann es nicht aushalten!« Ihr braunes Gesicht rötete sich. »Ich will nicht sehen, wie du das Pferd bekämpfst und das Pferd dich. Stürzen und Geschrei und Staub und Schweiß – mir wird schlecht, wenn ich das mit ansehen muss.«

»In der Stadt gibt es jetzt bestimmt gute Cowboys, die auf den Rodeo warten«, schlug Gus vor.

McLaughlin blickte finster. »An meine Pferde soll kein Cowboy heran.«

»Aber Rob …«

»Der Cowboy ruiniert das Pferd.« Er sprach lauter. Was jetzt kam, war eine seiner Lieblingsreden. »Das Pferd verliert etwas, was es nie wiederbekommen kann!«, rief er. »Irgendetwas ist weg. Es ist kein vollständiges Pferd mehr. Ich hasse diese Methoden, zu warten, bis das Pferd völlig erwachsen ist, seine festen Gewohnheiten hat, und erst dann eine Schlacht auf Tod und Leben mit ihm zu schlagen. Und das Pferd wird dadurch für immer misstrauisch und furchtsam, seine ganze Veranlagung leidet, es kann nie wieder Vertrauen zum Menschen fassen. Und wenn ich das Vertrauen meiner Pferde verliere …«

»Aber es sind ja nur Dreijährige«, sagte Nell hartnäckig. Howard und Ken blickten sie erstaunt an. Wie konnte sie so furchtlos sein, wenn der Vater ärgerlich war und so laut sprach!

Ihr Gesicht und ihr hellbraunes Haar sahen so weich aus; aber nichts von dieser Weichheit lag in dem entschlossenen Ausdruck, mit dem sie ihrem Mann entgegentrat.

»Außerdem«, sagte sie, »sind sie ja schon ein wenig gezähmt worden. Sie sind ja nicht wie Wildpferde, die man direkt aus den Bergen geholt hat.« McLaughlin saß einige Augenblicke da, ohne zu antworten, dann wandte er sich an Gus. »Also gut, Gus.«

»Darf ich mithelfen?«, fragte Howard abermals.

»Nein!«, schrie McLaughlin. »Einer allein hat genug damit zu tun, hundert Pferde wegzubringen, von denen die Hälfte nicht bei Verstand oder verwildert ist und die sich nach einem Winter im Freien höllisch munter fühlen. Da braucht man nicht noch einen Burschen wie dich, der sie durch sein Auftauchen im unrechten Augenblick tödlich erschreckt und davonjagt.«

»Darf ich dir nicht auf dem Hinwege die Pforten öffnen?«, fragte Howard niedergeschlagen. Er sollte also einen ganzen Tagesritt verlieren, dazu ein genaues Kennenlernen der im Frühling geborenen Fohlen, den aufregenden Ritt mit Banner, dem großen Hengst, und seinem Rudel Zuchtstuten, die heute zur Sommerweide auf Nummer zwanzig hinaufgebracht werden sollten.

Sein Vater beachtete die Frage nicht und wandte sich an Gus.

»Nimm heute am besten mit Tim die Bewässerungsgräben vor. Die müssen in Ordnung sein, bevor wir das Wasser auf die Weiden leiten.«

»Ja, Herr Rittmeister.«

»Fang Shorty und sattle ihn für mich. Ich bin nach einer knappen halben Stunde bei den Ställen.«

»Ja, Herr Rittmeister.« Gus ging hinaus.

McLaughlin legte die Pfeife weg und zog die Kaffeetasse zu sich heran. Alle schwiegen einen Augenblick, dann fragte Howard: »Welches Pferd hast du heute Morgen geritten, Ken?«

»Zigarette.«

McLaughlin sah auf: »Du hast Zigarette geritten?«

»Ja, Sir.«

»Hast du sie wirklich eingefangen und anbinden können, ohne dabei irgendetwas zu zerreißen?«

»Nein, Sir.«

»Was hat sie denn zerrissen? Einen Zaum?«

»Nein – das heißt –, nicht heute. Gestern hat sie einen zerrissen.«

»Und heute?«

»Den Haken am Strick des Halfters.«

»Habe ich dir nicht gesagt, dass man diese Stute nicht mit gewöhnlichen Halftern anbinden kann? Man muss ihr eine Lassoschlinge umlegen.«

»Ja, Sir.«

»Nun, warum hast du denn das nicht getan?«

»Ich dachte – ich dachte –«, Ken versagte die Stimme. Es gab für ihn keine Worte mehr. Er trank in großen Schlucken seine Milch.

»Du dachtest! Das Unglück ist, dass du eben nicht denkst!«

McLaughlins Stimme war nicht mehr ganz so scharf.

Jetzt sagte Howard wieder etwas. »Hast du deine Satteldecke gefunden, Ken?«

»Welche Satteldecke?«, fragte McLaughlin und wurde aufmerksam.

»Ich verlor gestern Nachmittag beim Reiten auf den Hügeln eine Satteldecke«, sagte Ken.

»So? Wirklich?«, fragte sein Vater sarkastisch. »Du rittest wohl mit einem Sattel und hattest den Gurt nicht richtig angezogen?«

»Ja, Sir«, sagte Ken gefügig, »aber ich fand sie heute Morgen.« Seine Stimme zitterte ein wenig.

»Ist sie ganz in Ordnung?«, fragte McLaughlin bissig.

Ken war verzweifelt. »Sie hat einen Riss bekommen, denn sie blieb am Stacheldraht hängen.«

»Was soll ich denn eigentlich mit dir anfangen?«, fuhr McLaughlin ihn an. »Kein Junge vergisst und verliert und zerbricht so viel wie du.«

Ken starrte auf seinen Teller; er fühlte, wie die Hitze ihm ins Gesicht stieg, ein Klumpen saß ihm in der Kehle. »Wenn ich nur ein Fohlen hätte, Papa.«

»Was hat das damit zu tun?«

»Howard hat ja doch eins. Als er Highboy bekam, war er bloß neun, und er hat es ja doch aufziehen können. Ich bin zehn, und selbst wenn du mir jetzt ein Fohlen schenktest, könnte ich Howard doch nie einholen, denn ich könnte es ja erst reiten, wenn es drei Jahre ist, und dann wäre ich dreizehn.«

Nell lachte. »Das ist wirklich fehlerfrei gerechnet!«

»Howard bekommt bei den Zensuren nie weniger als fünfundsiebzig im Durchschnitt. Und er passt auf, wenn ich ihm etwas sage, und verliert kein Zaumzeug oder zerreißt oder verdirbt es irgendwie.«

Ken hatte darauf nichts zu entgegnen und senkte den Blick.

»Hat Zigarette dich abgeworfen?«, fragte Howard in munterem Ton.

»Ja.«

»Hast sie wohl mit den Fersen berührt?«, fragte McLaughlin.

»Ja, Sir«, sagte Ken automatisch.

»Hast du sie nachher abgerieben?«

Es war einerlei: Nun kam ja doch alles heraus. Er wandte sich mit trüber Stimme an den Vater. »Ich – nein, Sir –, sie ist mir weggelaufen.«

»Weggelaufen? Wo denn?«

»An der Landstraßenpforte, als ich sie beim Hereinkommen schließen wollte.«

»Wie kam denn das?«

»Ich hatte die Zügel in der Hand und stand da –«

»Warum?«

»Nur so. Ich sah mich bloß um, sah zu den Hügeln zurück, und sie wollte grasen und kam mit einem kleinen Ruck los. Und dann hatte sie das gemerkt und ließ sich nicht wieder einfangen. Sie lief weg.« Ken fand, dass er ebenso gut alles auf einmal erzählen könnte, um endlich damit fertig zu sein. »Und ihr Fuß geriet in die Zügel und zerriss sie.«

»Mir schien, du sagtest vorhin, dass du heute keine Zügel zerrissen hast?«

Ken verbesserte sich. »Nein, es war nicht gerade der Zaum, es waren die Zügel.«

Darüber sagte der Vater erstaunlicherweise nichts; er sah Ken bloß nachdenklich an. »Woran dachtest du denn, als du dort bei der Pforte warst und nur so dastandest?«

»An mein Fohlen.«

»*Dein* Fohlen! Du hast ja keins.«

»An das Fohlen, das ich im Sinn habe.«

»Du hast also eins im Sinn?«

»Ja, Sir.«

»Es ist am besten, wenn du es auch weiterhin dort behältst. Dann kann es dir nicht davonlaufen.«

Howard lachte laut und McLaughlin klopfte die Asche aus seiner Pfeife und steckte sie in die Tasche seiner Lederjacke. Er stand auf und Ken sagte verzweifelt: »Willst du mir kein Fohlen schenken, Papa?«

McLaughlin blickte auf seinen kleinen Sohn nieder. »Du musst dich zusammenreißen, Ken. Ich weiß nicht, was ich mit dir anfangen soll. Du hältst nie deine Gedanken zusammen, gehst immer wie im Schlaf herum. Gleich auf dem ersten Ritt verlierst du eine Satteldecke –«

»Aber ich habe sie doch wiedergefunden.«

»Ja – die Decke hast du gefunden, aber das Pferd verloren. Das Unglück ist, dass du gar nicht versuchst es besser zu machen.«

»Gewiss versuch ich es.«

»Würde gern einen Beweis dafür haben. Komm, Howard, du darfst bis zu den Wiesen mitreiten und die Pforten öffnen.«

Auch Ken schob seinen Stuhl zurück. »Darf ich nicht helfen?«

»Aber nein. Du musst mit dem Lernen anfangen. Jeden Morgen, gleich nach dem Frühstück. Vergiss das nicht.«

McLaughlins zerkratzte Stiefel und die schweren Sporen daran klapperten über den Fußboden der Küche. Howard ging hinterdrein; er war großherzig genug keinen spöttischen Blick auf Ken zu werfen.

Nell holte ihre Schürze und band sie über ihr blauweiß gewürfeltes Kleid. Ihre nackten Beine waren sonnengebräunt und ihre kleinen, mageren Füße steckten in netten braunen mexikanischen Sandalen.

Ken stand wie betäubt da und blickte auf die Tür, hinter der sein Vater und Howard verschwunden waren.

Er fühlte die Hand der Mutter auf seinem Kopf. Sie streichelte ihm leicht den Scheitel. »Kennie«, sagte sie, »du kannst ja jedes Pferd auf dem Gestüt reiten. Warum willst du durchaus ein Fohlen haben?«

»Oh, Mutter, es ist ja nicht wegen des Reitens. Ich will mit einem Fohlen befreundet sein. Es soll mir gehören, mir ganz allein.«

Als sie in sein emporgewandtes Gesicht schaute, erschrak sie über die Heftigkeit und Leidenschaftlichkeit seines Wünschs, aber sie verstand ihn. Ja, sie war ebenso: *mir ganz allein …* Sie wandte sich ab und fing an den Tisch abzuräumen.

Die Katze miaute neben ihr. Sie wollte etwas Gutes bekommen. »Nein, Pauly, dies ist für die Hunde.« Nell hatte einige Reste und etwas Gerstenbrei auf einen großen Teller getan. Sie reichte ihn Ken. »Geh hinaus und füttere die Hunde.«

Chaps, der dicke, schwarz gelockte Spaniel mit langen, haarigen Büscheln auf den Vorderbeinen, stand gierig und mit triefendem Maul vor der Tür. Neben ihm, höflich und geduldig, der gelbe Collie mit weißer Halskrause und traurigen Augen. Er wedelte und sah Ken an.

Ken setzte den Teller hin und ging langsam in die Küche zurück. Die Mutter war beim Aufräumen. Sie fütterte Pauly, nahm das Tischtuch und schüttelte es aus, ließ die Seitenklappen des Tisches herunter und schob ihn in die Fensterecke. Die ovalen Fußmatten gab sie Ken. »Geh mal mit ihnen hinaus und schüttle sie gründlich.«

Dann ließ sie aus dem Hahn heißes Wasser in die Abwaschbütte laufen. Von dort, wo sie stand, konnte sie sehen, wie Ken die Matten langsam ausschüttelte. Er machte ein Spiel daraus und versuchte die Hunde zu erschrecken; und ihr fiel ein, wie sie als kleines Mädchen dasselbe für ihre Mutter hatte tun müssen. Das war in ihrem Landhäuschen bei Cape Cod gewesen, als es zu heiß geworden war, um in Boston zu bleiben.

Die Abwaschbütte war voll.

Auch sie hatte die Matten immer sehr langsam geschüttelt, hatte sich umgeschaut, hatte den Geruch von salzigem Tang in der Luft verspürt und dem fernen Donnern der sich am Strande brechenden Wellen gelauscht, bis die Stimme ihrer Mutter sie ermahnt hatte sich mit den Fußmatten zu beeilen.

Das heiße Wasser lief über und verbrannte ihr die Hände.

»Beeile dich mit den Matten, Ken.«

Er brachte sie herein. »Wenn ich doch ein Fohlen hätte«, sagte er wie ein Automat.

»Geh jetzt mal hinauf und lerne, Ken. Dann bist du's los.«

»Wohin soll ich die Matten legen?«

»Leg sie auf den Stuhl. Ich muss erst den Fußboden fegen.«

Ken gehorchte und ging zögernd zur Esszimmertür. »Wo soll ich denn lernen?«

»Wo sind deine Schulbücher?«

»Auf dem Bücherbrett in meinem Zimmer.« Er ging hinaus und sie hörte, wie er sich langsam die Treppe hinaufschleppte.

Sie seufzte. Jetzt würde sich also den ganzen Sommer lang alles um das Fohlen drehen, dachte sie. Wenn Howard ihn doch nicht so viel necken wollte! Sinnlos das Rob zu sagen; er unterstützte Howard in allem und sagt, Ken müsse sich's eben gefallen lassen. Ich werde zusehen, dass Howard den Mund hält. Wenn Rob ihm doch ein Fohlen gäbe.

Sie trocknete schnell das Geschirr ab und stellte es in den Schrank. Es war kein Holz zum Anzünden mehr da, und sie lief zum Brennholzhaufen hinter dem Haus und schwang beim Hacken das Beil so geschickt wie auf dem Tennisplatz den Schläger.

Gut, dass Gus nicht in der Nähe ist, dachte sie. Er hatte sie neulich beim Holzhacken überrascht und ihr die Axt sanft aus der Hand genommen. »Drei Männer auf dem Gestüt, und Sie hacken Holz, Missus? Nein, solange der alte Gus hier ist, darf das nicht geschehen.«

Es hatte Nell anfangs Spaß gemacht, »Missus« genannt zu werden, aber sie hatte verstanden, dass das hier im Westen so viel wie »Frau« bedeutete, im weitesten Sinne alles, was dieses Wort an Weiblichkeit in sich schließen kann. Hier in dieser ihrer Welt, die voller Männer war: Mann, Söhne, Angestellte, Schnitter und Pferdehändler, bezeichnete »Missus« das, wovor alle den Hut abnahmen und die Köpfe beugen konnten. In den Städten konnten die Frauen zu Arbeitsmaschinen werden, konnten hart werden und es mit Schwierigkeiten aufnehmen, aber die »Missus« auf einem Gestüt musste – auch wenn sie selbst die Kühe molk oder Pferde in die Schule nahm – dennoch ganz und gar Frau bleiben; sonst hätte sie den Männern um sich herum etwas geraubt, was ihnen so süß war wie der Zucker in ihrem Kaffee.

Sie trug ihr Holz herein, füllte den Korb neben dem Herd und nahm den Besen zur Hand. Durch das Fenster sah sie eine große Ranke, die sich losgerissen hatte,

über den Grasplatz dahintaumeln. Mit geöffneten Lippen sah Nell zu. Sie hörte das Brausen in den Kiefern. Wie die Brandung, dachte sie, ja, ganz wie das Meer. Sie konnte sehen, wie die Bäume sich im Winde neigten und wie ihre Kronen hin- und herwogten. An solch einem Tage war sie immer gern im Freien; dann war es schön, über die Hügel zu reiten, wo der Wind ihr im Haar wühlte und wo sie selbst, wie jene Ranke auf dem Rasenplatz, vor ihm dahingetrieben wurde. Aber zuerst kam Fegen, Bettenmachen, Putzen, das Mittagessen …
Sie fing mit dem Fegen an und sang dabei:

Ach, das Schiff, es segelt weit über das Meer.
Fahr wohl, mein Liebster, fahr wohl …

Ken macht alles falsch

Als Ken aus der Küche ging, zeigte die Weckuhr auf dem Wandbrett neben dem Gewürzschrank zwanzig Minuten vor neun. Er fragte sich, ob er die Stunde von diesem Augenblick an rechnen oder ob er sie anfangen lassen sollte, wenn er in sein Zimmer trat, oder nachdem er die Bücher auf den Tisch gelegt hatte. Das war ein sehr schwieriger Punkt; aber da er sich nicht entscheiden konnte, ging er auf alle Fälle so langsam hinauf, wie es sich nur irgend einrichten ließ.

Auf dem Treppenabsatz blieb er vor dem Bild mit der Ente stehen. Dieses Bild zu betrachten konnte ihn in eine andere Welt versetzen. Er wusste genau, wie er es anzustellen hatte, um dahin zu kommen. Man musste sich in Gedanken genauso groß oder so klein machen, dass man in diese andere Welt hineinpasste.

Wenn er sein Gesicht den kleinen Pfützen im Strombett näherte und das lange genug tat, während er sich einbildete, er sei eine von den kleinen Krabben, die von Fels zu Fels krochen, oder eine kleine Forelle, kleiner als ein Stichling – dann war er bald völlig in jener Welt unter der Wasseroberfläche und wusste beinahe, warum alle dort umherkrochen und sich so ernsthaft begegneten, einen Augenblick miteinander sprachen und dann wieder davonliefen.

Es hatte etwas Reizvolles, in eine andere Welt als die eigene einzugehen, besonders dann, wenn die gewöhnliche Welt oder die Dinge, die man in dieser Welt tun musste, so langweilig waren wie gerade jetzt.

Aber während er dastand, kamen ihm gewisse Befürchtungen: Die Mutter hatte ja wohl gehört, dass er die Treppe nicht zu Ende hinaufgegangen war. Er ging also weiter, durch die Halle, in sein Zimmer und schloss laut die Tür. Sie würde wahrscheinlich ebenfalls nach der Uhr sehen.

Er sah nach der Weckuhr auf seinem Toilettentisch: fast zehn Minuten vor neun. Sonderbar …

Einen Augenblick stand er da und blickte umher. Er und Howard hatten jeder für sich ein kleines Zimmer.

Ken liebte sein Zimmer. Die Wände waren weiß gekalkt und das große Fenster ging auf die Terrasse und den Grasplatz hinaus. Von hier konnte er alles sehen. Die Sonne schien herein.

Am meisten von allem liebte er sein kleines Bett aus Walnussholz, denn darin fühlte er sich richtig zu Hause. Mehr oder weniger war er überall zu Hause, außer in der Schule. Auch die Vereinigten Staaten von Nordamerika waren sein Zuhause, das fühlte er, wenn das Nationallied gesungen wurde. Am meisten aber doch sein Bett; das erinnerte an freundliche Arme, die sich jeden Abend, wenn er hineinstieg, um ihn schlossen.

Sehr ordentlich war es nicht. Er und Howard mussten selbst ihre Betten machen und er hatte heute große Eile gehabt, weil er ja hatte reiten wollen. Jetzt war der Augenblick günstig, um es richtig in Ordnung zu bringen. Das war Pflichterfüllung, ungefähr ebenso wie das Lernen, und konnte deshalb wahrscheinlich in die Stunde mit eingerechnet werden. Die Steppdecke war hellgrün und mit rosa und blauen Blumen gemustert; sie lag mit hohen Faltenbuckeln über den Betttüchern. Er zog sie weg, ließ dann aber die Hände sinken, denn seine Blicke hingen an den Bildern über dem Kopfende.

Die beiden Bilder rechts und links hatten flache, zweieinhalb Zentimeter breite Holzrahmen und ihre Größe war ungefähr zwanzig Zentimeter im Quadrat. Und in den Rahmen …

Die Decke glitt ihm aus der Hand; er trat nahe an eins der Bilder heran und betrachtete es genau. Was für Menschen! Bauern, hatte seine Mutter gesagt; wahrscheinlich Schweizer.

Sie waren höchst sonderbar gekleidet. Der Mann trug ein weißes Hemd, gestickte Hosenträger, kurze Kniehosen und einen schief sitzenden Hut mit einer Feder daran. In der Hand hielt er eine Flöte. Die Frau hatte eine weiße Bluse, ein geschnürtes schwarzes Leibchen, einen weiten Rock und ein Taschentuch auf dem Kopf. Sie saß auf einem Felsvorsprung, ihre nackten Füße hingen ins Wasser. Sie beugte sich mit ausgestreckten Armen vor, um einen kleinen nackten Jungen zu halten, der, sich an ihre Hand klammernd, auf einem Bein im Fluss stand und offenbar sehr ängstlich war, weil eine große Ente mit einer Schar Küken dicht in der Nähe umherschwamm. Das Haar des Kleinen war ebenso gelb wie die jungen Entlein. Er sah sehr ängstlich aus. Seine Augen waren blau, die Wangen dick und rot. Seine Mutter lächelte nachsichtig.

Der Vater saß mit Beschützermiene hinter den beiden; er schaute ihnen zu und schien sogleich Flöte spielen zu wollen.

In einer solchen Welt war Ken noch nie gewesen. Er kletterte über das Bett und besah sich das andere Bild, das ebenfalls Bauern darstellte, aber die befanden sich in einem Haus.

Am anderen Ende seines Zimmers hing das sonderbarste von allen Bildern. Ken stellte sich davor, um es zu betrachten. In einer Ecke war ein Vers geschrieben, den er auswendig konnte:

Wo du hingehst, da will auch ich hingehen.

Dein Haus sei mein Haus.

Das Bild stellte einen Mann auf einer Wüstenwanderung dar, der sich nach einem Mädchen umwandte. Sie war zurückgeeilt, um eine Frau zu umarmen, und der Vers in der Ecke enthielt ihre Worte. Beide waren in lange, helle Tücher gekleidet.

»Wo du hingehst, da will auch ich hingehen«, murmelte Ken; ihm gefiel das gleichmäßige Heben und Senken der Stimme, das diese Worte bewirkten. Außerdem war in diesem Bild etwas, was es in den beiden anderen nicht gab: etwas völlig Erwachsenes, Geheimnisvolles, das aufregend war.

»Wo du hingehst …« Er lief zum Bett zurück, denn er hörte schnelle Schritte in der Küche. Die Mutter rief zur Tür hinaus. »Hierher, Kim!«

Diesmal brachte er wirklich das Bett in Ordnung und glättete die Steppdecke. So sah es ganz gut aus. Er stand davor und dachte daran, dass er nun wirklich seine Bücher holen müsste.

Sein Schreibpult stand in der Ecke beim Fenster. Es war nur ein Tisch mit vier Schubladen, über dem ein Regal mit drei Fächern hing. Dort standen nicht nur Schulbücher, sondern auch einige Märchenbücher, zum Beispiel »Schloss Blair«. In was für eine Welt das doch führte! Zu einem ganzen Trupp von Kindern, die in einem Schloss in Schottland lebten. Und Ken kannte dieses Schloss ebenso gut wie sie. Und dann war da »Hinter dem Rücken des Nordwindes«, und dann …

Er las nur die Titel und seufzte tief. Er fühlte sich gar nicht wohl; vielleicht würde er krank werden?

Dennoch nahm er jetzt entschlossen sein Rechenbuch vor, öffnete es und fing an nachzudenken.

Shorty – wie hässlich doch der braune Shorty mit den Haarbüscheln an Hufen und Stirn und den kurzen Beinen war! Der Vater hatte gesagt, er sei wie ein Dachshund gebaut.

Aber er reitet immer Shorty, wenn es harte Arbeit gibt, dachte Ken. Howard hat Highboy. Ob sie schon gesattelt haben? Ich möchte wetten, dass ich ganz allein die Pferde zusammentreiben könnte, wenn ich dazu Shorty bekäme. Er machte eigentlich alles ganz allein; er weiß besser als jeder andere, wo die Pferde sind, wenn man sie sucht. Wer weiß, wie er es anstellt; er merkt es wohl am Geruch. Und er weiß, welche Richtung sie nehmen, und schneidet ihnen den Weg ab. Warum tut er das wohl so gern? Er ist ja doch selbst ein Pferd und sollte auf ihrer Seite stehen, anstatt mitzuhelfen sie einzufangen. Vielleicht ist es für ihn wie Fangenspielen? Vater sagt, dass Shorty das tüchtigste Pferd auf dem ganzen Gestüt sei. Aber ich mag ihn nicht. Irgendwie ist er gemein. Banner mag ich viel lieber.

Kens Augen bekamen einen leeren Ausdruck, als er sich den großen goldfarbenen Hengst vorstellte, der jedes Jahr Vater von zwanzig neuen Fohlen wurde. Alle Jungpferde: Die Dreijährigen, die Zwei- und Einjährigen und nun die kleinen Fohlen waren seine Nachkommen.

Banner war wie ein König. Er war nie geritten worden, aber er und Rob McLaughlin waren Freunde, sie verstanden einander. Nell sagte, bevor sie in den Westen gekommen sei, habe sie nie gewusst, wie sehr ein Hengst einem Menschen ähnlich sein könne.

Ken hatte einmal gesehen, wie sein Vater und Banner sich nahe gegenüberstanden: Banner mit gespitzten Ohren, vorgestreckter Nase und weit offenen Nüstern, als ob er das ganze Wesen des Mannes, der vor ihm stand, einatmen wollte. Seine Beine hielt er steif; sie zitterten ein wenig. Er kam nicht gern ganz nahe an Menschen heran. Auch der Vater stand auf steifen Beinen da: breitbeinig wie so oft, mit gekreuzten Armen, den Kopf mit dem lockigen Haar zurückgelegt; er sprach so leise, dass nur Banner es hören konnte. Es war, als ob sie beide Pläne miteinander machten.

Die zwei, Banner und der Vater, leiteten das Gestüt. Mit einem Male hörte Ken, dass Pferde sich näherten. Er fuhr so schnell auf, dass ein Stuhlbein mit dem Tisch zusammenstieß und er selbst auf den Fußboden rollte. Er kam schnell wieder auf die Füße und rannte zum Fenster. Da waren sie. Chaps war auch dabei. Er und Shorty waren dicke Freunde. Shorty wollte immer, dass Chaps mitkam; er war so verständig. Kim war nicht da. Wahrscheinlich eingesperrt. Er war unbequem, sah aus wie ein Präriewolf und die Fohlen fürchteten sich vor ihm. Chaps sprang fortwährend vor Shortys Nase hoch, genau genommen unter seinen Füßen. Es sah so aus, als ob er ihn fortwährend an der Nase zwackte. Shorty machte sich nichts daraus. Vielleicht war das die Art der beiden, sich zu küssen? Aber Banner mochte es nicht. Chaps durfte ihm nicht in die Nähe kommen.

Ken bog sich, so weit er konnte, aus dem Fenster, um ihnen nachzusehen, als sie in leichtem Trab über den Grasplatz ritten und hinter dem Haus verschwanden.

»Ken!« – Nells Stimme erscholl aus dem offenen Fenster unter ihm. »Was machst du denn da?«

Er sprang schnell zum Tisch zurück, damit er wahrheitsgetreu antworten konnte:

»Ich rechne.«

»Was war denn das für ein Krach?«

»Mein Stuhl fiel um.«

»Wie kam das?«

»Er fiel nur so hin –«

Nichts mehr von Nell. Ken bot seine ganze Energie auf und blickte finster in das Buch. Er musste einen Arbeitsplan machen. Er würde mit »Kürzen« anfangen. Das hatte er gern. Es war lustig, die Zahlen über und unter der Linie auszustreichen und alles in nichts zu verwandeln.

Er stöberte nach seinem Notizblock und fand ihn, nachdem er alle Schubladen geöffnet hatte. Dann hörte er Nell die Treppe heraufkommen. Sie öffnete die Tür.

Sie hatte eine reine Kommodendecke auf dem Arm und machte sich schnell daran, sie gegen die alte auszuwechseln.

»Ich hab mir gedacht, Ken, dass es vielleicht am besten wäre, wenn du während dieser Lernstunden deinen Aufsatz schreiben würdest.«

»Den Aufsatz?«

»Ja, den du nicht geschrieben hast. Wenn du ihn jetzt ordentlich hinschreibst, so könnten wir ihn Mr Gibson schicken und ihm erklären, wie es kam, dass du nichts geschrieben hast – eben weil du die ganze Zeit darüber nachgedacht hattest. Vielleicht rechnet er es dir an.«

»Den über den Albino?«, fragte Ken und seine Blicke wanderten nachdenklich zum Fenster. »Wie soll ich denn anfangen?«

»Hast du Papier?«

»Ja.«

»Tu so, als ob du das Ganze irgendjemandem erzähltest, der nichts von alldem weiß. Zum Beispiel mir. Ich hab es vielleicht vergessen. Wer war denn eigentlich der Albino?«

»Ein großer weißer Hengst, ein Wildpferd«, sagte Ken lachend, »das von Montana herüberkam, als dort Dürre herrschte. Papa nannte ihn einen großen, hässlichen Teufel, aber ein ungewöhnliches Pferd.«

»Ausgezeichnet«, sagte Nell. »Und was tat er?«

»Er stahl allen hier in der Gegend die Stuten weg, und als er nach sechs Jahren eingekreist und mit dem Rudel seiner Stuten eingefangen wurde, da zeigte es sich, dass alle hier in der Gegend Stuten in seinem Rudel fanden, die sie schon längst verloren geglaubt hatten. Und der Albino hat auch Gipsy genommen.«

»Wer ist denn Gipsy?«

»Papas Polostute, die er beim Militär gehabt und dann zu den Zuchtstuten getan hatte und von der er eine Menge guter Fohlen erwartete. Aber der Albino stahl sie oder sie lief weg zu ihm. Und als man damals das ganze Rudel eingekreist hatte, war auch Gipsy dabei, mit vier Fohlen, und Papa brachte sie alle zur Farm zurück. Und die Fohlen waren herrlich, schnell und stark, aber furchtbar wild. Papa verkaufte die Hengstfohlen und die kleinen Stuten tat er zu den Zuchtstuten, aber er konnte sie nie zähmen. Er sagte, dass der Albino von schlechtem Blut wäre. Rocket stammt von ihm ab. Sie war die Beste von allen.«

»Und wie ging es mit Gipsy? Ist sie noch am Leben?«

»Sie ist dreiundzwanzig Jahre alt und hat nicht mehr viele Zähne und sieht etwas mager aus, weil sie nicht gut kauen kann. Aber sie hat beinahe jedes Jahr ein Fohlen. Und die sind gut.«

»Da siehst du, Ken, dass du einen sehr guten Aufsatz aus alldem machen könntest. Und du könntest es ›Die Geschichte von Gipsy‹ nennen.«

Sie trat hinter seinen Stuhl. »Fang nun gleich an.«

»Die Stunde ist beinahe zu Ende.«

»Du kannst es ja morgen fertig schreiben.«

Ken seufzte tief und schrieb sorgfältig oben auf das Blatt: »Die Geschichte von Gipsy«.

Nell ging hinaus; er hörte, dass sie die Teppichbürste aus der oberen Besenkammer nahm und anfing in ihrem eigenen Zimmer zu fegen.

Er hob den Kopf und horchte auf die Laute, die von fern her kamen. Wie weit waren sie wohl auf der Landstraße geritten? Wie würde Banner sich benehmen, wenn Shorty in seine Nähe kam? Hengste mögen Wallache nicht. Sie mögen überhaupt nur Stuten. Der unsichere Bleistift zeichnete einen langen Pferdekopf mit gespitzten Ohren und ging dann zu einer flatternden Mähne über …

Ken rannte die Landstraße entlang. Er wollte den Weg abschneiden. Sie waren vor beinahe einer Stunde ausgeritten, aber er wollte versuchen sie bei der Rückkehr auf halbem Wege zu treffen und das ganze Rudel vorbeiziehen zu sehen. Er würde ein gutes Versteck finden, so dass der Vater ihn nicht bemerken konnte.

Er lief im Bewässerungsgraben entlang, der trocken war, da man das Wasser noch nicht hineingeleitet hatte. So konnte er die Straße und die Pforten vermeiden. Es war möglich, dass man Howard an eine der Pforten gestellt hatte.

Er hielt scharf Ausschau nach allen Seiten. Nirgends ein Pferd zu sehen. Wenn ich jetzt ein Pferd hätte, würde ich reiten, dachte er. Wir würden im Graben entlanggaloppieren.

Ein Gebüsch von wilden Kirschen und Dornen versperrte ihm den Weg, aber er schlug sich durch. Wo der Stacheldraht den Graben kreuzte, kroch er auf allen vieren darunter hindurch.

Er war außer Atem, das geschah sehr oft, wenn er nach dem Winter in Laramie nach Hause kam. Er ging jetzt langsamer; es schien ein recht weiter Weg zu sein.

Nach einer Weile kroch er aus dem Graben und kletterte einen Hügel hinauf. Von hier aus konnte er Gus und Tim bei der Grabenarbeit auf der Hakenwiese sehen und ihre Stimmen hören. Tim schwang einen Pickel; Ken hörte den Schlag etwas später, nachdem er den Pickel hatte niederfallen sehen. Eine Meile oder noch weiter konnte er den Burgfelsen liegen sehen, den großen, überhängenden Felsen, der fünfundzwanzig Meter hoch aufschoss und mit seinen Spitzen, Wällen und Türmchen wie eine Burg aussah. Zu seinen Füßen lag am Ende der Wiese das Espenwäldchen. Dort unten, nahe dem Felsen, mussten sie gerade jetzt sein. Der Vater ritt im Bogen um die Stuten und ihre Fohlen herum und trieb sie langsam über die Wiese. Er jagte sie nie; sie sollten im Schritt, hin und wieder grasend, herüberkommen. Von Reitern, die mit Geschrei umhergaloppierten und die Pferde zum Rennen brachten, sprach er mit tiefer Verachtung.

Ken befand sich jetzt auf dem grasbewachsenen, ebenen Boden, der sich zum Stacheldrahtzaun hinabsenkte, und von hier aus konnte er die weit geöffneten Pforten sehen; von dort würden die Pferde kommen, geradewegs hierher, wo er stand, denn von der Pforte führte eine Art Weg herauf, und die Stuten würden ihn von selbst einschlagen, ohne sich zu zerstreuen. In vielen Windungen, zuerst nach Norden und dann durch das Grasland nach Osten, lief dieser Weg schließlich auf die Landstraße hinaus, die von der Lincolnstraße zum Gestüt führte. Wahrscheinlich würde der Vater sie dorthin und dann über den Grasplatz vor dem Hause und durch den »Hals« zu den Ställen bringen; dort würde er ihnen Hafer zu fressen geben, bevor man sie durch die Stallweide zur Sattelhöhe trieb.

Wenn er sich irgendwo verstecken konnte – aber so, dass er die Pforte im Auge behielt –, würde er alle ganz nahe vorüberkommen sehen.

Er sah sich nach einem Versteck um. Hier und da ragte der rosafarbene Granit hervor, der hier überall unter der Erdschicht lag, und an einigen Stellen wuchsen wilde Johannisbeersträucher.

Er entschied sich für die Sträucher und sank keuchend in einem Gebüsch nieder; hier konnte er wieder zu Atem kommen.

Wie lange das dauerte! Er guckte hinter dem Busch hervor, spähte und horchte, aber nichts war zu hören und auch drunten auf der Wiese waren keine Stuten zu sehen. Sie waren wohl alle noch im Espenwäldchen, ganz hinten, wo die Bäume und die großen Felsen sie verdeckten. Er verkroch sich wieder hinter den Büschen, legte sich hin und fühlte sich auf einmal sehr müde und sehr unglücklich. Das Schulzeugnis und die Satteldecke und das Lernen – alles Unangenehme lag hinter ihm, und das Gras, auf dem er lag, duftete süß. Und nun würde er gleich sehen können, wie der Vater und Banner die Zuchtstuten und Fohlen von der Wiese heraufbrachten. Der Himmel war so nah und das Blau wölbte sich über ihm – hier auf den Hügeln konnte man immer sehen, dass der Himmel gewölbt und nicht flach war. Die Wolken sahen zuverlässig aus, sie hatten deutliche, seltsame Formen und der Wind trieb sie vor sich her. – Er war nach wenigen Augenblicken eingeschlafen.

Plötzlich fuhr er aus dem Schlaf hoch; er war so tief versunken gewesen, dass er meinte viele Stunden geschlafen zu haben. Ein wenig verwirrt richtete er sich auf. Dann fiel ihm alles ein und er sprang auf die Füße. War es nun zu spät? Sie waren vielleicht schon vorbeigekommen, während er schlief? Ken rannte aus den Büschen hervor – mitten in das Rudel hinein!

Die Stuten kamen von der Wiese herauf und auf dem Grasboden waren ihre Tritte fast lautlos. McLaughlin war der Letzte; Banner hielt sich beiseite, ungefähr in der Mitte. Sie gingen so ruhig wie Kühe, die zum Melken heimkehren.

An der Spitze schritt eine mächtige, langbeinige Stute mit glänzendem schwarzem Fell. Sie trug die Nase hoch in der Luft; um ihre wild stierenden Augen lag ein weißer Ring. Rocket, die Verrückte, die Tochter des Albinos.

Als Ken hinter seinem Busch hervorschoss, stieß er beinahe mit ihr zusammen. Sie schnob erschrocken und steilte.

Einen Augenblick befand sich Ken unter den Hufen ihrer Vorderbeine und spürte die Wärme ihres Körpers; dann wich sie mit einem großen Schwung seitwärts aus und schoss davon und Ken meinte, dass es nicht nur zwanzig, sondern hundert Pferde waren, die in Sprüngen hinter ihr herrasten.

Die Fohlen waren zu Tode erschrocken. Sie drehten auf den Hinterbeinen und galoppierten hinter ihren Müttern her, sich dicht an sie haltend und wie durch unsichtbare Bande an sie gefesselt.

Ken sah nichts als die Hufe der Pferdekörper und die kleinen, schattenhaften Gestalten der Fohlen, die an ihm vorbeirasten. Und dann hörte er den Vater und dessen lang gezogenen Ruf: »Ho-oh! Ho-oh!«, der so weit trug und so große Macht hatte, die Pferde zu beruhigen; aber diesmal schienen sie taub für seinen Ruf zu sein. Ken lief zu einem großen Stein und kletterte hinauf, um alles zu sehen, was vor sich ging.

Rocket war im rechten Winkel zur vorgesehenen Marschlinie abgeschwenkt und raste lang gestreckt wie ein Rennpferd dahin, das ganze Rudel hinter ihr her. Vor ihr lag der »Felsrutsch«, eine Stelle, wo die grüne Fläche über einen Abhang hin, der nur aus Felsen bestand, zu einer niedriger gelegenen Weide abstürzte. Ken und Howard konnten hier nur rutschend hinuntergelangen; keinem Pferd, es mochte noch so sicher auf den Füßen sein, war es möglich, hier hinunterzuklettern. Wenn Rocket diese Richtung beibehielt, würde sie sich zuletzt überschlagen und rollen und aufschlagend wie ein Ball unten ankommen, und ebenso musste es den anderen ergehen, wenn sie ihr folgten; die ganze Schar der Stuten und Fohlen würde stürzen, purzeln, rollen – und unten zerschmettern. »Ho-ho! Ho-ho!« McLaughlins Stimme klang verzweifelt. Er galoppierte, so schnell er konnte, um Rocket zu überholen, aber sie hatte einen großen Vorsprung und Shorty war kein schnelles Pferd.

Ken stöhnte. Der Felsrutsch – die schwarze, rasende Rocket – eine Tollgewordene – und die Stimme des Vaters, die dieses Mal machtlos war ... Da sah Ken auf einmal den großen Hengst, Banner, aus dem gedrängten Rudel hervorbrechen. Sein helles, kastanienbraunes Fell leuchtete in der Sonne wie eine Flamme. Seine Hufe donnerten.

»Oh, vorwärts, Banner, vorwärts!«, rief Ken und tanzte auf seinem Stein in Todesangst umher.

Banners Ohren waren zurückgelegt, sein Kopf lag tief und war so flach gestreckt, dass er eine Verlängerung des Halses zu sein schien. Er sah aus wie eine Verkörperung der Wut. Nichts machte ihn so zornig, wie wenn eine Stute aus dem Rudel ausbrach, während er die Führung hatte. Gelang es ihm, Rocket zu erreichen, dann würde er sie halb totschlagen.

Die beiden Pferde liefen in spitzem Winkel aufeinander zu und Banner gewann an Boden. Nah dem Felsrutsch stießen sie zusammen. Banners Kopf war plötzlich über dem der Stute, seine goldene Mähne mischte sich mit ihrer schwarzen, sein Maul stand offen, die großen Zähne waren entblößt.

Plötzlich schnappten seine Kiefer zu und Rocket schrie wütend auf und blieb mit einem Ruck stehen. Banner schwang sich herum und schlug und seine Hufe trafen Rockets Flanke mit dumpfem Laut. Die anderen Stuten stauten sich vor ihnen zu einer dichten Masse.

Und dann war Banner plötzlich überall. Er biss, schlug, jagte und umkreiste die Stuten, bis sie zurückwichen. Als sie dann anfingen hintereinander in die Runde zu laufen, senkte er wieder den Kopf und stürzte sich zwischen sie. In lang gezogenen Halbkreisen rannte er hin und her, bis er sie gezwungen hatte zu wenden und in entgegengesetzter Richtung zum Weideland an der Landstraße zurückzukehren.

Keine einzige Stute war verloren gegangen, kein Fohlen war beschädigt oder im Gedränge erdrückt worden. Rocket selbst schritt fromm, keuchend, schaumbedeckt auf die Landstraße zu. Ken bekam nun Angst für sich selbst. Wenn sein Vater ihn gesehen hatte! Vielleicht glaubte er, dass sie durch irgendetwas anderes erschreckt worden waren, durch einen Präriewolf oder einfach durch Rockets Verrücktheit.

Er rutschte am Stein hinunter und blieb mit angezogenen Knien sitzen. In dieser Stellung war er recht gut versteckt, weil ihn wilde Johannisbeersträucher und Felsen umgaben. Seine Hände waren kalt und zitterten vor Schreck über das Entsetzliche, was er getan hatte. Was hätte der Verlust der Zuchtstuten – ja auch nur einiger weniger – für seinen Vater bedeutet!

Er hörte am Hufgetrappel, dass die Pferde sich entfernten, und fing an leichter zu atmen. Da fiel plötzlich ein Schatten über ihn. Er sah auf und erblickte seinen Vater auf Shorty vor sich.

Ein einziger Blick in die flammenden Augen unter dem Rande des Stetsonhutes – und Ken ließ den Kopf sinken und schwieg. Endlich stammelte er leise:

»Ich – ich kam nur, um die Pferde zu sehen.«

McLaughlin sagte kein Wort.

Ken sah abermals auf und ein Blick in das Gesicht des Vaters ließ ihn über und über rot werden. Er rief grell:

»Ich wollte es ja doch nicht tun, Papa, ich wollte sie doch nicht erschrecken!« Er wollte noch ausführlicher erklären, dass er eingeschlafen und dann hervorgelaufen war, um zu sehen, ob sie schon vorbei wären, und dass Rocket gerade dort gestanden hatte. Aber dazu hatte er keine Zeit mehr. Ohne ein Wort des Tadels und ohne überhaupt zu antworten, machte McLaughlin kehrt und galoppierte hinter den Stuten her.

Ken war zu Mute, als sei er nun aus dem Gestüt ausgestoßen, als stehe er von jetzt an außerhalb all der Ereignisse, an denen Howard teilnahm. Und was das Schlimmste war: Der Vater hatte ihn ausgeschlossen aus seinem Herzen. Er hatte immer gehofft, der Vater würde einmal sein Freund werden, und nun war dies geschehen, und noch dazu, gleich nachdem er von der Schule gekommen war. Seine Verzweiflung war so groß, dass er sich ganz schwach fühlte. Er legte den Kopf auf die hochgezogenen Knie. Seine Hände waren fest geschlossen.

Nach einer Weile glitt er der Länge nach zu Boden und schlief ein. Es war jetzt der Schlaf tiefer Erschöpfung, der wieder einholte, was er durch den frühen Morgenritt verloren hatte.

Die Mittagsstunde war längst vorüber, als der ferne Schrei eines Habichts – er klang scharf und traurig – ihn wach werden ließ. Als er die Augen öffnete, sah er gerade in den blauen Himmel hinein, der sich hinter dem kreisenden Habicht wölbte.

Nun schrie der Habicht wieder. Ken gähnte tief und sah ihm zu.

Endlich setzte er sich mit dem Rücken gegen die Felsen. Seine Blicke wanderten mit einem abwesenden Ausdruck umher. Weniger als vier Meter von ihm entfernt lugten Kopf und Hals eines Hermelins aus einem

Loch hervor. Das weiche Fell hatte die Farbe des Erdbodens; nur durch die kleine Bewegung machte das Tier sich bemerkbar. Es sah aus wie ein Miniaturperiskop: Hals und Kopf waren gleich breit, so dass die Augen und die unendlich kleinen Ohren auf dem Hals selbst zu sitzen schienen. Beim Umherschauen drehte sich der ganze Hals. Jetzt sah es Ken an, und nachdem es ihn eine Weile ruhig betrachtet hatte, zog es den Kopf zurück und verschwand.

Ken sammelte, am Felsen sitzend, die Fäden zusammen, die von den hinter ihm liegenden Ereignissen zu denen führten, die jetzt bevorstanden; alle würden wissen, dass er die Stuten beinahe über den Felsrutsch hinabgejagt hatte.

Jetzt konnte er natürlich nicht mehr gut Freund mit dem Vater werden. Und auch ein Fohlen würde er in diesem Sommer nicht bekommen.

Der Habicht kreiste und schrie aufs Neue, aber Ken hörte es nicht. Mit zwei Meter weit gespannten, braun gefiederten Schwingen und mit gebogenen Fängen, die nach dem Felsen griffen, war er nun ganz nahe. Erst als der große Schatten über ihn fiel, blickte Ken auf. Vor Schreck machte er eine so heftige Bewegung, dass der Habicht flatternd zur Seite wich.

Ken sprang auf die Füße und ging heim.

Wenn er kein wirkliches Fohlen haben konnte, konnte er ja doch so tun, als ob er eines hätte. Der Ausdruck seiner Augen veränderte sich. Vielleicht wäre das ein Fohlen wie Rocket – schwarz und glänzend, mit der

Nase hoch in der Luft, mit fliegender Mähne und wehendem Schweif und ebenso wild und voll Bosheit. Oder wie Banner – sein großartiger Lauf hinter Rocket her – die Art, wie er die Stuten gefügig machte – der lange, schlangenhafte Kopf – das glänzende Gold seiner Kruppe, die wie glühende Kohlen leuchtete …

Kens Mund öffnete sich zu einem schwachen Lächeln.

Kleine sichere Welt

Banner hatte seinen Namen als einjähriges Fohlen an dem Tage erhalten, an dem Nell ihm zum ersten Mal begegnet war.

Sie galoppierte an einem Nachmittag im August allein die Sattelhöhe entlang und schwang in der rechten Hand eine kurze, aus weichen Lederstreifen geflochtene Peitsche. Der Wind, der hier so oft von den Rocky Mountains herkam, wehte wie ein Schleier zwischen Himmel und Erde und sang ihr in den Ohren; ihre weiße seidene Hemdbluse war luftgefüllt wie ein Ballon; ihr Haar wehte frei im Winde und das Gras an den Abhängen der Hügel wogte wie eine Wasserfläche: Es hob und neigte sich unaufhörlich mit rieselndem Laut.

Irgendwo wurde gemäht und der starke, aromatische Duft des Spätsommerheus mischte sich mit dem von Feldminze, Kiefern und Schnee; er war von solcher Süße, dass er ihren Lungen beinahe wehtat. Meilenweit entfernt hörte sie einen Mann seinen Pferden zurufen; der Laut erreichte sie wie ein Echo, das der weite Abstand melodisch machte und dem er Klarheit und Schärfe verlieh. Dem Glück des Augenblicks hingegeben, schwang sie ihre kleine Peitsche und wiegte sich leicht im Takt zum Hufschlag ihres Ponys; und in dem rauschhaften Gefühl der Leichtigkeit, das sie durchströmte, war ihr, als hätte sich die Erde hier oben auf der Höhe der Wasserscheide zu einer Woge geballt, auf deren Kamm sie wie Schaum dahinflog.

Plötzlich spitzte der graue Wallach, den sie ritt, die Ohren: Sie näherte sich den Zuchtstuten und traf sie hinter dem Vorsprung eines Hügels an: alle ihr zugewandt, gespannt, mit erhobenen Köpfen spähend. Nell brachte ihr Pferd zum Stehen und sah sich die Stuten an; einige galoppierten davon – die Fohlen dicht an der Seite der Muttertiere – und dann hielten sie in einiger Entfernung, wandten die Köpfe und starrten zurück.

Ein Fohlen von tiefkastanienbrauner Farbe brach abenteuerlustig und furchtlos aus dem Rudel hervor und kam in gestrecktem, federndem Trab auf sie zu. Leidenschaftliche Erwartung und Neugier sprachen aus dem erhobenen Kopf, den geblähten Nüstern. Sein hoch getragener, sahnefarbener Schweif bauschte sich zu beiden Seiten, wie Federn im Winde, und die helle, dichte Mähne, die es umflatterte, ließ es wie vom Winde getragen und mit Bannern behängt erscheinen.

Dieser Augenblick gab dem Fohlen seinen Namen: Es wurde als Zuchthengst des Gänseland-Gestüts regelrecht in das Zuchtbuch eingetragen als »Banner, nach Hamilkar, von der Araberstute El Kantara«.

Im Laufe der Jahre war sein dunkles, kastanienbraunes Fell heller geworden und das Blond von Schweif und Mähne nachgedunkelt, so dass die Farbe des völlig ausgewachsenen Hengstes ein gleichmäßiges Rotgold war. Sein Name passte immer noch zu ihm. Er hatte nichts von seinem feurigen Wesen und seiner wilden Anmut verloren; wie mit allen Segeln vor vollem Winde trabte er mit erhobenem Kopf und freien, federnden Bewegungen einher.

Nach der langen Reise mit den Stuten hinauf zu den Sommerweideplätzen stand der Hengst, als der Mond an diesem Abend aufging, mit den Vorderfüßen auf dem steilen, felsigen Gipfel eines Hügels der »Sattelhöhe«, während der lange, glänzende Körper, wie auf einer Treppe stehend, schräg abfiel. In dieser Stellung, die er oft einzunehmen pflegte, war er mit seinem stolzen Kopf und mit den gespitzten Ohren ein Bild königlicher Macht.

Drunten rings um ihn her lag eine Welt, die weiter war, als sogar eine Geschwindigkeit wie die seine es verlangte oder sich zu Nutze machen konnte: dieselbe Welt von Hügeln und Ebenen, Hochland, Bergen und Höhen, die an diesem Morgen vor Kens Augen gelegen hatte.

Im Umkreis von dreihundert Metern standen Banners Stuten – gegen zwanzig an der Zahl – mit ihren Fohlen, die jetzt nach dem langen Marsch von der tiefer gelegenen Weide herauf müde waren. Einige grasten, andere lagen in ungeschickten Stellungen flach auf der Seite; die völlige Entspannung wirkte bei den Stuten grotesk, machte aber die Fohlen besonders reizend in ihrer Hilflosigkeit. Pferd und Erde waren einander so nahe wie zwei aneinandergepresste Handflächen. Sie schliefen ausgestreckt auf dem grünen Plan unter den Augen des wachsamen Hengstes.

Plötzlich wandte Banner mit gespitzten Ohren den Kopf: donnerndes Hufgetrappel ertönte – und verklang. Eine Meile oder noch weiter entfernt raste der Trupp der Einjährigen umher; vielleicht hatte irgendetwas sie erschreckt oder es war ihre tolle gute Laune, die sie umhertrieb und die Nacht zum Tage machen ließ.

Nicht weit entfernt ertönte plötzlich ein kleiner, wiehernder Schrei; es war nicht mehr als ein ängstlicher, schwacher Ruf. Ein Fohlen, das sich zu weit von seiner Mutter entfernt hatte, war mit Entsetzen gewahr geworden, dass es allein war, und damit war seine ganze Welt auf einmal zusammengestürzt.

Banner sah ruhig dem langbeinigen Jungen zu, das von einer Stute zur anderen galoppierte, an ihr schnüffelte und dann seiner Enttäuschung Laut gab.

Endlich hob das ruhig grasende Muttertier den Kopf und rief sein Füllen zu sich. Das Kleine hielt mitten im Galoppieren an, wendete scharf und sprang wiehernd an die Seite der Mutter. Es streckte den Kopf unter ihren Bauch, um an dem schwarzen, gummiartigen Sack zu saugen, den es heiß und fest zwischen seinen Lippen fühlte und der ihm das Gefühl von Geborgenheit und Wohlbehagen gab.

Und endlich wandte Banner den massiven Hals in

die Richtung des Wohnhauses – dorthin, wo sein Gott wohnte.

Hafer, der Geruch der großen, harten, muskulösen Hand, die den Eimer hielt, und die raue Stimme, die ihm ins Innerste drang: Das war für ihn der Inbegriff aller Güte. Seine Welt reichte nicht weiter. Er und Rob McLaughlin hielten das Gestüt in Gang. Sie beide pflegten im Herbst die im Frühling geworfenen Fohlen von den Muttertieren zu trennen: Banner trieb durch Beißen und Schlagen die Stuten weg, während McLaughlin die Fohlen in die Koppel brachte. Bei schweren Winterstürmen führte Banner die Stuten aus fünf oder auch zehn Meilen Entfernung nach Hause; er wusste, dass McLaughlin ihm die Pforten und Türen bereits geöffnet und die Krippen des Futterstalls mit Heu gefüllt hatte. Es kam vor, dass Banner etwas tun oder hinnehmen musste, was er nicht verstand. Er sträubte sich nicht. Wenn die blauen, flammenden Augen McLaughlins befahlen, gehorchte er ohne Zögern.

Banner sah und witterte den Rauch, der jetzt aus dem Schornstein des Wohnhauses aufstieg. Seine Ohren spielten, er lauschte. Oft erreichten ihn Stimmen, Rufe, Hundegebell, Töne von Klavierspiel und Rundfunk – ein Gemenge von Lauten, die an allerhand Gutes erinnerten: an Rob, an ein Dach, an Futter und Kameradschaft. Aber heute stieg kein anderer Laut als der des Windmotors zu ihm auf.

Banner wandte den Kopf wieder zurück und blickte

geradeaus, in den Mond hinein. Das goldene Feuer verlöschte, das bei wachem Umherspähen in seinem Auge glühte, und seine Lider sanken halb herab.

Auch Nell betrachtete den aufgehenden Mond. Sie stand an der Tür des Wohnzimmers und blickte über die Terrasse und den Grasplatz hinweg. Es war eine holländische Tür. Wie eine Stalltür war sie horizontal geteilt und Nell stützte den Ellenbogen auf den unteren Teil. Ihr sonnengebräuntes Gesicht ruhte auf ihren Händen. Sie war am Nachmittag geritten und trug noch die schwarze Reithose.

Todmüde, wie sie abends war, sagte sie sich, dass sie Briefe zu schreiben hätte und, um morgen backen zu können, den Teig anrühren müsse; und doch stand sie da und blickte über den Rasen hin. Sie dachte an Ken und an das, was er heute getan hatte, und an die Wut, in die Rob geraten war.

Ken hatte kein Wort darüber zu hören bekommen.

Howard pflegte sich einzustellen wie sein Vater; also hatte auch er Ken heute wie Luft behandelt. Man hatte von den Stuten, von den Einjährigen und über die Höhe des Grases gesprochen; auch von den Stuten, die noch nicht gefohlt hatten, und von dem Rest einer Schlinge, die Rocket um den Hals trug, seit Rob vor mehr als einem Jahr versucht hatte sie in den »Gang« zu führen, wobei sie der Reihe nach drei Lassos zerrissen hatte. Nell war in die Stadt gefahren, um neue Stricke zu kaufen, und in Cheyenne hatte man sie gefragt, was für ein Wildling es denn sei, mit dessen Zähmung der Rittmeister sich jetzt abgebe. Der Grund, weshalb McLaughlin alle Versuche mit Rocket aufgegeben hatte, lag darin, dass sie den kleinen hölzernen Vorraum, der zum »Gang« führte, mit den Hufen zerschlagen und sich dabei Beine und Sprunggelenke so schwer beschädigt hatte, dass er fürchtete, sie sei nun für immer verdorben.

»Diese Schlinge, die sie um den Hals trägt, hat mich von jeher beunruhigt«, sagte Rob während des Abendessens. »Wenn sie an einem Ast oder Draht hängenbleibt, kann sie sich erwürgen. Man sollte nie ein Tier mit einem Strick oder auch nur einem Halfter frei herumlaufen lassen, und vor allem nicht dann, wenn es so lange Zeit frei umherlaufen darf.«

»Was macht es denn aus, wenn sie erwürgt wird?«, fragte Howard. »Du hast ja immer gesagt, dass sie dir zu nichts nutzt.«

»Wir sind für unsere Tiere verantwortlich«, antwortete ihm der Vater. »Wir benutzen sie, wir sperren sie ein, nehmen ihnen ihr natürliches Futter und Wasser weg und das bedeutet, dass wir sie füttern und tränken müssen. Wenn wir sie der Freiheit berauben, sie anbinden und anspannen, müssen wir ihnen eine andere Art von Lebenssicherheit geben. Habe ich einmal einem Pferd den Strick übergestreift oder ihm sonst wie die Möglichkeit genommen, selbst für sich zu sorgen, dann muss ich das alles an seiner Stelle tun. Siehst du das ein? Die Schlinge, die Rocket um den Hals trägt, ist eine Gefahr für sie. Ich habe sie ihr umgelegt, also muss ich sie auch wieder abnehmen.«

Ken hatte sich nicht an dem Gespräch beteiligt, sondern still sein Abendbrot gegessen.

Beim Schlafengehen, als er zum Gutenachtkuss zu seiner Mutter kam, legte sie ihm die Hand auf den Kopf und er drückte seine Stirn einen Augenblick fest dagegen. Dann küsste er sie schnell, sagte auch seinem Vater Gute Nacht und verschwand hinauf ins Bett.

Irgendetwas muss jetzt getan werden, dachte Nell. Wenn Rob ihm doch ein Fohlen schenken würde!

Der Hügel jenseits des Rasenplatzes erhob sich schwarz wie ein Schattenriss gegen das Mondlicht, das sich fächerförmig dahinter ausbreitete.

Es war eine stille, brütende Nacht; die Kiefern regten sich nicht. Zur Rechten stieg die Linie der Hügel an und wurde zum Felsen, der über der Schlucht aufragte; nach links hin verlor sie sich im Nichts, ging in die Kälberweide über. Die jungen Pappeln auf dem Grasplatz schwankten leise; ungefähr ein Dutzend hatte Rob hier angepflanzt. Sie waren nie völlig regungslos und auch jetzt ging von der rundlichen Masse ihres Laubes ein beständiges, schwaches Flüstern aus. Ihr Grün war heller als alles andere ringsumher und nahm sich gegen die schwarzbärtigen Hügel wie blondes Mädchenhaar aus.

Wie viel Wasser war nötig gewesen, um sie zum Wachsen zu bringen! Dutzende, Hunderte von Eimern waren von der Quelle heraufgetragen und auf die Wurzeln gegossen worden, und doch waren viele Bäume eingegangen und hatten ersetzt werden müssen. Fortwährend hatte Rob sich mit dem Pflanzen neuer kleiner Pappelbäume abgegeben; wenn er nicht so energisch gewesen wäre, stünden sie jetzt nicht da. Im Herbst wurden ihre Blätter zu hellem Golde; sie flogen in kleinen Wirbeln und Strudeln aus der Umgebung der Bäume fort.

Ich bin froh diesen Rasenplatz zu haben, dachte Nell. Er ist wie die Dorfplätze daheim in Neuengland. Übrigens ist es hier wirklich wie im Osten. Aber nein, doch nicht so wie dort. Im Osten ist es gemütlich. Da gibt es nicht diese Weite, keine leere Ferne, keine weite Einsamkeit. Hier muss man Meilen und abermals Meilen reiten, bis man zu einem anderen Hause kommt. Nur Tiere gibt es – Gras, Tiere und Himmel. Und die Einsamkeit hier kann man riechen; oder nein, eher die Leere. Es ist ja ganz natürlich, dass die einen ganz eigenen Geruch hat. Sie ist wirklich leer. In anderen Gegenden ist alles voll von Häusern, Fabriken und Städten, voll von Menschen und ihrem Tun. Aber dies hier ist fast Einöde. Und sie hat die frische, süße, singende Wildheit, die sich schon beim Aufwachen am Morgen einatmen lässt. Sie hebt und trägt. Man könnte sich von ihr zum Fenster hinaustragen lassen, mitten hinein ins Blau des Himmels, das ebenso neu und jung ist wie das Land.

Aber das Haus erinnert an die Häuser im Osten. Es ist wie ein Landhaus in Neuengland aus rosa Stein und nicht wie die Farmhäuser im Westen. Die sind wie hässliche Arbeitsplätze. Unordentlich. Alte, elende Maschinen, die man irgendwo liegengelassen hat. Häuser, die einstürzen würden, wenn sie sich nicht aneinanderlehnten. Wahrscheinlich bleibt dort im hoffnungslosen, furchtbaren Kampf um das tägliche Brot keine Zeit und keine Unze Energie übrig. Sonne immer gerade dort, wo sie nicht sein sollte: wo sie brennt und verdorren lässt und ermüdet. Und schwarzer Schatten, wo man Sonne und Wärme braucht. Die Häuser liegen in Haufen, als hätte man sie achtlos hingeworfen und liegengelassen.

Sie hob den Kopf. Auf dem Blumenbeet, das sich unterhalb der Terrasse hinzog, wuchsen Iris, Vergissmeinnicht, Flieder, Petunien und Rittersporn, und es war der Flieder, der die Abendluft mit seinem Duft durchtränkte. Dass er so spät blühte! In Neuengland war seine Zeit schon längst vorbei.

Sie fühlte unten an ihrer Reithose zwei winzige Pfoten. Pauly ließ ein bittendes kleines Miauen hören. Als Nell sie nicht beachtete, kletterte sie an ihrer Reithose hoch, indem sie die Krallen in das dicke Tuch schlug. In Gürtelhöhe angelangt wurde sie von Nell aufgefangen, die auf Selbstverteidigung bedacht war und sie nun auf ihrem linken Arm sitzen ließ. Das war Paulys Lieblingsplatz; sie legte das rechte Vorderbein um Nells Hals und hielt sich mit einer Samtpfote fest, aus der auch nicht die Spitze einer Kralle hervorlugte.

Nell richtete sich mit einem Seufzer auf und legte

einen Augenblick die Wange an Paulys weiches Fell. Dann holte sie ihren Nähkorb und Kens zerrissene Satteldecke und setzte sich in Robs Arbeitszimmer dicht neben den Schreibtisch, an dem er über seinen Rechnungsbüchern saß.

Sorgen um Söhne
und Pferde

Sie saßen in dem Lichtkreis, den die große Spirituslampe auf Robs Schreibtisch in das dämmrige Zimmer warf. Nell hatte einen Fuß unter sich gezogen. Ihr
feiner, schmaler Kopf neigte sich über die Arbeit und
im Lampenlicht schimmerte ihr Haar wie rehfarbene
Seide. Sie hielt ihre Hände mit den langen, spitzen Fingern und den mandelförmigen Nägeln stets gut ge-
pflegt; sie waren so glatt und ebenmäßig wie die braunen Eier ihrer Rhode-Island-Hennen. Im Gespräch
pflegte sie die Hände zu bewegen; sie sahen nicht ver-
künstelt aus, hatten nichts, was an Greifen und Festhalten erinnerte; aber die feinen, zurückgebogenen, gestreckten Fingerspitzen verrieten Empfindsamkeit und
Sinn für Poesie.

Rob beobachtete sie oft und ihm schien, sie bewegten sich seltsam hilflos, ungefähr wie Holz, das im
Wasser treibt. Ken hatte dieselben Hände. Sie konnten
nicht zugreifen. Aber jetzt, beim Hin- und Herziehen
des blauen Wollfadens durch die Satteldecke, waren
Nells Hände schnell und geschickt.

Nell blickte zwischendurch auf ihren Mann; sein

runder Kopf mit der anliegenden Kappe von schwarzem Haar war so klar geschnitten wie ein Münzenprofil. Plötzlich sagte sie:

»Rob, schenk doch Kennie ein Fohlen.«

Rob gab keine Antwort. Schweigsam, in seine Arbeit versunken, saß er vor einem Haufen von Rechnungen und einem Notizblock, auf den er Zahlen kritzelte.

Rechnungen, dachte Nell. Ich wüsste gern, bei welcher er gerade ist. In den letzten Tagen hat er sich Sorgen gemacht. Immer Zahlen, immer Rechnungen, und dabei hasst er sie nicht weniger, als Ken sie hasst.

Früher ließ er das einfach bleiben.

Dieser Gedanke entschlüpfte ihr in Worten. »Du hast früher nie so viel gerechnet, Rob.«

Diesmal kam eine Antwort. Sein Bleistift warf eine Summe hin und machte einen dicken Strich darunter. Mit einem kurzen Lachen lehnte er sich zurück.

»Hab eben nie gewusst, dass ich es muss.« Er reckte sich müde, langte nach seiner Pfeife, die im Aschenbecher lag, und fing an sie mit dem Taschenmesser auszukratzen.

»Sind wir bankrott?«

»Wir sind gerade noch zwei Schritte davor …« Seine Stimme verlor sich in Schweigen und Nells Blicke flackerten einen Augenblick unstet umher, als wollte sie das Drohende, das sie verfolgte, in irgendeinem dunklen Winkel des Hauses entdecken.

»Aber ist es denn nicht immer so gewesen? Steht es jetzt schlimmer als sonst?«, fragte sie.

Er verzog das Gesicht zu einem schwachen Lächeln. »Ich habe es lange selbst nicht gewusst«, sagte er und zog den Tabaksbeutel hervor.

»Was gewusst?«

»Dass ich jedes Jahr schlechter stehe anstatt besser.«

»Kann denn das stimmen, Rob?«

»Ja, leider. Der Züchter kann nicht wissen, ob er mit Gewinn oder Verlust arbeitet, solange er nicht jedes Jahr eine sehr genaue Aufstellung über das Vorhandene macht. In einem Fachbericht habe ich einmal so etwas gelesen und das hat mich aufgeschreckt. Es ist leicht einzusehen, weshalb es stimmt. Das Inventar wird abgenutzt, die Gebäude werden nicht unterhalten, im Viehbestand gibt es Verluste, die Verschuldung nimmt zu und all das geht kaum wahrnehmbar und so allmählich vor sich, dass man es gar nicht merkt. Man lässt alles ruhig gehen und meint, dass die Dinge nicht viel anders liegen als zuvor. Beispiele kann man ringsumher sehen. Irgendein armer Teufel versucht seine Hypothek zu verlängern oder eine neue aufzunehmen, die er dringend braucht, und findet plötzlich, dass er nichts hat, worauf die Banken ihm noch mehr leihen wollen. Ohne dass er es selbst gemerkt hat, ist es mit ihm bergab gegangen und auf einmal bricht es über ihn herein. Er ist bankrott und hat sich noch tags zuvor für einen Kapitalisten gehalten. Da will ich mir doch lieber jetzt die Mühe machen und herausfinden, wie ich eigentlich stehe.«

»Und wie ist's denn? Geht es mit uns bergab?«

»Ja – das tut es.«

»Und doch sind wir so viel vorsichtiger geworden! Wir geben weniger aus, haben weniger Arbeitskräfte, ja, wir sind geradezu knickerig.«

»Anfangs hatte ich noch etwas Kapital – das, was mir nach dem Kauf des Gestüts übrig geblieben war. Ich wollte es beiseitelegen und hätte das auch wirklich tun sollen. Von dem Geld hätten die Jungen studieren können. Aber jetzt ist es weg. Natürlich dachte ich: Wenn ich mit den Pferden erst einmal richtig in Gang bin – das heißt, wenn sie alt genug für den Verkauf sind –, dann bringen sie mir alles wieder ein und mehr obendrein. Aber die Ausgaben behalten immer den Vorsprung. Bei so vielen Vollblutpferden – und es sollen ja noch mehr werden – sind die Steuern geradezu vernichtend.«

Rob wurde ärgerlich, wenn er auf diesen Punkt zu sprechen kam. »Es ist ein ganz verkehrtes Gesetz, dass eingetragene Tiere mit hohen Steuern belegt werden. Es sollte gerade umgekehrt sein. Besser wäre, elende Kreuzungsprodukte durch Steuern völlig auszurotten. Zum Beispiel solche, wie Wyoming sie in Mengen hervorbringt. Das wäre für den Staat viel besser. Ich hätte am liebsten nur rassereine Pferde. Gipsy und Albinos Fohlen haben schlechtes Blut hereingebracht.«

Er saß einen Augenblick nachdenklich da, dann sagte er: »Am schlimmsten ist, dass ich meine Pferde nicht mit Gewinn verkaufen kann. Ja, in den meisten Fällen nicht einmal zum Selbstkostenpreis.«

Nell durchzuckte ein eisiger Schreck. Alles hing ja von den Pferden ab.

»Vielleicht werden die Preise besser«, sagte sie, aber ihre Stimme war ein Echo der Angst, die ihr im Herzen saß.

Rob schlug mit dem Rücken der Hand ärgerlich auf den Tisch. »Allein eine Sache wie diese hier – Doktor Hicks' Rechnung – ist mir zu viel. Er kann nichts dafür, ich tadle ihn nicht, aber es ist nun mal so. Drei Besuche, jeder zu fünfzehn Dollar, und trotzdem ist die Stute eingegangen.«

Er lehnte sich zurück und sog an seiner Pfeife. Nell saß schweigend bei ihrer Arbeit.

»Schlimm genug solche Rechnungen zu bezahlen, auch wenn die Tiere gesund werden. Man weiß ja nie, ob sie beim Verkauf die Kosten wieder einbringen. Aber wenn sie eingehen! Bei Gott, ich tue es nie wieder. Krank oder gesund – sie müssen selbst zusehen, wie sie darüber hinwegkommen. Hat man sie aufgegeben und nichts für sie getan, dann werden sie gesund, und pflegt man sie und lässt den Tierarzt kommen, dann sterben sie.«

Oftmals, wenn Rob so redete, fühlte Nell die Angst in ihrem Herzen wie eine Flut hochsteigen. Es war beinahe wie ein panischer Schrecken. Oh, Rob, Rob, was sollen wir machen? Wärst du doch beim Militär geblieben, hättest du doch nicht das Gestüt gekauft! Aber du wolltest es haben, du bist ja ganz wie Ken! Du kannst nichts aufgeben, woran dein Herz einmal hängt, und du warst ja ganz wild auf die Pferde, warst ein so großartiger Reiter in West Point …!

Er konnte ihre Augen nicht sehen. Mit gesenkten Lidern blickte sie auf den Faden, der in der blauen Decke hin- und hergezogen wurde, und kein Zittern ihrer Hände zeigte Rob, dass sie Angst hatte, schon seit Jahren …

»Der Doktor wird auf sein Geld warten müssen«, sagte Rob. »Ich muss es ihm schuldig bleiben und noch mehr dazu. Er muss herkommen, um neun Zweijährige zu kastrieren.«

»Wann kommt er?«

»Irgendwann einmal in dieser Woche. Ich sagte ihm, dass er kommen kann, wenn er will. Die Tiere sind jetzt in der Koppel. Armer Teufel, ich kann nicht recht verstehen, wovon er eigentlich lebt. Niemand bezahlt ihn. Niemand kann sich's ja leisten.«

»Rob, gibt es denn niemand, der mit Viehzucht Geld verdient?«

Er schüttelte langsam den Kopf. »Jetzt nicht mehr. Ja, früher, als es keine Zäune gab, als keine Steuern zu zahlen waren und Rindfleisch dort hergestellt werden konnte, wo der Boden staatliches Eigentum war – da machten die großen Rindfleischbarone ihr Vermögen durch Viehzucht. Aber jetzt nicht mehr.«

»Aber Charley Sargent. Der verdient doch bestimmt mit seinen Rennpferden?«

»Vielleicht hier und da. Wenn eine Aufzucht mal wirklich geglückt ist. Aber im Großen und Ganzen zahlt er zu, anstatt zu verdienen. Er hat sein Geld geerbt und nun gibt er es so aus, wie es ihm Spaß macht, also damit, dass er Rennpferde aufzieht.«

»Wie ist es denn mit Schafen?«

»Mit Schafen kann man verdienen, wenn man die richtigen Ländereien dazu hat. In guten Jahren, das heißt, wenn die Preise günstig liegen. Aber es ist immer ein Glücksspiel. Man kann eine Menge verdienen, aber auch verlieren. Die Farmer, die sich heute mit Schafzucht abgeben, sind von einer neuen Sorte: Sie kamen mit frischem Kapital herein. Ich traf neulich Summerville in der ›Bank der Züchter‹, wir kamen ins Gespräch und er sagte, dass niemand in Wyoming heute Geld verdient, ausgenommen die Luxusfarmen. Und er muss es ja wissen«, fügte Rob grimmig hinzu.

»Aber dann ... warum ... warum ...«, fing Nell an und wagte nicht, den Satz zu Ende zu sprechen. Sie fühlte wieder den panischen Schrecken in sich aufsteigen.

»Warum sind wir dann überhaupt hier und versuchen es trotzdem?«, sagte Rob. »Weil ich immer noch glaube, dass Pferde die größten Möglichkeiten bieten.«

Ganz wie Kennie, dachte Nell. Von dem, was er sich einmal in den Kopf gesetzt hat, wird er nie wieder lassen.

»Ein eingetragenes und geschultes Pferd von guter Abstammung ist im Alter von vier Jahren wenigstens doppelt so viel wert wie ein erstklassiger Stier, ja vielleicht viermal so viel. Allerdings fressen Pferde noch einmal so viel wie Rinder, man könnte also auf dem gleichen Gelände nur die halbe Anzahl Pferde aufziehen. Aber wenn es Absatz für hochwertige Züchtungen gäbe, dann könnte man verdienen. Die Schwierigkeit liegt beim Absatz.«

»Die Armee scheint der einzig zuverlässige Abnehmer zu sein.«

»Gewiss; aber man zahlt dort nicht genug. Die Aufzucht eines vierjährigen Pferdes kostet die Remontendepots fast tausend Dollar. Uns Züchtern zahlen sie hundertfünfzig bis hundertfünfundsiebzig. Das macht nicht einmal die Kosten für die Aufzucht bezahlt.«

»Aber Polo …«

»Polo ist das Einzige, worauf man hoffen kann. Für ein gut erzogenes Polopony kann man überall zweihundert bis zweitausend Dollar erhalten. Aber man muss sie einzeln, als Individuen, verkaufen, unter dem Sattel, nicht wagenweise. Und ich habe keine Beziehungen, niemand, der sie vorführen und den Verkauf unterstützen könnte.«

»Wenn die Jungens erwachsen sind …«

»Das ist's. Howard und Ken. Dank dem, was sie nun schon können, werden sie ausgezeichnete Reiter werden. Sie können Polospieler werden, vorführen und verkaufen; und dann, Nell …«

Rob sah sie an. In seinen Augen brannte eine solche Eindringlichkeit, dass Nell auf den Gedanken kam, sie würden, wie Katzenaugen, im Dunkeln leuchten.

Sie packte ihr Nähzeug zusammen und legte es beiseite. Die kleine braune Katze, die sich zwischen sie und die Seitenlehne des Stuhles gedrängt hatte, dehnte und streckte sich und legte sich miauend auf den Rücken.

»Wohin?«, fragte Rob.

»Ich bin mit dem Stopfen fertig.«

»Bleib doch. Ich hab hier nur noch eine Kleinigkeit durchzusehen.« Er legte die Pfeife weg, nahm den Bleistift und Nell lehnte sich in den Stuhl zurück.

Pauly schloss, auf dem Rücken liegend, die Augen. Nells Hand sank in das weiche, sahnefarbige Fell ihres Bauches.

Nell war am Einschlafen. Sie fühlte sich tiefer und tiefer sinken, es war wundervoll – sie riss sich mit Mühe hoch. Rob streckte die Hand aus und fasste ihren Arm. »Bleib doch!«

»Ich schlafe ein, wenn ich jetzt nicht gehe. Und ich muss den Teig für morgen anrühren.«

»Ich sähe es viel lieber, wenn du nicht backen würdest. Mach es doch wie die anderen hier auf dem Lande. Nimm Konserven und kauf das Brot in der Stadt.«

»Dieses Zeug aus Sägespänen und Hefe! Das schmeckt ja nach nichts!«

»Ich will nicht, dass du so hart arbeitest.«

»Es ist nicht so schlimm damit. Und die Jungen mögen das Selbstgebackene so gern.«

»Und ich auch.«

»Und ebenso auch ich.«

»Aber du arbeitest zu viel. Schlimm genug, dass ich wie ein Sklave schufte. Aber du …«

Nell stand auf und Pauly sprang mit leisem Schnurren auf den Boden. »Komm nach, wenn du fertig bist.«

Sie ging in die Küche. Eine Petroleumlampe brannte noch an der Wand neben dem großen schwarzen Kohlenofen.

Rob war mit dem Rechnen fertig. Er klappte das Buch zu, legte es beiseite und stützte den Kopf in die Hand, während er mit dem Bleistift zerstreut auf das Löschblatt klopfte. Er hatte in Nells Gesicht einen Ausdruck von Angst gesehen, der ihm sehr nahegegangen war. Und dabei hatte er ihr ja noch nicht die Hälfte gesagt! Ich hätte es überhaupt bleibenlassen sollen. Welches Leben für sie! Verdammt, wenn ich nicht das Ganze aufgebe. Aber ich habe ja schon den Militärdienst aufgegeben, und jetzt auch noch das Gestüt? Nein! Noch ist es nicht so weit, dass ich muss. Noch lange nicht! Die Jungen wachsen heran … Howard hilft schon gut mit. Ken … Ken … Was soll ich nur mit dem kleinen Gräuel anfangen? Hätte ihm heute die Zähne aus dem Kopf schütteln können. Nie ist er da, wo er sein sollte, kann von keiner Besorgung richtig zurückkommen oder das Geringste richtig ausführen oder an das denken, was man ihm aufgetragen hat. Ihm ein Fohlen schenken, sagt Nell. Wohl zur Belohnung dafür, dass er die ganze Herde der Zuchtstuten zu Tode erschreckt und sie um ein Haar den Felsabhang hinuntergescheucht hätte! Wenn Banner nicht gewesen wäre …! Welch ein Pferd! Wenn es gut vererbt, sowohl seinen Verstand wie seine Beherztheit, dann werde ich mal Poloponys haben! Und dann wäre endlich einmal etwas so gegangen, wie es gehen soll. Gutes Blut ist bestimmt in meinen Pferden, aber nicht in Albinos Nachkommenschaft. Rocket, dieses verrückte Luder, das immer mit der Nase in der Luft allen voraus ist und sucht, wo sie etwas anstellen könnte, und die drei anderen dazu. Aber sie ist die Schlimmste. Keines dieser Pferde ist richtig zahm geworden. Ich sollte sie alle erschießen. Und ich täte es bestimmt, wenn sie nicht so verdammt schnell wären. Was hat Nell denn eigentlich damit gemeint, dass ich ihm ein Fohlen schenken soll? Würde es gern tun. Muss versuchen dem Jungen etwas näherzukommen. Aber jedes Mal, wenn ich gerade auf dem Weg dazu bin, bekomme ich von ihm einen solchen Schlag ins Gesicht wie heute. Ich will ihm ein Fohlen schenken und er bringt es so weit, dass er vor Schreck über mich schreien muss! Er will es ja nicht. Er will es mir recht machen, das sehe ich. Mitunter sieht er mich an, als hätte er Angst vor mir. Seine Art, den Kopf abzuwenden und die Augen niederzuschlagen, gefällt mir nicht. Und er bittet mich nie, ihm zu helfen. Das ist nicht gut; gerade an mich sollte er sich wenden … Ist natürlich irgendwie mein Fehler … Und im Übrigen ist er ja auch in einem unmöglichen Alter … Aber Howard war anders … Muss mit ihm Freundschaft schließen … Vielleicht diesen Sommer …

Müde und steif stand Rob auf, blickte noch einen

Augenblick nachdenklich vor sich hin, löschte dann die Spirituslampe und ging ins Wohnzimmer. Durch das Speisezimmer rief er Nell zu: »Bin gleich zurück, geh nur nicht weg – muss in die Knechtswohnung hinüber.«

Über ihm war der Himmel klar, aber im Südwesten sammelten sich schwere Wolken. Wenn nicht ein Wind aufkam und sie zerstreute, würde es ein Unwetter geben.

Beim Näherkommen gewahrte er, dass im Arbeiterhaus noch Licht brannte. Er stieß polternd die Tür auf und ging durch die dunkle Küche ins Wohnzimmer. Am langen Tisch saßen hier Gus und Tim beim Schein von zwei Petroleumlampen.

Gus besserte einen Zügel aus; Tim zeichnete ein Bild nach einem Plakat, das er auf dem Tisch aufgestellt hatte. Vor ihm stand ein Fläschchen mit Tusche und in der Hand hatte er eine Zeichenfeder. Das Bild stellte ein junges weibliches Geschöpf mit üppig gerundeten Hüften darf, es saß am Ende einer Bank und blickte schelmisch nach einem jungen Mann, der am anderen Ende saß. Das Zimmer war mit Tims Zeichnungen bereits reichlich ausgeschmückt; alle gaben offenbar dasselbe verführerische Wesen in verschiedenen Stellungen wieder.

»Abend, Jungens!«

»Abend, Herr Rittmeister.«

»Ich dachte gerade …« McLaughlin machte eine Pause. Seine Augen waren zerstreut auf Tims Gesicht gerichtet, das vom Schmutz oder von der Sonne oder von beiden eine warme, dunkle Farbe hatte. Er schien immer in einem Zustand lustiger Verwirrtheit zu sein und darauf zu warten, in Lachen auszubrechen, ohne recht zu wissen, warum.

»Was ist denn das für ein Zaum, Gus?«

»Der, den Ken heute Vormittag zerrissen hat«, antwortete Gus.

»Ich habe Rocket auf der Stallwiese gelassen. Bei der Pforte zur Landstraße lief sie plötzlich von den anderen weg und rannte wie besessen den Zaun entlang. Die anderen gingen diesmal ruhig durch die Pforte und keines lief ihr nach. Nach einer Minute war sie außer Sicht.«

»Die Verrückte.«

»Ich schloss die Pforte und ging mit den anderen weiter. Ließ sie drinnen. Es kommt auf ein und dasselbe heraus. Ich muss sie in den ›Gang‹ bringen und ihr die Schlinge vom Hals nehmen, damit sie sich nächstens nicht erhängt. Werde es morgen tun und sie dann hinauslassen; sie wird allein den Weg zur Herde finden. Sieh zu, dass die Pforten der Hausweide und zu den Koppeln geschlossen bleiben. Ich will nicht, dass sie freikommt. Wo ist die Stute, auf der Ken heute geritten ist?«

»Zigarette? Ich habe sie eingefangen und auf die Hausweide gebracht«, sagte Tim. »Dachte mir, dass Ken sie noch reiten würde.«

»Gut. Also gute Nacht!«

Rob ging zum Haus zurück. Nell war noch in der Küche. Er setzte sich an den Tisch in der Ecke und zog die Pfeife hervor.

»Nun, wie ist es denn mit Ken und dem Fohlen?«

Nell befeuchtete am Hahn ein reines Tuch, drückte es aus, faltete es zu einem großen Viereck und legte es über die gelbe Schüssel mit dem Teig. Dann stellte sie ihn auf den warmen Herd. Jetzt war sie fertig mit der Arbeit. Sie setzte sich auf den Tischrand, die Hände um ein Knie gefaltet, und blickte zu Rob hinüber.

»Ich hätte gern, dass du ihm ein Fohlen schenkst.«

»Er verdient es nicht.«

»Was hat das damit zu tun? Soll er denn nie eins bekommen?«

»Doch. Ich habe schon lange die Absicht.«

»Und warum gibst du es ihm denn nicht?«

»Ich sagte dir ja: Er hat es nicht verdient.«

»Aber Rob, das wird er ja nie.«

»Warum nicht? Howard hat es doch dazu gebracht.«

»Ken ist anders. Er ist jetzt dermaßen nachgeblieben, dass er es nie aufholen wird. Er wird eben einfach ohne Fohlen bleiben, wenn du so lange warten willst, bis er das wieder aufgeholt hat.«

Rob dachte nach. »Wenn er diesen Sommer seine Schulaufgaben gut macht …«

»Das hat damit nichts zu tun, Rob. Auf diese Weise geht es nicht mit ihm vorwärts.«

Rob sah so erschrocken und bestürzt aus, dass es beinahe komisch wirkte.

»Nicht mit ihm vorwärts? Um Gottes willen! Darauf rechne ich doch gerade. – Und warum nicht?«

»Er kann einfach nicht lernen. Das ist er hier nicht gewohnt.«

»Hat er denn heute nicht gelernt?«

Nell lachte. »Er hat sich vor seine Bücher gesetzt.«

Rob stand auf und fing an auf und ab zu gehen. »Aber, mein Gott, ich hab es ihm doch gesagt. Hab ihm befohlen …«

Nell schwieg zartfühlend still. Gegenüber einem Gesicht, das unbewegt blieb, kam Rob immer schwer zurecht. Nach einer Weile sagte sie: »Wir wollen eine andere Methode versuchen. Ken braucht irgendeinen Erfolg. Howard ist ihm zu weit voraus. Er ist größer und ansehnlicher und aufgeweckt, und …«

»Ken macht ja nicht einmal einen Versuch. Er kann bei keiner Sache bleiben!«

»Aber er ist ganz wild danach, ein eigenes Fohlen zu haben. Er kann an nichts anderes denken.«

»Aber Nell, das ist ja ganz verkehrt. Man kann Kinder doch nicht bestechen ihre Pflicht zu tun.«

»Nicht gerade bestechen.« Sie zögerte.

»Nun, wie würdest du es denn nennen?«

Sie versuchte es sich klarzumachen. »Ich habe bloß das Gefühl, dass Ken jetzt überhaupt nichts zu Stande bringen kann.« Sie sah Rob an. »Und doch ist es an der Zeit. Es geht ja nicht nur um die Schulzeugnisse. Aber es soll nicht auch weiterhin so gehen, dass Ken überall den Kürzeren zieht.«

»Ich fange an zu glauben, dass er stumpf ist.«

»Er ist nicht stumpf.«

»Was er heute wieder fertiggebracht hat – die Pferde dermaßen zu erschrecken!«

»Du weißt doch, dass er das nicht mit Absicht getan hat!«

»Das ist es ja gerade. Es ist Dummheit und Gleichgültigkeit. Nichts, was ich ihm sage, macht ihm Eindruck. Er geht wie im Schlaf umher, ohne zu wissen, wo er ist oder was rings um ihn vorgeht.«

»Vielleicht würde eine solche Kleinigkeit wie ein eigenes Fohlen den entscheidenden Punkt treffen und alles ändern.«

»Aber das ist keine Kleinigkeit. Es ist nicht leicht, ein Fohlen gefügig zu machen und zu erziehen, wie Howard das mit Highboy gemacht hat. Ein gutes Pferd soll mir nicht durch Kens Nachlässigkeit verdorben werden. Er weiß ja nie, was er tut.«

»Wenn Ken wirklich so etwas fertigbringen könnte, dann würde das eine große Veränderung in ihm bewirken.«

»Das ist ein großes *Wenn*.«

»Rob, es ist ja doch wichtig. Irgendwie muss er wieder auf die Füße kommen. Wie er heute aussah! Ließ die Ohren hängen, niedergeschlagen. Er ist bei niemandem gut angeschrieben. Was er wirklich braucht, ist …«

»Aus alldem herauszuspringen.«

»Du kannst es so nennen. Ich wollte eigentlich sagen: erwachsener zu werden.«

»Könnte ein eigenes Fohlen ihn denn erwachsener machen?«

»Siehst du, das wäre doch etwas, was ihm allein gehört. Verantwortung. Etwas Wirkliches von Fleisch und Blut, und woran ihm mehr gelegen wäre als an allem, wovon er jetzt bloß träumt. Wenn er es jetzt mit dem Fohlen zu etwas bringt, dann wird sich das im nächsten Jahr auch in allem anderen zeigen. Er wird männlicher werden.«

Sie legte die Schürze ab. Sie löschten die Küchenlampe aus, gingen über die Stufe ins Wohnzimmer hinunter und Rob rief: »Hierher, Kim, Chaps!«

Zögernd erhoben sich die Hunde von ihren Matten, streckten sich, gähnten und folgten Rob und Nell auf die Terrasse hinaus.

Vier dunkle Pferdegestalten schreckten zusammen und sprangen vom Springbrunnen weg. Nach einigen Sätzen blieben sie stehen und blickten neugierig zurück.

Rob und Nell führten die Hunde um die Hausecke und sperrten sie in den Geräteschuppen ein. Dann setzten sie sich auf den Rand des Springbrunnens.

Die Pferde kamen zurück, schrittweise, mit gespitzten Ohren.

»Welche sind es?«, fragte Nell.

»Die dreijährigen Stuten.«

Nell sagte nichts. Die Anwesenheit der Stuten bedeutete, dass man sie zu irgendetwas benutzen wollte. Die Hausweide, auf der sie umherliefen, war in einem weiten Kreis von einem Stacheldrahtzaun umgeben, der, eine halbe Meile von den Gebäuden entfernt, Hügel, Felder und etwas Wald umschloss. Rob wollte anfangen sie zu zähmen. »Aber nicht, wenn ich etwas davon weiß«, sagte sich Nell.

»Vier Stuten haben noch nicht gefohlt. Ich glaube, Rocket hat dieses Jahr nicht getragen.«

»Ich dachte, Rocket hätte schon gefohlt. Ein schwarzes Hengtfüllen. Als ich neulich drunten auf der Wiese war, sah ich ein schwarzes Hengstfohlen, das mir wie das ihre aussah. Ein neues Kleines.«

»Das glaubte ich auch. Aber als sie heute aus dem Rudel der anderen ausbrach, folgte ihr kein Fohlen.«

»Aber ich sah, wie es an ihr trank.«

»Es wird eine von den anderen schwarzen Stuten gewesen sein. Um diese Jahreszeit ist ihr Fell so struppig, dass man sie schwer unterscheiden kann.«

»Rob, ich bin ganz sicher, dass es Rocket war.«

Rob sprang mit einem Mal auf. Sie wusste, wie quälend ihm der Gedanke war, dass ein Fohlen vielleicht drunten auf der Burgfelsenwiese zurückgelassen worden war. Vielleicht lag es irgendwo versteckt oder gar verletzt weit am anderen Ende im Espenwäldchen.

»Ich bin doch durch das ganze Espenwäldchen geritten«, sagte er, »und hab keine Fohlen hinter mir zurückgelassen. Außerdem: Wenn Rocket ein Fohlen hätte, würde sie es nicht verlassen haben. Sie ist von ihren Fohlen nicht wegzubringen.«

Er setzte sich wieder und beobachtete die Pferde, die

Schritt für Schritt näher kamen. »Morgen fahre ich zur Wiese hinunter und sehe noch einmal nach.«

Die vier Pferde blickten ihn unverwandt an; sie mussten sein Aussehen, seinen Geruch in sich aufnehmen. Beim Ton seiner Stimme – und mochte er über eine halbe Meile zu ihnen kommen – hob jedes seiner Pferde den Kopf und spähte umher. Im Mondlicht standen sie jetzt halbkreisförmig um ihn herum versammelt.

»Sie wollen Hafer haben«, sagte Rob. »Ich habe keinen Hafer, ihr Schlingel!« Mit einem gellen Schrei schwenkte er die Arme und die Pferde verschwanden im Galopp in der Dunkelheit. Rob und Nell lachten.

Der Mond stand schon recht hoch; hinter den schwarzen Kiefern auf dem Hügel nahm er sich groß und theatralisch aus. Der Rasenplatz lag im Schatten; nur die Spitzen der Pappeln ragten ins Licht. Nell und Rob sahen schweigend zu, wie der Mond höher und höher stieg. Die Pappeln traten immer mehr in das sanft fließende Licht.

»Sind sie nicht wie Balletttänzerinnen, die auf dem Grase tanzen?«, sagte Nell.

Die Pferde kamen zurück. Sie näherten sich langsam und bildeten, Rob anblickend, einen Kreis.

Im Knechtshaus legte Gus die Arbeit weg und gähnte. »Mach mal ein wenig Musik, Tim, während ich meine Pfeife zu Ende rauche.«

Tim zog das Grammofon auf und legte nach sorgfältiger Prüfung eine Platte auf. Dann setzte er sich wieder und lehnte den Kopf zurück, während sein Stuhl gegen die Wand wippte. Beide schwiegen. Die Melodie tönte weit durch die klare Nachtluft und erreichte Rob und Nell, die noch auf dem Rande des Springbrunnens saßen.

Es war ein altes Lied mit dem kindlichen Pathos der Melodien, die auf den Ebenen geboren werden und die man dort liebt. Eine Stimme, die von weit her zu kommen schien, sang:

Liebste, sieh, ich kam zu Jahren, Silber glänzt in goldnen Haaren, komm, erfreu mir heut den Sinn, denn bald ist das Leben hin.

Das Lied war zu Ende.

Gus seufzte. Die Nadel ging immer wieder in die Runde, schließlich kreiste sie auf der Platte … Tim stand auf und hob sie ab.

Rocket schafft sich
ein Stiefkind an

Die Stallweide, ein Gebiet von ungefähr einer Quadratmeile, führte ihren Namen danach, dass sie den Ställen am nächsten lag. Es war ein Gelände von eigentümlicher Schönheit. Im Süden lief ein breiter Streifen von gleichmäßig hohem Gras längs dem Zaun an der großen Landstraße hin und verlor sich gegen Norden und Westen zwischen sanften Hügeln, auf denen hohe Kiefern mit seltsam gewundenen Ästen vereinzelt standen. Der Boden war mit einer nur dünnen Erdschicht bedeckt, die das darunterliegende Gestein als Klippen und scharfe Steinzacken hervortreten ließ. Kiefern und Wacholder wuchsen in den Spalten, und in den Höhlen am Fuß der Felsen konnte man Knochenreste und Skelette finden: Überreste der Orgien, die wilde Tiere hier gehalten hatten.

Die Felsen neigten sich über kleine Täler, in denen es Pilze, Erdbeeren und Rittersporn gab. Im Schutze der Tannennadeln gediehen die Pflanzen hier. Nach Norden zu wurden Hügel und Felsen steiler und senkten sich zuletzt in zerrissenen, baumbestandenen, kleinen Grasflächen zum Wildbach hinab – einem Wasserlauf, der vom Gebirge kam und die nördliche Grenze bildete.

Für Howard und Ken war die Stallweide ein Gebiet unerschöpflicher Entdeckungen. Es konnte sie einen ganzen Tag lang glücklich machen, über diese stufenartigen Rasenflecke einen Weg hinauf oder hinab zu finden, ohne plötzlich festzusitzen und nicht weiterzukönnen. Nell liebte es, hier umherzuschweifen oder einen ganzen Nachmittag mit einem Buch in irgendeiner verborgenen kleinen Senke zu verbringen. Hier schlichen den ganzen Sommer lang die geheimnisvollen Gestalten der Wildtiere wie Schatten zwischen den Pfeilen der Sonne umher. Saß man still und aufmerksam, dann dauerte es nicht lange, bis man die langsamen, sicheren Bewegungen eines Stachelschweines beobachten konnte oder einen sich dahinschlängelnden, hübschen, weiß gestreiften Skunk oder die lustigen, purzelnden Sprünge von Riesenmurmeltieren, Feldmäusen und Hasen. Wenn für das Mittagessen kein Fleisch im Hause vorhanden war, brauchte Nell oder einer der Jungen nur am Nachmittag mit einem Gewehr auf die Stallweide zu gehen und nach einer Stunde kamen sie bestimmt mit einem halben Dutzend zarter Kaninchen wieder.

In dieser Nacht hatte Rocket die Weide für sich allein. Sie hatte schon etliche Male die Runde gemacht und stand nun an der geschlossenen Pforte zur Landstraße, von wo sie zu den grasbewachsenen Abhängen der Sattelhöhe hinüberblickte. Im Mondlicht glänzten die Grasflächen silbergrau. Plötzlich warf sie, ihr Hinterbein vorstreckend, den Kopf ungestüm zurück und versuchte mit den Lippen ihr Euter zu erreichen, das heiß und prall war. Es gelang ihr nicht, sie ließ das Bein sinken und blickte wieder mit gespitzten Ohren zum Höhenzug hinüber. In schnellem Trab lief sie den Zaun entlang. Unter ihren langen, weit ausgreifenden Schritten lief gleichsam der Boden unter ihr weg. Ihre breiten Flanken bewegten sich regelmäßig, wie die Kolben eines Motors; sie trug den Kopf hoch, die Nase vorgestreckt, und die schüttere Mähne fiel geteilt zu beiden Seiten des Halses herab und verdeckte das Stück der Lassoschlinge, das ihr um den Hals geknotet war. Eine feine weiße Linie zog sich um ihre Augen. Sie sah böse aus, wild, verrückt. Dort, wo der Stacheldrahtzaun einen rechten Winkel bildete, blieb sie stehen. Ihre Ohren spielten unablässig, während sie spähend in die Ferne blickte, und jeder Laut, den die ruhige Luft zu ihr herübertrug, ließ sie erbeben. Plötzlich lief sie weiter, dem Querzaun folgend. Kreuz und quer liefen die Pfade wie ausgespannte Fäden über das unebene Gelände der Weide. Rob hatte einen fahrbaren Weg für das Auto zum Wildbach hinunter gefunden. Die Pferde kannten schon seit ihrer Geburt jeden Fußbreit Boden hier, sie kletterten und sprangen von einem Vorsprung zum anderen oder rutschten, sicher wie Bergziegen, die Abhänge hinab.

Eine Stunde lang sprengte Rocket auf der Weide umher, rannte über den stufenförmigen Abhang zum

Wildbach hinunter, brach auf dessen jenseitigem Ufer durch das Gebüsch und stand schnaubend am Zaun der Nordgrenze.

In der Ferne lagen die Wiesen, am weitesten entfernt die Burgfelsenwiese. Rocket wollte den Wind spüren, der von dort und dem dahinterliegenden Espenwäldchen herkam.

Aber wie gespannt sie auch suchte und horchte: Ihre Ohren vernahmen kein leises Wimmern, sie fühlte an ihrem Euter keine tastende, warme Zunge, spürte nicht die Nähe einer neben ihr herlaufenden kleinen Gestalt.

Nach einigen Augenblicken setzte sie ihren Weg in gestrecktem Trab fort. An der Ecke angekommen folgte sie dem Zaun, kletterte den Abhang hinauf und hatte auf diese Weise wieder einmal die Runde um die ganze Weide gemacht. Sie kam aus dem Kieferngehölz hervor, galoppierte den Hügel hinab, an den Ställen vorbei und blieb am Zaun längs der Landstraße stehen. Und von hier aus sandte sie ihr weithin tönendes Gewieher durch die Nacht. Es klang wie eine fordernde, stolze Beschuldigung.

Eine Meile oder noch weiter weg auf der Sattelhöhe spitzte Banner die Ohren. Er hörte den Ruf, unterschätzte aber offenbar seine Dringlichkeit, denn er wandte den Kopf wieder ab, als ob es ihn nichts anginge.

Der Ruf wurde auch von den Einjährigen gehört, die auf der anderen Seite des Hügelrückens ruhig grasten. Ein kleines, goldfarbenes Füllen, ein Banner im Miniaturformat, hob lauschend den Kopf. Wieder erscholl das laute, zornige Wiehern und das kleine gelbliche Fohlen gab Antwort und galoppierte davon. Auf dem Rücken des Hügels blieb es stehen und äugte zur Stallweide hinunter.

Rocket stand mit erhobenem Kopf, die Ohren nach vorn gestellt. Sie hatte das kindliche Wiehern gehört. Ein Schauer durchlief sie; sie scharrte den Boden, lief am Zaun hin und her und galoppierte dann in Richtung des Burgfelsens davon. Sie hatte ihr Füllen gerufen, aber die Antwort, die sie erhalten hatte, war nicht die erwartete, war nicht die Stimme des kleinen Geschöpfes gewesen, das kürzlich noch ein Teil ihrer selbst gewesen war. Und dennoch hatte diese Stimme an ihr mütterliches Gefühl gerührt. Das machte sie verwirrt und in ihrer Bestürzung galoppierte sie in den dunklen Wald zurück, der zwischen ihr und dem Burgfelsen lag.

Das Einjährige wieherte von neuem und sprengte den Hügel hinab zur Landstraße. Und jetzt riss seine Stimme Rocket zurück. Sie blieb stehen, wendete auf dem Fleck und ein Gegenruf brach aus ihr hervor; jede Unentschiedenheit fiel plötzlich von ihr ab und in umgekehrter Richtung galoppierte sie zum Zaun zurück.

Pferde, die nicht geschult sind, springen selten gut und der Mustang des Westens wird stets einen Zaun eher durchbrechen als über ihn hinwegsetzen. Aber der frohe Eifer, den Rocket fühlte, verlieh ihr Flügel. Sie machte einen herrlichen, fehlerlosen Sprung über die

Drähte und die beiden Pferde rannten aufeinander zu, pressten die Köpfe und Hälse aneinander und wieherten leise, in liebevoller Erregung.

Aber Rocket wollte noch mehr. Ihr pralles Euter verursachte ihr Qualen. Dieses einjährige Kind konnte sie bestimmt ebenso gut von der Milch befreien wie das kleine andere, das sie verloren hatte. Ihre Stimme wurde schmeichlerisch. Sie nahm die rechte Stellung ein und wieherte leise. Aber das Einjährige hatte sechs Monate lang Gras gefressen und sein Instinkt, das Euter zu suchen, war erloschen. Verständnislos stand die kleine Stute da und blickte nach den Hügeln, von wo sie jetzt die Hufschläge der Kameraden hörte.

Rocket wieherte aufs Neue, schon verzweifelt. Sie warf ihre Flanken nach dem Fohlen herum; das antwortete ihr liebevoll und legte den Kopf auf die Kruppe der Stute. Rocket drückte sich noch näher heran, der Kopf des Fohlens rutschte seitwärts ab und nun war er endlich unter ihr. Das Fohlen tastete nach der Zitze. Rocket stand regungslos da, den Kopf über der Kruppe ihres Jungen.

Eine Stunde später galoppierten das goldene Einjährige und die Stute Seite an Seite dahin; sie hatten die Koppeln und die Sattelhöhe weit hinter sich gelassen. Vor ihnen lag das gewellte Hochland des Colorado-Ufers und sie hatten den Geruch des ewigen Schnees von den Niemalssommerbergen in den Nüstern.

Ken darf sich
ein Fohlen wählen!

Noch bevor Ken am nächsten Morgen die Augen aufschlug, wusste er, dass nicht alles so war, wie es hätte
sein sollen; er schob daher das völlige Wachwerden hinaus. Da er mit dem Gesicht zum Fenster lag, konnte er
sehen, dass die Kiefern auf dem Hügel sich nicht bewegten. Also kein Wind.

Plötzlich fiel ihm ein: Er hatte gestern Pferde zur Raserei gebracht. Es schien recht spät zu sein. Mit halbem
Ohr hatte er schon eine Zeit lang alle morgendlichen
Geräusche vernommen: wie Gus die Hintertür öffnete,
durch die Küche ging, die Asche herausschüttelte und
Feuer machte. Nur weil man das alles so gewohnt war,
wurde nicht das ganze Haus davon wach. Ken hatte
auch abwärtsgehende Schritte auf der Treppe gehört
und die Stimme der Mutter: »Es ist Zeit, aufzustehen,
Jungens!« Nun sprang er aus dem Bett und ging zum
Fenster; er knöpfte schon seinen Schlafanzug auf. Gerade unter ihm auf der Terrasse stand Howard; Ken
sah sein schwarzes, genau in der Mitte gescheiteltes
Haar; er hatte blaue, baumwollene Hosen und ein reines Hemd an, dazu ein buntes Halstuch.

Howard blickte auf. »Hallo!«

Ken starrte ihn an, ohne zu antworten.

Howards schwarze Augenbrauen und sein Mund mit den dünnen Lippen zogen gerade Furchen durch sein Gesicht. Er lächelte ein wenig, aber seine Augen blickten scharf und schlau.

»Bist wohl fuchtig auf mich?«

»Klatschbase!«

»Ich hab dich nicht verklatscht.«

»Du lügst.«

»Ich hab ja bloß gefragt, ob Zigarette dich abgeworfen hat und ob du die Satteldecke gefunden hast.«

»Du hast davon angefangen. Du hast gewusst, was ich zu hören bekommen würde.«

»Das kann man doch nicht klatschen nennen.«

»Du lässt mich immer hereinfallen. Du willst mich …«

»Lassen wir's gut sein! Wir könnten zum Schwimmbecken gehen, es wird heute heiß.«

Ken schien nicht zufrieden.

»Wir könnten mit den Fohlen arbeiten.«

»Was für Fohlen?«

»Mit unseren Sommerfohlen. Papa hat gestern vier auf der Kälberweide zurückgelassen. Wir sollen sie halfterzahm machen wie im vorigen Jahr. Er sagte, ich soll meine Fohlen zuerst aussuchen.«

»Suchst zuerst du eins aus und dann ich eins und dann wieder du und dann ich? Oder nimmst du deine beiden gleich auf einmal?«

»Er sagte, ich dürfte beide auf einmal nehmen.«

»Jetzt lügst du bestimmt.«

»Werd dir was sagen, Ken: Wenn du es gut sein lässt, dann nehme ich eins und lasse dann dich wählen.«

Die Stimme des Vaters schallte herüber: »Howard, habe ich dir nicht gesagt, du sollst auf den Wassersprenger achtgeben!«

Howard änderte schnell den Standort des Wassersprengers.

McLaughlin kam vom Gerätehaus her. Er hatte die Hunde herausgelassen und sie sprangen toll vor Freude um ihn herum, als ob sie jede Nacht fürchteten nie wieder freigelassen zu werden und dass nie wieder ein neuer Morgen komme.

McLaughlin hatte eine Schaufel in der Hand und ging auf dem Rasenplatz umher, um den Dünger wegzuschaffen, den die Pferde hinterlassen hatten; dabei rief er Howard zu, sich für den Rasen zu interessieren, der so schwer zum Wachsen gebracht worden war und nur mit Mühe grün erhalten werden konnte. Eine rote Rhode-Island-Henne, die gebrütet hatte, ging hinter ihm her und gluckte und scharrte an den Stellen, wo der Dünger gelegen hatte. Eine Schar zirpender gelblicher Küken trippelte um sie herum, winzige Füßchen rannten umher und flaumige Flügelchen flatterten, sobald sie rief.

Ken verschwand im Zimmer und kleidete sich hastig an. Kaffeegeruch durchzog das Haus.

Howard gab auf den Wassersprenger acht, er rückte

ihn allmählich weiter über die ganze Terrasse; dabei machte er Pläne für diesen Tag. Ken würde nun wieder brauchbar sein; es war nie schwer, mit ihm zurechtzukommen; sie könnten im Schwimmbad spielen oder auf die Jagd gehen.

»Frühstück!« – Ein froher Ruf von Nell; sie kam auf die Terrasse gelaufen, ihr grünes Kleid hatte vorn einen Reißverschluss von oben bis unten; die Schärpe war im Rücken zu einer Schleife gebunden. Nell klatschte rufend in die Hände und Rob warf die Schaufel weg und eilte auf sie zu. Ken hielt inne, als er seinen Schlips band, um zuzusehen. Er lächelte schwach – es war immer lustig, wenn Vater und Mutter miteinander spielten. Nell sprang zur Seite und lief um den Springbrunnen herum, ihr Mann hinterher, bis er sie an der Schleife zu fassen bekam, die sich dabei löste. Sie schrie und rannte den Stufen zu und nun stürzten sich beide Hunde bellend zwischen sie, so dass Rob beinahe über sie gestolpert wäre.

Jetzt waren alle im Haus und Ken beeilte sich fertig zu werden. Das Hinuntergehen war ihm heute verhasst; er fühlte sich verstimmt. Auf halber Treppe blieb er vor dem Bild der Ente stehen. Es war eine große schwarze Ente mit weißer Brust, hellen Beinen und weißen Querstreifen auf den Flügeln. Wie sie sich anschickte in die Wellen des grauen, bewegten Sees zu tauchen, stand sie in ihrer ganzen Pracht auf einem Felsen. Mit dem eifrig aufgesperrten Schnabel und dem erhobenen und vorwärtsdrängenden Körper gab sie

Ken das Gefühl, dass sie ihn mit sich zog. In der nächsten Sekunde würde er das eisige Wasser und die aufschäumenden Wellen fühlen, wie einen scharfen Stich, und über allem die graue, neblige Luft und die beängstigende Einsamkeit. Ken überlief eine Gänsehaut.

Drunten am Frühstückstisch wartete der Vater darauf, Kens Schritte auf den letzten Stufen der Treppe zu hören.

»Ich möchte wetten, dass er sich die Ente ansieht«, sagte Howard.

»Welche Ente?«

»Die auf dem Treppenabsatz. Er steht mitunter eine ganze Stunde davor.«

»Howard«, sagte Nell vorwurfsvoll, »aber doch nicht eine Stunde lang!«

»Nun ja – jedenfalls sehr lange. Es kommt einem vor wie eine Stunde.«

»Himmel«, sagte McLaughlin mit erhobener Stimme, »was für eine Ente ist denn das?«

»Mein Farbdruck von Audubon«, erklärte Nell schnell. »Der unter der Uhr hängt. Ken betrachtet ihn so gern.«

»Ken!«, rief der Vater laut und man hörte Kens Schuhe schnell auf der Treppe klappern. Er trat mit verdrossenem Gesicht in die Küche. Sein Haar war sorgfältig gescheitelt und klebte am Kopf.

»Warum bist du auf der Treppe stehen geblieben?«

Ken nahm seine Serviette und senkte verlegen den Blick. »Ich habe die Ente besehen.«

»Die Ente? Durch das Fenster?«

»Die Ente auf dem Bilde.«

In Nells Augen blinkerte es belustigt, während sie Ken die Hafergrütze auflegte.

»Wusstest du nicht, dass wir beim Frühstück saßen?«

»Ich … ich …«

»… dachte nicht daran«, beendete McLaughlin den Satz für ihn. Ken sah weder auf noch gab er Antwort. Er hatte ja gewusst, dass es so kommen würde. Jetzt goss er sich Sahne auf die Hafergrütze und streckte die Hand nach dem braunen Zucker aus.

»Ken«, sagte der Vater. »Ich werde einen Befehl, den ich dir gestern gegeben habe, zurücknehmen und dir das tägliche Lernen erlassen.«

Sehr erstaunt sah Ken den Vater an. Sein Mund öffnete sich vor Freude und Erleichterung.

»Ich habe diesen Sommer andere Pläne für dich«, fuhr McLaughlin gewichtig fort und Nell senkte den Kopf, um ihr Lächeln zu verbergen. Wie oft hatte sie erlebt, dass Rob ein störrisches Pferd durch Zureden gefügig machte oder einen Durchbrenner peitschte und ihm dazu noch die Sporen gab.

»Und«, fuhr McLaughlin schlicht fort, »du sollst jetzt ein Fohlen bekommen.«

Ken schnellte von seinem Stuhl hoch. Löffel und Teller fielen klirrend zu Boden.

»Ein Frühlingsfohlen, Papa, oder ein Einjähriges?«

McLaughlin war von der unvermuteten Frage überrascht. Nell senkte wieder den Blick. Wenn Ken ein einjähriges Fohlen bekam, würde er Howard einholen können.

»Papa meint ein Einjähriges, Kennie«, sagte sie leise. »Setz dich wieder und iss dein Frühstück; sieh doch, was du angestellt hast.«

Ken sammelte das Geschirr und das Tischsilber auf, das er durcheinandergeworfen hatte, legte alles an den rechten Platz und setzte sich. Er war ganz rot geworden.

»Ich gebe dir, von heute an gerechnet, eine Woche«, sagte der Vater. »In dieser Zeit kannst du sie dir ansehen und dich entscheiden.«

»Darf es jedes Einjährige sein, das ich haben möchte?«

McLaughlin nickte ruhig, schob seinen Stuhl zurück und griff nach seiner Pfeife.

Wortlos blickte Ken zu Howard hinüber. Sie maßen einander mit Blicken. Nun waren sie einander gewachsen. Endlich.

»Muss es ein einjähriges Fohlen sein, Papa?«, fragte Howard. »Darf es eins von diesem Frühling sein, wenn er das will?«

»Er kann jedes Fohlen haben, das hier im letzten Jahr geboren worden ist. Wir haben achtzehn Einjährige und bis jetzt dreizehn Neugeborene; einige werden noch hinzukommen.«

»Willst du ein Einjähriges oder eins von diesem Frühling, Ken?«

Ken antwortete mit einem übertrieben mitleidigen

Lächeln, das er im Kino gelernt und sich durch viel Übung zu eigen gemacht hatte. Aber der Vater stellte dieselbe Frage:

»Einjähriges oder Frühlingsfohlen, Ken?«

Ken antwortete: »Ein Einjähriges.«

»Hengst oder Stute?«

Ken zögerte. Diese Frage trieb ihn in die Enge. Er sah im Geist eine Menge Bilder, die auf ihn einstürmten. Rocket war eine Stute. Aber auf der anderen Seite war da auch Banner. Und der heldenhafte Mustang, der Albino. Aus dem Wirrwarr tauchte in ihm eine deutliche Vorstellung von der Überlegenheit des männlichen Prinzips auf.

»Ich nehme ein Hengstfohlen.« Es lag etwas Endgültiges und Entscheidendes in seiner Stimme. Nell und ihr Mann wechselten unmerklich einen Blick.

McLaughlin sagte: »Das schränkt die Möglichkeiten ein. Lass mal sehen. Wie viel Hengstfohlen sind denn dieses Jahr geworfen worden?«

»Zehn Stuten und acht Hengste«, sagte Howard. »Ken, du kannst zwischen acht Fohlen wählen.«

Für Ken ging das alles furchtbar schnell. Pferde überall …

»Welche sind es denn?«, fragte Nell. »Ich habe sie alle in das Zuchtbuch eingetragen. Es liegt in der Futterkammer. Ken, lauf mal hin und hol es. Wir wollen die Liste durchgehen.«

»Ich komme mit«, sagte Howard, vom Stuhl gleitend, und ging hinaus.

Ken rannte hinaus. Ein Fohlen! Ein eigenes Fohlen!

Seine Fantasie war voller Bilder: ein eben geborenes kleines Fohlen, das von der leckenden Zunge der Mutter fast zu Boden geworfen wurde; Banner, steilend, mit den mächtigen Vorderbeinen durch die Luft greifend, sein großer, heller Bauch, der stolze Kopf, der gebogene Hals – und ein kleines Einjähriges in gestrecktem Lauf – ein schwarzes, ein kastanienbraunes –, alle gehörten sie ihm, jedes war *sein* Fohlen!

Er warf den Kopf zurück und schrie; er sprang, trampelte und galoppierte. Howard holte ihn ein und sagte: »Du bist ja verrückt!«

»Mein Fohlen, mein Fohlen!«, sang Ken und bewegte sich selbst wie ein Fohlen, während er im Kreise lief. Mit abgespreizten Ellenbogen rief er dann: »Ho-ho! Hei!«, warf den Kopf hin und her und schüttelte seine Mähne.

»Du bist ja verdreht!«, rief Howard, der ihm zuschaute.

Ken lief mit erhobenen Fäusten auf ihn zu. Howard ging in Stellung und sie schlugen aufeinander los. Ken war es ganz einerlei, wie es ihm dabei erging. Seine Arme flogen wie Dreschflegel, aber für Howard war es nicht schwer, sich zu schützen. Plötzlich brach Ken aus und floh zu den Ställen. Mit großer Deutlichkeit fühlte er sich jetzt als ein anderer; er kam sich sehr gewichtig vor. Jetzt hatte es angefangen, jetzt würde es wirklich werden.

Er fand das Zuchtbuch und lief zurück.

Als Nell die Liste der Einjährigen und ihrer Mütter vorlas, wurde Ken ganz sonderbar zu Mute. Dies alles waren bestimmte Tiere von Fleisch und Blut; sie hatten Namen, waren in einem Buch genau bezeichnet; es waren nicht die Fohlen, die in seinen Träumen gespielt und ausgeschlagen und ihre Mähnen geschüttelt hatten. Ihm war, als ob er etwas verlöre, so wie es jedem Träumer ergeht, dessen Traum greifbare Gestalt annimmt.

»Ich habe nicht alle genannt«, sagte Nell. »Es gibt einige, die ich nie gesehen habe. Sie liefen davon, als ich nach Nummer zwanzig hinaufging, um sie einzutragen.«

»Die Wildpferde«, brummte McLaughlin; er dachte an die Nachkommenschaft des Albinos. »Die sind nie zur Stelle, wenn man sie haben will.«

»Ken und ich haben vier von diesen Einjährigen selbst geschult«, sagte Howard. Es war jeden Sommer die Aufgabe der Knaben, vier der im Frühling geborenen Fohlen an den Halfter zu gewöhnen.

»Die Fohlen, die die Jungen im letzten Sommer geschult haben, sind Doughboy und Collegeboy und Lassie und Firefly«, sagte Nell, ins Buch blickend. »Zwei Hengstfohlen und zwei Stuten.«

»Ken, sag doch: Warum nimmst du denn nicht Doughboy? Der ist ja einer von deinen Halfterzahmen. Und wenn er erwachsen ist, wird er Highboys Zwillingsbruder sein, wenigstens dem Namen nach. Doughboy, Highboy.« Aber Ken blickte verächtlich drein. Doughboy würde nie so schnell wie Highboy. Als McLaughlin im letzten Sommer die Fohlen betrachtete, hatte er gesagt: »Das ist, weiß Gott, ein Kloß. Wir wollen ihn Doughboy nennen. Er könnte ein schwerer Hunter werden. Seht doch, wie kräftig seine Beine sind.«

»Dann Lassie«, schlug Howard vor. »Wenn dir an Geschwindigkeit gelegen ist. Die ist eine der schnellsten und schwarz wie Tinte. Wie Highboy.«

»Aber du hast doch gehört, dass ich einen Hengst will«, sagte Ken. »Außerdem hat Papa gesagt, dass Lassie nie über 152 Zentimeter kommen wird.«

»Du musst daran denken«, sagte McLaughlin, »dass sich über ein neugeborenes Fohlen nicht viel sagen lässt und oft auch nicht viel mehr über ein Einjähriges. Auf das Blut kommt es an. Auf das Blut, das durchschlägt.«

Diesen Ausdruck bekamen sie oft zu hören. McLaughlin wandte ihn stets an, wenn er über Pferde sprach.

»Das ist das Pech mit dem Albino. Der schlägt überall durch. Dieser Teufel vererbt seine Eigenschaften wie kein anderer und sie schwächen sich mit der Zeit nicht ab. Irgendwo unter seinen Ahnen muss es einmal eine prachtvolle Blutlinie gegeben haben. Araber wahrscheinlich. Ist einmal in einer Linie genug arabisches Blut vorhanden, dann schlägt das immer wieder durch, mit den wünschenswerten und mit den weniger wünschenswerten Eigenschaften. Diese Mustangs im Westen haben viel arabisches Blut; es leitet sich von den Arabern und Berbern her.« McLaughlin stand auf und trat an das Regal neben dem Gewürzschrank, er nahm eines seiner Lieblingsbücher über die Abstammung des amerikanischen Pferdes zur Hand und suchte blätternd eine Stelle.

Da warf Howard plötzlich lauschend den Kopf zurück. »Ein Auto!« Alle saßen regungslos da; sie hörten den Wagen über die kleine Grabenbrücke beim Zaun der Hausweide rattern, mit dem zweiten Gang den niedrigen Hügel hinter dem Hause heraufkommen und vorbeisausen. Die Jungen stürzten zum Fenster auf der Rückseite des Hauses und sahen gerade noch, wie der Wagen auf dem Weg zu den Ställen hinter dem Hügelrücken verschwand.

»Ein staubiger schwarzer Wagen«, sagte Howard, zurückkehrend.

McLaughlin klappte sein Buch zu. »Vielleicht ist es der Doktor«, sagte er.

»Um die Zweijährigen zu kastrieren?«, fragte Nell.

»Ja. Howard, lauf zu den Ställen und sieh nach, ob es Doktor Hicks ist.«

Als Howard das Zimmer verlassen hatte, fragte Ken: »Darf ich zusehen, Papa?«

Nell wechselte einen Blick mit ihrem Mann. Er gab keine Antwort.

»Ken, lauf in mein Zimmer und hol mir ein Taschentuch. In der Ecke rechts, oberste Schublade.«

Als Ken gegangen war, sagte sie: »Rob, lass sie nicht zusehen.«

»Es kommt auf ein und dasselbe heraus«, sagte Rob. »Früher oder später müssen sie es doch erfahren.«

»Sie wissen schon jetzt genug davon. Aber bis jetzt haben sie es nicht handgreiflich gesehen. Du hast es immer machen lassen, bevor sie von der Schule nach Hause gekommen waren.«

»Wird ihnen nichts schaden.«

Ken kam mit dem Taschentuch zurück. Howard erschien fast gleichzeitig an der Hintertür. »Es ist Doktor Hicks, Papa, und sein Gehilfe.«

»Hab's mir gedacht. Lauf schnell und sag Gus, dass er drüben Feuer macht und kochendes Wasser bereithält.«

»Er ist schon da. Hat das Feuer schon angezündet.«

Howard wollte wieder davonstürzen, aber Nell rief ihn zurück. »Setz dich her und iss erst fertig! Und du auch, Ken! Ihr habt ja kaum etwas gegessen.«

Gus erschien in der Tür. »Wenn wir ein altes Betttuch haben könnten, um daraus reine Lappen zu schneiden ...«

Nell holte eins aus dem Wäscheschrank hervor; es war rein und ordentlich gefaltet. Ken aß sein Frühstück fertig, wischte sich den Mund ab, sagte »Entschuldigung!«, und stürzte hinter Gus her, als er das Zimmer verließ.

»Papa hat mir ein Fohlen geschenkt, Gus, ich kann jedes Fohlen haben, das ein Jahr alt ist!«

Auch Howard war mit dem Essen fertig geworden und rannte hinter ihnen her. Nell stand mit einem Seufzer auf und fing an den Tisch abzuräumen. »Ein blutiger Tag. Ich hoffe, sie alle werden es gut überstehen.«

Rob antwortete nicht. Er sah sie nicht an. Plötzlich dachte er nach. »Ich nehme mir ein Hengstfohlen. Hast du gehört, mit was für einer Stimme er das sagte?« Rob schob seinen Stuhl zurück und stand auf. »Wenn er nur jetzt ein gutes Pferd aussucht …«

Er eilte hinaus.

Die Welt ist grausam

Die Zweimeterweide, ungefähr eine Quadratmeile groß, war ein Stück Land, das in der Nähe der Koppeln von der Stallweide abgeteilt worden war. Diese umgab die Zweimeterweide auf zwei Seiten; die dritte Seite lief die Landstraße entlang und die vierte stieß an die Kälberweide, die hinter dem Rasenplatz und dem Hügel lag. An einer Stelle grenzte sie an die Koppeln. Sie hatte ihren Namen davon bekommen, dass sie von einem zwei Meter hohen Stacheldrahtzaun umgeben war, dem kräftigsten und höchsten, den McLaughlin auf seinem Gelände besaß. An ihrem äußersten Ende, nahe der Landstraße, befanden sich jetzt die zweijährigen Hengste.

Als Ken und Howard die Koppeln erreichten, waren die Vorbereitungen schon beinahe beendet; Dr. Hicks – er war ein Meter und fünfundachtzig lang und massiv wie ein Stier – pflegte keine Zeit zu verlieren. Was er heute hier vornahm, war nur ein Drittel oder ein Viertel von dem, was häufig sein Tagesprogramm ausmachte, und dazu kamen vielleicht noch Fahrten von zusammen hundert Meilen, die er in seinem schwarzen

Wagen mit einem starken Motor zurücklegte. Sein Wagen war vollgepackt mit Schachteln, Behältern, Flaschen, Lassos und Halftern. Der Tierarzt und McLaughlin standen im Gespräch beisammen, während sie gleichzeitig im Auge behielten, was rings um sie herum geschah: Tim besserte den Zaun der kleinen, runden Koppel aus, in der das Verschneiden vor sich gehen sollte; der Gehilfe holte aus dem Wagen das Lasso herbei und Gus beaufsichtigte das jenseits des Zaunes brennende Feuer.

Die Knaben hielten sich in der Nähe ihres Vaters und hörten zu. McLaughlins Hand stützte sich mit einer natürlichen, wie zufälligen Bewegung auf Kens Schultern. Es war ein aufregender, wichtiger Tag.

»Nein, ich brauche noch mehr von dieser schwarzen Salbe«, sagte McLaughlin. »Die Dose ist im Stall. Kommen Sie, ich zeige sie Ihnen.«

Sie gingen und Howard lief zu Gus hinüber und betrachtete die schwarze Ledertasche des Doktors, die auf dem Grase neben dem Futterkasten stand. Gus hatte ihn umgekippt und mit einem Stück von Nells reinem Laken überdeckt. Die Tasche enthielt die Instrumente.

Ken kletterte auf den Zaun der Koppel und betrachtete die Zweijährigen. Alle waren gut in Form und gut gefüttert. Ihr Fell glänzte; ihre dicken Hälse waren stark gebogen; sie trugen den Schweif hoch und schön geschwungen. Eine kleine Gruppe, die allzu dicht gedrängt dastand, war in Streit miteinander geraten; ein einzelnes Tier brach aus und rannte in wilden Sprüngen in die Runde, bis auch die anderen ausschlugen und sich zerstreuten. Ein goldglänzender Falbe senkte den Kopf, stemmte die Vorderbeine in den Boden und fing an auszuschlagen; als er damit fertig war, sah er sich um, als ob er auf Beifall wartete, schüttelte sich dann heftig und stürzte sich mit ausgestrecktem Hals und gebleckten Zähnen auf ein anderes Pferd. Man hörte Schnauben und das dumpfe Donnern der Hufe; der Falbe bekam einen Schweif ins Gesicht und ein Paar Hufe schlug an seine Brust. Zwei große Rappen steilten und begannen mit den Vorderläufen ein Scheingefecht, schwenkten aber bald in einem prachtvollen Bogen seitwärts ab. Schweife und Mähnen wehten und schienen ein Leben für sich zu führen. Ein Kopf hob sich über einen anderen Hals, wie um nach dessen Nacken zu schnappen; aber der Überfallene wand sich heraus und befreite sich durch Steilen und Schläge mit den Vorderläufen. In unaufhörlicher Bewegung und mit wehenden Haarfransen verschmolzen und trennten sich die Tiere, und die Sonne brannte auf sie herab und machte ihre runden Kruppen und die hervorquellenden Halsmuskeln zu glänzenden Spiegeln. Ken fühlte, wie es in ihnen sang, er spürte das Leben ihrer jungen Herzen, ihre freie, überschäumende Kraft, und sein Griff um die Stange, auf der er saß, wurde fester. Ein Schluchzen steckte ihm in der Kehle.

»Auch ich habe einen solchen Hengst«, sagte er leise. »Wie prachtvoll ihr seid! Nach einem Jahr ist mein Einjähriger so wie ihr heute …«

In seiner Sehnsucht, ihnen noch näher zu kommen, sprang er hinab und lief zu seinem Vater.

»Papa, darf ich sie hereinbringen?«

»Das ist nicht nötig. Ich brauche ihnen nur einen Eimer zu zeigen, dann kommen sie von selber. Lauf und hol mir einen Eimer mit Hafer.«

Beim Zurückkommen blieb Ken stehen, um zuzusehen, wie Doktor Hicks seine Instrumente auf dem weißen Tuch ausbreitete. Howard kniete neben ihm und schaute aufmerksam zu. Ihm gefielen alle Dinge, die mit tierärztlicher Tätigkeit zusammenhingen. – Der Doktor nahm einen Becher aus seiner Tasche und füllte ihn mit Alkohol; dann tauchte er eine chirurgische Schere und ein kleines, scharfes Messer hinein.

»Was ist das?«, fragte Howard.

»Ein Skalpell«, antwortete der Doktor. Er blickte auf die Knaben und sagte, in seiner rauen Art grinsend: »Würdet ihr es gern selbst machen?«

»Ich schon«, antwortete Howard sofort. »Ich würde gern Tierarzt sein.«

»Nun, und du?«

Ken antwortete nicht. Alle Farbe war aus seinem Gesicht gewichen. Er versuchte überlegen auszusehen.

Der Tierarzt zog seinen weißen Arbeitskittel an. Gus goss für ihn warmes Wasser in eine Schüssel und er fing an die Hände mit Karbolseife zu scheuern. Ken besah die Messer. In der Hand schwenkte er den Hafereimer. Hafer, um sie heranzulocken, und dann das Messer …

Bill rollte das Lasso zusammen.

»Ken«, rief McLaughlin laut, »bring doch den Hafer!« Ken lief mit dem Eimer zum Vater, dann kletterte er wieder auf den Zaun. Er setzte sich dicht neben der Pforte, die aus der Zweimeterweide in die runde Koppel führte. Alle würden sie hier, dicht unter seinen Füßen, vorbeikommen. Und auf der anderen Seite würde – es geschehen.

Rob öffnete die Pforte und rief die Hengste. Er schüttelte den Eimer und pfiff einen Triller, der bis zu den Fohlen trug. Einige hörten auf zu grasen und blickten mit erhobenen Köpfen zu ihm hin. Bald schauten alle herüber. Eines begann langsam auf ihn zuzugehen, andere folgten. Plötzlich setzten sich alle in Galopp.

McLaughlin ließ jedes von ihnen die Nase in den Hafer stecken und nur ein wenig kosten; dann führte er ein Tier durch die Pforte und schloss sie. Die anderen stießen und drängten sich davor.

Bill hielt sein Lasso bereit. Auch McLaughlin und Tim schwangen kurze Lassos, schrien und lärmten, um das Fohlen in Bewegung zu bringen. Es setzte sich auch erschreckt in Galopp und rannte den Zaun entlang.

»Je schneller es läuft, desto härter wird es fallen«, sagte der Doktor.

Staub flog auf und die Hufe warfen Sand und kleine Steine mit dumpfem Trommeln gegen den Zaun.

Bill stand in der Mitte und schwang die Schlinge seines Lassos; sein Blick war scharf und ruhig wie der eines Schützen. Plötzlich glitt die Schlinge wie eine

Schlange über den Boden hin und beide Vorderfüße des Fohlens verfingen sich. Es stürzte dröhnend zu Boden, und bevor es eine Bewegung machen konnte, kniete Tim schon auf seinem Kopf. Der Doktor kam mit seinem Messer herbei, das Fohlen schrie und versuchte sich zu wehren. Im Laufe einer Minute war alles geschehen.

Sobald es frei war, sprang es auf die Füße. Die Pforte zur großen Koppel wurde geöffnet, das Fohlen trabte hinein und blieb mit hängendem Kopf am Zaun stehen. Blut strömte an ihm herab. Eines nach dem anderen kam tänzelnd herein, wurde niedergeworfen, verschnitten und in die andere Koppel gebracht. Allmählich arbeiteten alle ruhiger. Der Doktor machte keine Späße mehr. McLaughlin sah verdrossen aus; sein Gesicht hatte einen gespannten Ausdruck. Allen rann vor Hitze der Schweiß herab und das Gesicht des Doktors war blutverschmiert, wo er mit dem Handrücken darüber hinweggewischt hatte. Ken musste sich am Zaun festhalten. Das Schlimmste war nicht das Blut und Schneiden, sondern die Art und Weise, wie die Fohlen dastanden, wenn alles vorüber war. Sie drängten sich in einer Ecke zusammen und standen regungslos, wie betäubt; einige hielten sich abseits.

Zwischendurch ging McLaughlin mit dem Hafereimer zu ihnen hinüber und redete ihnen freundlich zu: »Nun, alter Junge, das war ja schlimm.«

Einige hoben beim Klang der bekannten Stimme den Kopf und senkten das Maul in den Eimer; aber die meisten standen da, ohne sich zu rühren. McLaughlin streichelte ihnen tröstend den Hals.

Beim Zusammenharken der blutigen Lappen und Hautstücke sagte Tim lachend: »Wenn das alles Hammelfleisch wäre, dann würden wir heute Abend Gebratenes bekommen.« Alle lachten, auch McLaughlin.

Jetzt war nur noch einer übrig, ein großer, gut gebauter Rotschimmel. An der Pforte hatte er mit den Lippen spielend nach Kens Füßen geschnappt. Er hieß Jingo und Ken erinnerte sich, dass er immer diese Gewohnheit gehabt und, hinter Ken hergehend, ihn leicht bei der Schulter gepackt hatte, um sich bemerkbar zu machen.

McLaughlin öffnete mit dem Eimer in der Hand die Pforte und Jingo ging hinein. Ken meinte zuerst, er könne unmöglich zusehen, wie Jingo umgeworfen und Tim auf seinem Kopf sitzen würde. Aber er musste ja doch dableiben. Nun, dies war der Letzte, dann war es vorüber.

Jingo schrie beim ersten Schnitt auf; aber gleich danach erhob sich Doktor Hicks. »Der wird mehr Zeit brauchen«, sagte er zu McLaughlin. »Ich muss tiefer schneiden, wenn es richtig gemacht werden soll. Was halten Sie davon?«

Sie unterhielten sich darüber, während das Fohlen dalag und Tim auf seinem Kopf saß. Ken hörte Bruchstücke des Gesprächs: »Taugt sonst zu nichts – weder das eine noch das andere – fünfzehn bis zwanzig Minuten – er kann dabei natürlich draufgehen …«

»Machen Sie weiter!«, sagte McLaughlin.

Keiner der Männer witzelte mehr, als der Doktor bei der Arbeit war, aber das Fohlen schrie und zappelte furchtbar. Noch bevor die Operation zu Ende war, wurde es ruhig und lag regungslos, während das ehemals helle Blut auf dem Sande dunkel wurde. Die Arme des Doktors waren rot bis an die Ellenbogen. Endlich war es vorüber. »Jetzt ist es in Ordnung«, sagte der Doktor und richtete sich auf. Aber Jingo wollte sich nicht rühren, als Tim seinen Kopf freigab. Die kleinen Stöße, die man ihm versetzte, schien er nicht zu spüren. Erst nach einigen derben Fußtritten in die Flanken sprang er auf und trabte in die andere Koppel.

Ken fühlte sich ganz schwach. Er glitt am Zaun herab und das Gesicht an das Holz gedrückt hielt er sich, halb hängend, mit den Händen fest.

»Sehen Sie doch den Jungen an«, sagte Bill. McLaughlin war mit zwei Schritten neben ihm. »Nun, nun«, sagte er und nahm ihn bei der Schulter. Ken stieß ihn wütend zurück, er schluchzte.

»Aber Junge!«

Ken rannte weg, tauchte unter den Stangen des Zaunes hindurch und verschwand hinter dem Stall. Er lief weit weg über den Hügel, bis zu den Kiefern, und warf sich vornüber zu Boden.

Er dachte an sein eigenes Fohlen und dass man es nach einem Jahr verschneiden würde. Er sah das so deutlich vor sich, als ob es jetzt schon vor seinen Augen geschähe: ein heller, goldiger Fuchs, wie Banner, er sah das Blut an den Beinen herunterlaufen – er selbst fühlte furchtbare Schmerzen und sein Schluchzen erstickte ihn beinahe.

Lange Zeit war vergangen, da hörte er, wie ein Auto sich den Hügel hinter dem Hause hinaufarbeitete; dann erstarb das Geräusch. Doktor Hicks war weg.

Ken scharrte mit der Stiefelspitze im Boden. Er hörte dicht neben sich ein Streichholz anbrennen. Es war der Vater, der sich die Pfeife anzündete.

McLaughlin setzte sich rauchend neben Ken. Dann streckte er den Arm aus und zog den Jungen zu sich heran.

»Kennie …«

»Oh! Mein Fohlen, Papa, mein Fohlen …«

Sein Vater hielt ihn noch fester; Ken drückte sich in seinen Arm und weinte bitterlich.

Rob erzieht
Fohlen und Kinder

McLaughlin erklärte beim Mittagessen, das Erste, was er am folgenden Tage zu tun gedenke, sei: Rocket in die Koppeln und den »Gang« zu schaffen, ihr dort das Strickende vom Hals zu schneiden und sie dann von der Stallweide auf die Hügelkette zu den anderen Zuchtstuten zu treiben.

»Bevor das nicht geschehen ist«, sagte er, »kann ich die verschnittenen Fohlen nicht auf die Stallwiese lassen. Ist sie erst mal bei den anderen, dann dürfte es höllisch schwer sein, sie wieder zu trennen.«

»Wie lange willst du die Fohlen auf der Stallweide lassen?«, fragte Nell.

»Ungefähr eine Woche. Ich muss ein Auge auf sie haben. Sie müssen täglich Bewegung haben. Nachher dürfen sie zu den anderen auf die Hügel. Ihr Jungen könnt darauf achtgeben, dass sie sich täglich gründlich Bewegung verschaffen. Seid wie die Hölle hinter ihnen her. Da habt ihr mal Gelegenheit, zu schreien und euch wie echte Cowboys zu benehmen.«

»Warum sollen sie denn laufen?«, fragte Howard.

»Wenn eins von ihnen eine Entzündung bekommen sollte – und diese Möglichkeit ist immer vorhanden –, dann würde es mit hängendem Kopf dastehen, bis es stirbt. Seht zu, dass sie tüchtig laufen; das reinigt die Wunde und sorgt für den Blutkreislauf. Bleiben sie sich selbst überlassen, dann stehen sie missmutig da und fressen nicht so viel, dass sie bei Kräften bleiben.«

Ken hatte nichts essen mögen. Schon der Geruch der Speisen schnürte ihm die Kehle zusammen. Nell sah ihn an und sagte: »Wenn du willst, darfst du vom Tisch aufstehen. Und binde doch meine Hängematte an. Ich brauche sie vielleicht nachher.«

Ken ging auf die Terrasse hinaus. Über einen Teil von ihr waren auf Espenpfosten Latten genagelt, die im Sommer zum Schutz gegen die heiße Sonne mit einem Stück Stoff überspannt werden sollten. Nell fasste dieses Gestell als Pergola auf und zog dort wilden Wein, der sich an den Ecken emporrankte, um dann später einmal die ganze Pergola zu überwachsen und so viel Schatten zu spenden, dass das Sonnensegel nicht mehr nötig sein würde. Dann würde hier und da ein Strahl durchbrechen, die grünen Blätter würden herunterhängen, und unter ihnen wäre kühles, goldgrünes Licht.

Ken blickte auf. Das Sonnensegel war noch nicht aufgespannt worden und das pralle Licht tat den Augen weh.

Er holte die Hängematte, hängte sie nahe der Pergola auf und legte sich so hinein, dass seine Hände und

Füße über die Seiten herunterbaumelten und leicht den Boden streiften.

Die Fliederbüsche in der Ecke bei den Steinstufen und die Blumen am Rand der Terrasse strömten in der Hitze einen starken Duft aus. Auf dem Rasenplatz trieben sich Pferde herum: einige tranken aus dem Springbrunnen, andere grasten oder schauten zum Hause hin. Keine Hengste darunter, nur Wallache und Stuten.

In der ganzen Welt macht man es ja so mit Pferden, dachte Ken. Nur wenige bleiben zur Zucht übrig. Und auch mit allen Stieren; nur wenige sind ausgenommen. Und mit den Widdern geht es ebenso. Männer und Knaben gehen frei aus, aber männliche Tiere werden auf der ganzen Welt verschnitten und dürfen nie mehr männlich sein. Gerade jetzt, in dieser Minute, sind Tausende von Messern am Schneiden. Meere von Blut fließen, Männer beugen sich über niedergeworfene, gebundene Tiere …

Nell kam aus dem Hause. Sie hatte ihre Schürze umgebunden und eine Kaffeetasse in der Hand. Sie blickte zum Himmel auf. »Wie heiß es ist!«, sagte sie. »Es ist Zeit, das Sonnensegel aufzuspannen.« Sie sah zu Ken hinüber, während sie ihren Kaffee umrührte. »Es schadet ihnen wirklich nicht, Ken«, sagte sie.

Ken war nicht erstaunt. Seine Mutter las immer seine Gedanken.

»Wirklich nicht?«

»Nein, es muss geschehen. Nimm es dir nicht zu Herzen, Kennie. Es mit anzusehen ist natürlich nicht schön und mir tat es leid, dass du dabei warst. Nach einer Woche werden sie gar nicht mehr wissen, dass etwas mit ihnen vorgenommen worden ist.«

»Wirklich nicht?«

»Sieh doch Highboy an. Und alle berühmten Rennpferde.«

»Sind das alles Wallache, Mutter?«

»Die meisten. Nur wenige sind Hengste. Ken, du weißt doch, dass die Welt voll unangenehmer Dinge ist. Voll Schmerzen und Operationen und Krankheit und Unbehagen. Mach dir nichts daraus! So ist das Leben nun mal. Neben all dem Hässlichen gibt es ja auch Gesundheit, Zuverlässigkeit und Spaß und Glück, für Pferde wie für Knaben, und die guten Dinge überwiegen bei weitem.«

Er wandte ihr das Gesicht zu und sie gewahrte darin den Anflug von einem Lächeln. Sie strich ihm das feuchte Haar aus der Stirn. »Nimm das Böse mit dem Guten. So machen es die Erwachsenen. Du bist heute um ein kleines Stückchen erwachsener geworden.«

»Ich komme mir jetzt wirklich so ganz anders vor, Mama«, sagte er. »Es scheint jetzt furchtbar lange her zu sein, dass ich heute Morgen aufstand und nichts davon wusste, dass ich ein Fohlen bekommen würde.«

»Ja, auf diese Weise wird man erwachsen«, sagte Nell. »Ganz plötzlich ist man um Jahre älter.«

Ken wurde nachdenklich. »Außerdem kann ich mir ja ein Stutenfohlen nehmen anstatt einen kleinen Hengst. Papa reitet ja auch eine Stute.«

McLaughlins laut lachende Stimme dröhnte vom Küchenfenster her und die Pferde auf dem Rasenplatz hoben die Köpfe und näherten sich erwartungsvoll dem Hause.

McLaughlin erschien in der Tür. »Seht doch die Gäule an! Wie sie um Hafer betteln!« Er verschwand wieder. Im Vorhaus bei der Küchentür hing immer ein Eimer mit Hafer. Er holte ihn und trat zu den Pferden auf dem Grasplatz. Sie drängten sich zu ihm.

Bei solchen Gelegenheiten bestand er darauf, dass sie sich gut benahmen; sie sollten die Regeln eines »fair play« und der gerechten Verteilung einhalten. Ein Pferd, das die Nase in den Eimer steckte und nicht aufhören wollte zu fressen, bekam einen nachdrücklichen Klaps auf die Backe. Wenn sie in ihrer Gier und Eifersucht einander drängten und schlugen, versteckte er den Eimer hinter dem Rücken und hielt ihnen einen Vortrag, und dabei sprach so viel Erstaunen und Entrüstung aus seiner Stimme, dass sie die Köpfe hängen ließen und förmlich gelobten es nie wieder zu tun. Bisweilen, wenn ein großes Durcheinander entstand, umgaben sie ihn von allen Seiten: Die großen Körper trampelten in die Runde, steilten, schlugen vorn und hinten aus und es schien beinahe, als sei Rob zu Boden getreten. Aber immer wieder tauchte er auf, den Eimer schwenkend, und machte ihnen ernstliche Vorwürfe, während er mit der anderen Hand Klapse auf die Nasen austeilte. Dann wurden die Pferde allmählich wieder ruhig und gehorchten ihm folgsam.

»Ken«, sagte McLaughlin, »lauf hinunter und öffne die Pforte zur Kälberweide. Ich habe gestern die vier Fohlen mit ihren Müttern dort hineingelassen. Es sind die vier, die ihr in diesem Sommer an den Halfter gewöhnen sollt. Lass sie hier herein!«

Ken lief über den Rasenplatz zur Pforte neben der Kuhstallkoppel, die auf die Kälberweide hinausführte. Er öffnete das Tor und hakte es fest. Aber die Stuten waren nicht zu sehen.

Rob pfiff seinen Triller, der kaum hörbar war, wenn man neben ihm stand, der aber sehr weit trug.

Gleich darauf erschien der Kopf eines Pferdes hinter dem Hügelvorsprung auf dem oberen Teil der Weide und dann noch einer und noch einer. Drei kleine Fohlen kamen mit tänzelnden Schritten näher, es sah aus, als hätten sie Sprungfedern unter den Hufen. Bald trabten alle vier Stuten mit ihren Fohlen auf die Pforte zu. Beim Hindurchgehen verlangsamten sie ihre Gangart und schritten zuletzt gemessen über den Rasenplatz.

»Oh, sieh doch Highboy und Tango an!«, rief Nell.

Highboy hatte am Hügelabhang nach Klee gesucht und sich dabei ein Stück entfernt; er hatte mit einem Mal die Stuten bemerkt und war lebhaft geworden.

Eine schwarze Stute äugte nach ihm hin. Aus ihrer Haltung sprach freudiges Wiedererkennen.

Dann liefen beide mit lautem Wiehern aufeinander zu. Sie berührten sich mit den Köpfen, pressten die Wangen aneinander und schließlich erhob Highboy sich mühelos auf die Hinterbeine und legte ein Vorderbein über ihren Hals.

Nell und Rob lachten. »Wiedersehen«, sagte Rob. »Sie sind im selben Frühling geboren und sind immer Liebesleute gewesen, und nun waren sie den ganzen Winter getrennt, da die Stuten ja drunten auf der Wiese gehalten wurden.«

Nell sagte: »Genauso war es mit meiner besten Freundin und mir, wenn wir den ganzen Sommer getrennt gewesen waren.«

»Kein Tier in der ganzen Welt ist so liebevoll«, sagte Rob. »Die Jungen verlassen ihre Mutter nicht, wenn es nicht unbedingt so sein muss. Sie halten sich zur Familie. Man kann oft in den Ebenen eine Stute mit einem Vierjährigen, einem Dreijährigen, einem Zwei- und Einjährigen und einem neugeborenen Fohlen sehen. Sie halten zusammen und trennen sich nicht. Und sie vergessen einander niemals.«

Highboy und Tango wanderten zusammen; Tangos kleines Fohlen, das vielleicht einen Monat alt war, versuchte an ihr zu trinken.

»Ihr erstes Fohlen«, sagte Rob. »Es sieht gut aus. Howard, gib mir den Eimer. Das ist eine gute Gelegenheit, das Fohlen zu entwöhnen.«

Er fütterte zuerst die Stuten und bot dann den Fohlen Hafer an. Es hätte sie erschreckt, wenn sie nicht gesehen hätten, dass ihre Mütter dies Futter leiden mochten. Nun schnupperten sie am Eimer und schnaubten, denn sie verabscheuten das Metall und den Geruch der menschlichen Hand. Dann tänzelten sie davon, blickten aus sicherer Entfernung zurück und kamen endlich wieder heran.

Rob ließ nie eine Gelegenheit vorbeigehen, den Jungen Unterricht in der Pferdepsychologie zu geben und ihnen zu zeigen, wie man auf richtige Art und Weise mit der Schulung beginnt. »Das ist der Anfang«, sagte er, »um sie an menschliche Wesen zu gewöhnen. Es wäre besser gewesen, mit den kleinen Burschen noch früher anzufangen, als sie erst einige Tage alt waren, sobald sie auf den Füßen stehen konnten und ihr Dasein als Pferde begannen. Nun sind sie, seit sie vor einigen Wochen geboren wurden, allein und frei drunten auf der Wiese gewesen und das bedeutet verlorene Zeit. Ja noch schlimmer: Sie sind mit einer Welt bekannt geworden, in der es keine menschlichen Wesen gibt – nur Pferde, Gras, fließendes Wasser, Bäume, vielleicht etwas so Seltsames wie hölzerne Pfosten oder Drahtzäune, aber nicht mehr. Jetzt müssen sie eine ganz andere Meinung über die Welt bekommen, und die neue Welt ist anders als die frühere, denn menschliche Wesen nehmen die erste Stelle in ihr ein. Menschliche Wesen beherrschen sie und sie müssen gehorchen. Menschen sind nun das Wichtigste von allem. Das müssen sie bald lernen.«

»Sie lernen schon jetzt«, sagte Howard. »Man bekommt sie ja doch schon zu Gesicht.«

»Sie lernen von ihren Müttern. Sie ahmen nach. Sie tun alles, was die Mütter tun. Daher ist es ganz unmöglich, das Fohlen einer bösartigen Stute zu einem wohlerzogenen Pferd zu machen. Das ist der Grund, weshalb ich nie Glück mit Fohlen habe, die ich von den wilden Stuten bekomme. Diese Fohlen sind von Geburt an verdorben. Sie sind genauso wild wie ihre Mütter. Das kann man nicht wieder aus ihnen herausbringen.«

Die Beleuchtung wechselte jäh und McLaughlin blickte zum Himmel. Eine schwere Wolkenbank im Südwesten hatte die Sonne verschluckt und die Luft war kühl geworden.

»Es wird Regen geben«, sagte er. »Wirst du heute Nachmittag reiten, Nell?«

»Etwas später«, antwortete sie. »Ich muss erst Brot backen, bevor das Feuer ausgeht.«

»Ich fahre zur Post. Brauchst du etwas?«

»Zwei Stückchen Fleischmans Hefe, und Gus wollte gern Tabak haben, sobald jemand zum Laden fährt. Grobschnitt.«

Sie gingen ins Haus zurück und die Knaben rannten zum großen roten Studebaker, der auf dem Hügel hinter dem Haus stand. Howard setzte sich auf den Vordersitz, Ken nach hinten.

Als er losfahren wollte, hielt McLaughlin mit einem Mal inne und sah Howard an. »Sag mal, Howard, wann hast du Highboy zuletzt geritten?«

»Gestern Nachmittag.«

»Ich sah mir heute seine Beine an – du hast ihn mit schmutzigen Beinen nach Haus gebracht.«

»Ich hab ihn gestriegelt«, versuchte Howard sich herauszureden.

»Ja – bis zu den Knien.«

»Er schlägt.«

»Und wessen Schuld ist das?«

Howard schwieg.

»Jetzt ist gerade ein günstiger Augenblick, ihn zum Stall zu bringen und zu striegeln, denn jetzt ist es leicht, ihn zu fangen.«

»Darf ich nicht zuerst zum Laden mitkommen?«

McLaughlin sah wieder nach den Wolken, als ob er nicht zugehört hätte. Das war so echt der Vater: zu warten, bis es etwas Lustiges gab, und ihn gerade dann Highboy putzen zu lassen! Er stieg langsam aus; Ken kletterte auf den Vordersitz.

»Nimm den Stein vom Vorderrad weg«, sagte der Vater.

Howard gehorchte und der Wagen glitt den Hügel hinab; der Motor setzte ein; nun fuhren sie über die Grabenbrücke und waren auf der schnurgeraden, schotterbestreuten Straße, die zu der kleinen steinernen Brücke über den Lone-Tree-Bach führte; dann ging es aufwärts, um den Vorsprung eines bewaldeten Hügels herum, und damit war man außer Sicht.

Fahrt zu den Menschen

Man hatte zwei Meilen auf einem an Windungen reichen Landweg zu fahren, der mit einer harten Masse von rötlichem Granit bedeckt war, dann kam die scharfe Biegung um das Schild, auf dem »Gänseland-Gestüt« geschrieben stand – und dann war man auf der Großen Lincolnstraße.

»Papa«, sagte Ken.

»Ja?«

»Ich hasse das Verschneiden.«

»Ich auch, mein Junge, aber es muss gemacht werden.«

»An allen?«

»Ja – wenn sie irgendwie von Nutzen sein sollen.«

»Sind sie hinterher wirklich ebenso gute Pferde?«

»Nun ja – etwas haben sie natürlich verloren; etwas, was den Menschen aber nur in Gestüten von Nutzen ist. Auch äußerlich merkt man ihnen die Veränderung an: an der Kurve des Schweifes und der Art, ihn zu tragen, an der Biegung des Halses, der bei Hengsten stets mächtiger und dicker ist, an der Kopfhaltung, am Blick, am Gesichtsausdruck. Ich reite gern einen Hengst, wenn er gut erzogen ist, und habe es oft getan. In Europa und Asien hält man mehr Hengste als hier, aber das hat Nachteile. Nur das beste Blut soll vererbt werden. Überall, wo halbwilde Fohlen aufwachsen, ohne kastriert zu werden, gibt es keine Zuchtwahl und der Bestand kommt herunter. Deshalb sind die Mustangs hier in den Ebenen des Westens degeneriert. Nur gelegentlich findet man wirklich gute Exemplare, aber die sind Glücksfälle.«

Ken dachte darüber nach; besonders über die kastrierten Rennpferde, die groß und kräftig geblieben waren und Rennen liefen.

Er war jetzt nicht mehr so niedergeschlagen; ihm schien, dass er in diesen Dingen bereits etwas von der Einstellung seines Vaters bekomme. Sogar an das, was am Morgen geschehen war, konnte er jetzt zurückdenken, ohne dabei scharfe Stiche in den Handflächen zu fühlen.

»Papa, ich habe mich entschlossen doch lieber ein Stutenfohlen zu nehmen.«

McLaughlin lachte. »All right. Aber nimm die Sache nicht zu ernst, Ken.«

Ken dachte an sein Fohlen. Er hatte eine Woche Zeit, es auszusuchen. Er wollte nun jeden Tag zur Sattelhöhe reiten und sich die Einjährigen ansehen.

»Ich habe dir etwas zu sagen, Ken.«

Ken sah auf. Durch die Art des Vaters, wie ein Mann zum andern mit ihm zu reden, war ihm, als ob sie beinahe schon Freunde wären.

Der Wagen war jetzt auf der Überführung. Unten fuhr gerade ein Zug durch, mit zwei Lokomotiven, und sobald sie wieder auf der Landstraße waren, fuhr er parallel zu ihnen. Er pfiff schrill und der Rauch zog über die Landstraße hin und hüllte sie wie Nebel ein. McLaughlin sprach erst wieder, als sie Zug, Rauch und Lärm hinter sich hatten …

»Es handelt sich nun um Folgendes, Ken. Du bekommst also von mir ein Fohlen. Jedes, das du haben willst. Und doch bin ich gar nicht zufrieden mit dem, was du dir in diesem Frühjahr geleistet hast. Du wunderst dich vielleicht, dass du dein Fohlen bekommst, da du ja eigentlich – nachdem du im Examen durchgefallen bist und nichts als Prügel verdient hast.«

Ken starrte ernst geradeaus und McLaughlin sprach weiter.

»Du sollst nicht etwa glauben, dass ich dich einfach laufenlasse. Das tue ich nämlich nicht. Glaube nur nicht, dass ich plötzlich schlapp geworden bin. Ich erwarte von dir ebenso viel wie bisher. Und das Fohlen ist keine Belohnung, denn du hast keine verdient.«

»Was ist es denn?«

»Du sollst mein Mitarbeiter sein. Ich habe die Hilfe von euch beiden nötig und ihr müsst zu dieser Art von Gehilfenschaft erzogen werden. Du wirst nun deine Einjährige erziehen. Ich werde dir am Anfang ein wenig dabei helfen, aber dann sollst du sie allein erziehen und sie wird dich erziehen. Ich verlange von dir, dass du ein gutes Pony aus ihr machst. Und sie soll aus dir einen Mann machen, verstanden?«

»Ja, Sir.« Ken sah mit einem breiten Lächeln auf, das sein ganzes Gesicht erhellte.

»Aber das ist noch nicht alles«, sagte sein Vater. »Du hast noch andere Pflichten. Das Fohlen darf nicht deine ganze Zeit in Anspruch nehmen. Du hast die zwei anderen halfterzahm zu machen.«

»Ja, Sir.«

»Du musst mithelfen vier Pferde für den Rodeo einzureiten; ferner die verschnittenen Fohlen jeden Tag eine halbe Stunde lang zu bewegen, während einer ganzen Woche; und außerdem hast du bei aller Arbeit hier mitzuhelfen wie sonst. Ich will nicht, dass du dich davor drückst, weil du mit deinem Fohlen spielst.«

»Nein, Sir.«

»Das mit dem Fohlen ist eine Art Handel zwischen uns. Ich gebe dir das Fohlen und du gibst mir mehr Gehorsam und mehr nützliche Arbeit, als du je in deinem Leben geleistet hast. Abgemacht?«

»Ja, Sir.«

McLaughlin gab Ken einen leichten Klaps auf das Knie zum Zeichen, dass das Abkommen nun geschlossen war. Kens Wangen waren rot.

Sie saßen eine Weile schweigend da und Kens Augen wanderten über die Landschaft und kehrten dann wieder zu der breiten Landstraße zurück, die, wie er wusste, beinahe gradlinig vom Atlantischen bis zum Stillen Ozean führte: eine geschotterte und gewalzte

Straße von dreitausend Meilen! Einige der Landstraßen hier im Westen, auf denen er mit seinem Vater umhergefahren war, hatten sehr wenig Verkehr. Gerade und flach, so weit das Auge reichte, durchschnitten sie die Landschaft und die Autos sausten hier mit höchster Fahrt; es waren immer nur einige wenige am Tage; wie die Bienen summten sie vorbei in die Ferne und es kam vor, dass die Straße stundenlang, ja ganze Tage lang leer war. Aber auf der Lincolnstraße ging es immer lebhaft zu. Jeder Wagen, an dem sie vorbeikamen, hatte etwas zu erzählen oder der Vater weihte Ken mit ein paar Worten ein. Man sah es der Straße an, dass sie einen ganzen Kontinent durchschnitt. Große, staubige, teuer aussehende Wagen, die so schwer bepackt waren, dass sie die Hinterräder überlasteten, rasten mit einer Geschwindigkeit von achtzig Meilen in der Stunde vorbei, irgendwohin; sie hatten vor Einbruch der Nacht noch viele Meilen hinter sich zu bringen. Touristen, die von New York oder Boston kommen mochten, eilten zu irgendeiner Luxusfarm oder in den Nationalpark, um dort die Ferien zu verleben. Beim Vorbeiflitzen konnte man drinnen die mit bunten Tüchern umwundenen Köpfe von Frauen und Mädchen sehen.

Sie holten ein großes Lastauto ein, das mit Kiefernbalken beladen war. »Balken von Pole-Mountain«, sagte McLaughlin. »Irgendjemand baut sich eine Scheune.«

»Kauft man sie dort?«

»Pole-Mountain steht ausschließlich der Regierung zur Verfügung. Man kann das Holz umsonst bekommen, muss aber für das Sägen und den Transport zahlen. Eine Wagenlast kostet Geld.«

Man sah auch Nahverkehr; alt gekaufte Wagen in nicht allzu gutem Zustand, die in die Umgegend gehörten; einige wenige große Geschäftswagen mit Leuten, die beruflich von Cheyenne nach Laramie unterwegs waren; einige stark mitgenommene Zweisitzer und Limousinen mit Reisenden; eine lange Karawane, hier »Schlange« genannt, von neuen Wagen, die vom Osten nach Kalifornien unterwegs waren, um dort verkauft zu werden. Das Benutzen der Lincolnstraße ersparte ihren Transport auf der Bahn.

Als sie Tie Siding erreicht hatten, kam ihnen ein Exemplar jenes Verkehrsmittels entgegen, dem man auf den Straßen im Westen so gut wie nach jeder zweiten Meile begegnet. Es war eine Ford-Limousine, die sich unter ihrer Last krümmte und bog. Oben auf dem Verdeck waren Matratzen, Tische, Stühle und Bettzeug gestapelt, hinten waren Bündel und Kasten mit zusammengeknoteten alten Stricken festgeschnürt; einen rostigen Ofen hatte man, von einem Federbett halb bedeckt, auf einem der Stoßfänger angebracht. Menschliche Wesen in jedem Alter füllten das Innere vom Boden bis zum Dach und quollen hervor, sobald die Türen geöffnet wurden. Gesichter waren dürr, verwittert und gespannt. Mädchen und Knaben trugen verblichene, schmutzige lange Hosen. Die kleinen Kinder und der Säugling wirkten krank und missvergnügt. Alle hatten zu beiden Seiten des farblosen Mundes tiefe

Falten. Eins der Kleinen schrie, nicht weil es schlecht gelaunt war, sondern in nachhaltiger Verzweiflung.

McLaughlin stellte den Motor ab.

»Wohin fahren die denn?«, fragte Ken.

»Bloß weiter und weiter. Arme Leute, die irgendwo ihren Lebensunterhalt zu finden hoffen. Sie versuchen es in den Städten, bringen es zu nichts und glauben dann, dass es auf dem Lande leichter sei. Sie lassen sich irgendwo nieder oder kaufen Land von jemandem, der gezwungen ist zu verkaufen.«

»Wie können sie es denn bezahlen?«

»Sie bezahlen nichts; sie versprechen es nur oder sie überlassen einen Teil der Ernte oder sie pachten bloß. Und natürlich bekommen sie den schlechtesten Boden, wo es kaum oder gar kein Wasser gibt, wo es also niemand zu etwas bringen kann. Wenn es ihnen missglückt, fahren sie weiter. Überall im Lande stehen verfallene Häuser und Scheunen. Und das Land, das einst gutes Weideland war, wird zu Grunde gerichtet. Der ursprüngliche Weideboden ist durch das Pflügen verdorben.«

»Aber wächst das Gras denn nicht wieder?«

»Nach ungefähr zehn Jahren, ja. In diesem Lande, über das so starke Stürme hinweggehen, ist es ein Verbrechen, den Boden umzubrechen. Die Indianer haben das gewusst und etwas Besseres herausgefunden. Sie haben das alte Gras im Vorfrühling oder im Herbst abgebrannt, wenn der Samen ausgefallen war. Dann konnte das neue Gras ungehindert wachsen und die obere Bodenschicht wurde nicht umgepflügt und schon im ersten trockenen Sommer vom Winde weggeblasen.«

Mrs Olsen, die Frau des Ladeninhabers, der zugleich auch Posthalter war, kam in weißen langen Hosen und einer weißen Jacke angelaufen. »Hallo!«, rief sie munter. Sie trug ihr schwarzes Haar kurz geschnitten und hatte viel Rot auf Wangen und Lippen aufgelegt. Ihre Arbeitsweise war ruhig und sachlich.

»Ich nehme zehn Liter«, sagte der lange, ältliche Mann, der aus der Limousine geklettert war und dabeistand, als Mrs Olsen den Schlauch in den Tank steckte und der Brennstoff zu rinnen anfing. Die Familie verteilte sich zu beiden Seiten des Ladens und in den Warteräumen. Einige der Kinder liefen über die Straße, um zwei braune Bären zu betrachten, die in einem großen Käfig aus geflochtenem Stacheldraht untergebracht waren. Ken und McLaughlin stiegen aus und gingen in den Laden, in dem mehrere Männer Einkäufe machten oder nur müßig umhersaßen.

Andere Wagen, die Benzin haben wollten, kamen angefahren und Mrs Olsen lief hin und her, um Wechselgeld zu holen. Ein Lastauto hielt und der Fahrer kaufte Tabak, während Mrs Olsen seinen Tank füllte.

»Was haben Sie geladen?«, fragte ihn McLaughlin.

»Tote Kälber«, sagte der Fahrer.

»Tote Kälber!«, wiederholten alle Anwesenden. Olsen sagte: »Ich wette, sie kommen von Morrisons Farm, nördlich der Straße.«

»Stimmt.«

»Ich hörte, dass es viele tote Kälber dort gibt.«

»Stimmt.«

»Morrison hat gründlich Pech«, sagte Olsen. »Wenn er es nicht so weit bringen kann, dass seine Kühe mit dem Verwerfen aufhören, dann macht er es nicht mehr lange.«

Ken ging hinaus. Er kletterte an der Seite des Lastautos empor und betrachtete die Fracht von Leichen, dunkle rote Körper, weiße Köpfe, also gute Herefordkälber. Sie rochen schon recht stark.

Der Fahrer stieg auf den Führersitz und Ken sprang hinunter und ging wieder in den Laden.

»Die Regierung wird jetzt etwas gegen das Verwerfen der Kühe unternehmen«, sagte Crane, der in einer Ecke des Ladens saß. »Vor allem in den Gegenden, wo die Milchproduktion gefährdet wird. Aber ich glaube, wenn man die Milch solcher Kühe im ganzen Land verbietet, dann entsteht ein höllischer Mangel an Milch!«

Die farblose Farmerfamilie hatte ihre Einkäufe beendet: zehn Liter Benzin und eine Zuckerstange für jeden. Sie packten sich in die Limousine und zuckelten gen Westen davon.

»Wollen Sie nicht diesen Sonntag wilde Truthähne bei uns jagen?«, fragte Olsen, der hinzutrat, McLaughlin.

»Ihre Frau holt ja doch alle Preise!«, sagte McLaughlin lachend. Olsen wiegte stolz den Kopf. »Ja, die kann ihre Sache. Aber es heißt, dass auch Sie ein guter Schütze sind, Herr Rittmeister. Versuchen Sie's mal. Einige Offiziere vom Regiment kommen gewöhnlich auch heraus.«

Der alte Reuben Dale, McLaughlins westlicher Nachbar, fragte: »Haben Sie diesen Sommer auf Ihrem Gestüt vielleicht Berglöwen gesehen? Ich habe auf der Weide, die an Ihre Burgfelsenwiese grenzt, zwei Kälber verloren und mir scheint, dass es ein Puma gewesen ist. Bert hörte neulich beim Hereinbringen der Kühe eine ›große Katze‹ schreien.«

»Große Katzen«, sagte McLaughlin langsam. »Nein, ich habe keine gesehen. Hab auch keine gehört; aber ein Fohlen scheint mir zu fehlen.«

»Ja, die sind große Liebhaber von Pferdefleisch«, sagte Reuben lachend.

Ken blickte zu seinem Vater auf, als sie den Laden mit der Post, Hefe, Tabak, drei Zuckerstangen und einem Pfefferminzkuchen für Nell verließen.

»Was für ein Fohlen, Papa?«

McLaughlin gab keine Antwort und sie stiegen ein.

»Das von Rocket. Mir scheint, dass sie ein Fohlen gehabt hat. Aber nun hat sie keins. Bevor ich sie aus der Stallweide treibe, werde ich zur Burgfelsenwiese hinunterreiten und gründlich nachsehen.«

Das war aufregend. Ken dachte an das Espenwäldchen, an den Burgfelsen, der so groß wie ein Haus war und unter dem viele Höhlen, Gänge und Tunnels mit Gerippen und Knochen lagen. Pumas … McLaughlin fuhr schneller als vorher. Ken blickte zu ihm auf und gewahrte etwas von dem harten und ärgerlichen Ausdruck, der sich stets in seinem Gesicht zeigte, wenn er sich Sorgen machte.

»Welches Gewehr wirst du nehmen, Papa?«

McLaughlin gab lange Zeit keine Antwort. Dann sagte er: »Ich nehme die Winchester. Aber es wird nicht dazu kommen, dass ich sie benutze. Man stößt immer gerade dann auf einen Puma, wenn man kein Gewehr bei sich hat.«

Der Puma

Große, grünliche Schmeißfliegen flogen auf, als McLaughlin und die beiden Knaben auf das niederblickten, was von Rockets Fohlen übrig geblieben war. Die Haut war noch nicht ausgedörrt, ein wenig Fleisch saß noch an Zähnen und Hufen, Schwanz- und Mähnenhaare lagen zusammengeknäuelt über dem Gerippe. Howard hatte das tote Fohlen in einer der Höhlen am Fuße des Burgfelsens gefunden und nach dem ersten triumphierenden Schrei, der Ken und seinen Vater herbeigerufen hatte, standen sie nun wortlos da. Nur das Brummen der verärgerten Fliegen war zu hören, die sich bald wieder grün schimmernd und geschäftig auf dem Kadaver niederließen.

»Schwarz war es«, sagte Ken und rührte mit dem Fuß an den kleinen Schwanz, der auf dem Knochen lag. Dies hätte sein Fohlen sein können. Verschneiden und Tod – konnte noch mehr kommen?

»Deshalb hat Rocket nicht weggewollt, nicht wahr, Papa?«, sagte Howard.

»Wahrscheinlich.«

»Wusste sie nicht, dass es tot war?«

»Sie wusste es und sie wusste es auch wieder nicht. Stuten sind sonderbar, was den Tod betrifft. Weder hält sich eine Stute bei ihrem toten Fohlen auf noch betrachtet sie es überhaupt. Ich habe oft gemeint, dass sie das tote Junge nicht wiedererkennen, aber wenn sie nachher weit weg sind, dann erinnern sie sich und fangen an umherzurennen und zu rufen.«

McLaughlin bückte sich über den Kadaver und untersuchte ihn. Der Nacken des Fohlens war verletzt und ebenso an zwei Stellen das Rückgrat. Das Tier war nicht ganz aufgefressen, an der Kruppe war die Haut unversehrt; der Kopf war zermalmt und die Knochen der Beine lagen in einiger Entfernung verstreut.

»Glaubst du, dass ein Puma es getötet hat?«, fragte Ken.

»Mir scheint es so. Ein Wolf hätte die Knochen besser abgenagt. Es ist jedenfalls nicht von selbst gestorben, denn dann wäre es nicht in dieser Höhle. Es ist hierhergeschleppt worden. Auch eine Menge Wild ist hierhergebracht und dann gefressen worden.«

Die Höhle war, wie alle anderen unter dem Burgfelsen, mit Knochen gefüllt.

»Seht euch mal um, Jungens! Wir wollen sehen, ob wir nicht herausbekommen, wer es getötet hat und wie es zugegangen ist. Hier drinnen ist der Boden so hart, dass keine Spuren zu sehen sind.«

Ken freute sich beim Verlassen der Höhle die frische Luft zu fühlen und Gestank und Fliegengeschwirr loszuwerden.

Das Wetter hatte sich verändert. Zwischen der Erde und den hellgrauen Wolken hatten sich zerrissene dunkle Wolken gebildet, die von Berggipfel zu Berggipfel eilten.

»Es wird regnen«, sagte McLaughlin.

Howard rief: »Papa, hier ist Blut!« Er wies in einiger Entfernung von der Höhle auf einen langen Blutstreifen, der sich über einen flachen Felsen zog.

»Dann ist es hier herübergeschleppt worden«, sagte McLaughlin. Sie folgten der Spur bis zum Flüsschen, und dort, auf dem schmalen Sandstreifen, wo das Ufer unterspült war, sahen sie vier deutliche runde Spuren.

»Da haben wir's!«, sagte McLaughlin. »Also wirklich ein Puma, den man hier in der Gegend ›Wildkatze‹ nennt. Seht doch, wie groß er ist.«

Dicht neben ihnen war die zertrampelte Stelle, an der die Pferde zu trinken pflegten, und auch hier, mitten unter den Abdrücken der Hufe, fanden sie Spuren des Pumas.

Howard sagte erregt: »Ich will wetten, dass er es getötet hat, als die Pferde zur Tränke kamen. Da ist er einfach draufgesprungen.«

McLaughlin zündete umständlich, wie es seine Gewohnheit war, die Pfeife an; dann schüttelte er den Kopf. »Falsch.«

»Warum?«

»Denk nur einmal nach. Ein Fohlen in diesem Alter – vielleicht nur eine Woche alt –, das trinkt doch gar kein Wasser!«

»Nun, dann eben, als Rocket zur Tränke kam.«

»Rocket ist selbst wie ein Puma. Wenn er auf das Fohlen gesprungen wäre, während sie dicht danebenstand, hätte sie ihn sofort angegriffen. Der Puma wäre am Boden gewesen und sie hätte ihn zerschlagen und zerstampft. Aber eins kann ich nur nicht erklären: Wo war denn Banner? Hätte er den Puma gesehen oder gewittert, dann wäre der Puma getötet worden und nicht das Fohlen. Banner muss weit entfernt am anderen Ende der Wiese gewesen sein; Rocket war hier ganz allein; der Puma ist zu schnell für sie gewesen!«

Sie stellten sich vor, wie es zugegangen war. Rocket hatte geweidet und das Fohlen hatte sich in einiger Entfernung aufgehalten, vielleicht schlafend im Gras gelegen.

Dann der plötzliche Angriff, der Schrei des Fohlens, und Rocket war zu Hilfe geeilt, aber zu spät gekommen. Der Puma war geflohen, die Stute hatte das tote Fohlen beschnuppert und war dann bestürzt und verwirrt weggerannt.

»Und dann«, rief Howard, »als Rocket weg war, ist der Puma zurückgekommen und hat es in die Höhle geschleppt, um es zu fressen.«

»Und das ist das Ende des Rätsels«, sagte McLaughlin.

»Aber das ist nicht das Ende des Pumas«, sagte Ken. »Wo ist er nun?«

McLaughlin zog ein kleines stählernes Messband hervor und maß den Abstand der Spuren zwischen den

Vorder- und Hinterfüßen. »Der ist mindestens eins siebzig«, sagte er. »Ein großer Bursche.«

Die Knaben blickten ihren Vater an, um zu erraten, was sich aus dieser Feststellung sonst noch schließen ließ. Rob war ernst.

»Ja, Ken«, sagte er, »auch ich würde gern wissen, wo er jetzt ist.« An der Pfeife ziehend blickte er sich um; sah zum Zaun des Nachbars Dale hinüber, zum Burgfelsen und zu den Espen. »Ich freue mich, dass das Rudel der Zuchtstuten von dieser Weide weg ist.«

»Wird der Puma sich noch mehr Fohlen holen?«, fragte Ken.

»Hier ist nicht mehr viel für ihn übrig. Alles ist nun oben auf den Hügeln oder beim Hause. Wenn der Puma hier genug Wild findet, wird er hierbleiben. Hoffen wir, dass er es wirklich tut.«

»Was fressen Pumas?«

»Alles Lebendige. Sogar Mäuse und Kaninchen. Sie mögen gern frisch getötete Tiere und sie reißen alles, was sich rührt; wenn nicht aus Hunger, dann einfach deshalb, weil es ihnen Spaß macht.«

»Können sie an die Pferde und Fohlen heran, die drüben auf den Hügeln sind?«

»Nicht so leicht, wenn sie selbst keine Deckung haben. Sie verstecken sich und schleichen sich heran. Nur ein überraschender Überfall würde ihnen dort gelingen. Ein Pferd, das sie wittert oder sieht, kann davonlaufen, denn Pumas sind nicht schnell – ihre Beine sind recht kurz. Hin und wieder kann es allerdings vorkommen, dass ein einzelnes Pferd angefallen wird. Sie springen dann vom Boden her dem Pferd auf den Hals und beißen ihm das Rückgrat durch. Sie töten schnell.«

Plötzlich ertönte ein ohrenbetäubender Donner und der Regen goss herab, als sei ein riesiger Wasserbehälter geborsten. Die großen, runden Fußspuren des Pumas schmolzen und wurden vom Wasser ausgelöscht. Während Ken mit dem Vater und Howard zum Studebaker rannte, fragte er sich, ob wohl die Wildkatze ihnen jetzt auflauerte. Er warf einen Blick auf den Burgfelsen zurück. Hinter diesen hohen Brüstungen und Schanzen gab es unzählige Verstecke; dort mochte der Puma umherschleichen und alles mit ansehen, was sie hier unten taten. Sie stiegen in den Wagen und fuhren los.

Der Burgfelsen hatte einen düsteren Reiz. Ken und Howard hatten ihn viele Male von oben bis unten durchforscht; sie waren durch seine unterirdischen Gänge gekrochen, hatten die Gerippe und Knochen in den Höhlen besehen und gezählt, waren draußen über alle hohen Wälle und Vorsprünge geklettert und hatten dennoch bis zuletzt nicht das Gefühl gehabt, dass sie nun alle seine Geheimnisse kannten. Auf einem der Vorsprünge lag ein riesiger Rundstein, groß wie eine Lokomotive und doch glatt wie ein Kiesel. Überzeugt, dass ein tüchtiger Stoß genügen würde ihn hinabzustürzen, hatten sie vergebens an ihm geschoben und gezerrt.

Eines Morgens, es war kaum hell geworden, hatte

Ken auf der Spitze des großen Felsens gestanden und gesehen, wie fünf Präriewölfe sich zu einem regelrechten Stafettenlauf zusammengetan hatten, um ein Kaninchen über die Wiese zu hetzen. Sie hatten sich in einem großen Kreis an fünf Stellen aufgestellt und dann tadellos zusammengearbeitet, indem sie abwechselnd die Jagd aufnahmen, bis das Kaninchen erschöpft war und schreiend hin und her sprang. Dann hatten sich alle fünf wie Rugbyspieler daraufgestürzt, einen Augenblick gab es ein Beißen und Balgen – und dann trabten die Präriewölfe davon; nur einige weiße, abgenagte Knochen blieben auf der Wiese zurück.

McLaughlin fuhr den Studebaker durch den Bach in den südlichen Teil des Geländes; er kehrte über die Hügel zurück, die sich dem Wildbach zu senkten, und fuhr über die Stallwiese. Auf diese Weise hoffte er Rocket zu finden und sie hinaustreiben zu können, ohne aus dem Wagen zu steigen.

Howard sagte: »So wie sie durch die Zäune bricht oder über sie hinwegspringt, kann sie ja auch zurückkommen, auch wenn wir sie hinaustreiben, nicht wahr?«

»Ja, das kann sein und sie tut es ja auch. Das ist eben das Teuflische, wenn man solch ein Pferd hier herumlaufen hat.«

»Ja, warum suchen wir sie denn?«

»Es kann ja sein dass sie drinnen bleibt. Mitunter gibt sie auf die Zäune acht, mitunter nicht – ganz wie es ihr einfällt. Jetzt kommt es darauf an, sie zu den Zuchtstuten zu bringen; Banner wird dann schon dafür sorgen, dass sie dort bleibt. Er wird mit ihr fertig.«

Es regnete immer noch stark und die Knaben merkten, dass ihr Vater beim Umherkreuzen durch die Wälder und über die eingefahrenen Wagenspuren im Steppengras nach und nach die Geduld verlor. Der Regen strömte an den Wagenfenstern herab, Blitze zuckten durch die Wolken und ein Donner folgte dem anderen.

Rocket war nicht auf der Stallweide. Schließlich stiegen alle zu Pferde: Nell, Tim und Gus kamen hinzu und geschützt durch ihr Ölzeug jagten sie alle eine Stunde lang durch Wälder und Steppen. Aber von der Stute war nichts zu sehen, ja nicht einmal eine Spur, die sie gewöhnlich zurückließ: ein zerbrochener Zaun.

»Nun ist sie doch einmal über den Zaun gesprungen und nicht durch ihn hindurchgegangen«, sagte McLaughlin bitter. »Wenn man nur wüsste, wohin.«

Er schickte Tim und Gus zum Melken und zu den anderen täglichen Arbeiten und Nell und die Knaben ins Haus, damit sie die Kleider wechselten. Er selbst ritt auf die Sattelhöhe, um nachzusehen, ob Rocket vielleicht von selbst zur Herde der Zuchtstuten zurückgekommen war. Wenn nicht, dann musste sie gefunden werden.

Der Regen hatte aufgehört. Die Wolken waren vom Winde vertrieben worden und ein prachtvoller Regenbogen schloss sich wie ein Rahmen um den Hügel. Alles war wie in Farbe getaucht; gegen den elektrisch blauen Himmel standen die Dächer besonders rot, die Hügel waren grüner und die Kiefern schwärzer als je.

McLaughlin galoppierte auf einer großen fuchsroten Stute die Sattelhöhe hinan, dem seltsamen Licht des Regenbogens entgegen.

Er hatte keine Ahnung, wo die Stuten sein mochten. Vielleicht waren sie ganz in der Nähe, in einer Senkung des unübersichtlichen, zerklüfteten Geländes, oder auch meilenweit entfernt. Da befand er sich mit einem Male mitten unter ihnen. Sie betrachteten ihn ruhig, denn sie hatten das Herannahen eines einzelnen Reiters bemerkt und sogleich gewusst: Er, er war es!

Banner kam ihm erwartungsvoll entgegen und Rob redete mit ihm; und während er sich dann umsah und die Stuten zählte, tauschten Taggert und Banner Höflichkeiten aus, die ein wenig nach Zärtlichkeiten aussahen. Banner schien ungebührlich dreiste Fragen zu stellen und Taggert riet ihm Abstand zu wahren.

Ein zweiter Regenbogen glänzte auf; seine Farben waren beinahe so lebhaft wie die des ersten und der Raum zwischen beiden schien bräunlich getönt. Sogar die Andeutung von einem dritten war zu sehen. McLaughlin wendete seine Stute. Er hatte Rocket nicht in der Herde gefunden. Eine Meile weit galoppierte Banner hinter ihm her, dann kehrte er in einem Bogen zu seinen Schutzbefohlenen zurück.

Als Rob abgesattelt hatte, erklärte er, dass nun alle sich nach Rocket umsehen müssten: Nell und die Knaben, wenn sie ausritten, und auch Tim und Gus, wenn sie im Freien arbeiteten; alle sollten Ausschau nach ihr halten. Rocket musste sofort gedeckt werden, wenn irgend möglich am neunten Tag, nachdem sie gefohlt hatte, damit ihr nächstes Füllen zu Anfang des nächsten Sommers geboren würde. Sonst könnte es nicht groß und stark genug sein, wenn die frühen Winterstürme einsetzten. »Und hinterher«, sagte Rob, »werde ich Rocket das Strickende vom Hals nehmen.«

Nun, da die Tagesarbeit getan war, schien sein Ärger sich gelegt zu haben. Er stapfte in der Küche umher und schnupperte nach dem frisch gebackenen Brot, dessen Geruch den ganzen Raum erfüllte. Aber Nell sah in seinem Gesicht die harte Entschlossenheit, die ihr stets Angst einflößte.

Sie holte ein Messer und schnitt das braune, knusprige Ende des Brotes ab, bestrich es dick mit Butter und reichte es ihm. Sie musste über den großen Bissen lachen, den er in den Mund stopfte. Dann dachte sie an jenes Strickende. Wie viel Zeit, Gewalt und Raserei würde es kosten, das abzunehmen!

Nell war an jenem Abend in dem großen Doppelbett beinahe schon eingeschlafen, als sie Rob neben sich sagen hörte:

»Nell ...«

»Ja, Rob?«

»Diese Geschichte mit dem Puma, und die Jungen – was hältst du davon?«

Sie lag da und hatte ihm den Rücken zugewandt, aber sie hörte seiner Stimme an, dass er völlig wach und sehr besorgt war. Er stützte sich auf seinen Ellenbogen.

»Ich weiß. Hab auch daran gedacht. Es hat mich zu Tode erschreckt.«

Nach einer Pause: »Ihnen sagen, dass sie sich in Acht nehmen – ihnen bessere Gewehre geben! Mit Schrot zu schießen hat keinen Sinn!«

Sie beendete ihren Satz: »Nicht wahr, es würde den ganzen Sommer verderben.«

»Sie müssten die Gewehre überallhin mitnehmen.«

»Ja.« – »Und auch dann …«

»Das ist es gerade.«

Wieder Schweigen. »Wahrscheinlich ist die Gefahr gar nicht so groß. Vielleicht steht es damit wie eins zu hundert.«

»Greifen sie Menschen an, Rob?«

»Sie greifen, wenn sie Lust dazu haben, alles und jedes an. Sie sind ganz unberechenbar. Es sind eben Katzen.«

»Können sie wirklich töten?«

»Sie können alles töten, was sie anspringen können – Pferde, Kühe, Menschen … alles …«

»Aber sie tun es wahrscheinlich nur, wenn sie hungrig sind. Und hier ist ja so viel kleines Wild – und auch Pferde.«

»Pferdefleisch ist ihr Lieblingsfressen. Nell, ich glaube, ich werde den Jungen nichts sagen. Es geht mir gegen das Gefühl, sie ängstlich zu machen.«

»Sie sind ja doch meistens zu Pferde, Rob.«

»Ja.«

Nell dachte nach. Ihr schien, dass keine unmittelbare Gefahr vorhanden sei; es war eben nur eine Bedrohung mehr. Bei diesem Leben in den Bergen verging ja kein Tag, an dem nicht irgendeine Gefahr drohte. O Gott, wache über meine Jungen, meine drei Jungen ...!

»Nell ...« Robs Stimme war leiser, er rückte näher und beugte sich über sie. »Auch du ...«

»Ich?«

»Du gehst ja auch hinaus – bis draußen auf die Stallweide, um zu lesen, oder gehst spazieren, ganze Nachmittage – allein –«

»Ja.«

»Und du gehst angeln, bist stundenlang allein. Am Wildbach gehst du das Ufer entlang – da stehen Bäume –«

»Ja.«

»Nell, ich kann dich dorthin nicht lassen.«

»Aber Rob, ich kann doch nicht im Hause bleiben – ich muss hinaus, muss mich frei fühlen ...«

»Geh nicht unter die Bäume, Nell!«

»Sie greifen von den Bäumen aus an, nicht wahr?«

»Ja.«

»Verdammt, das ist dumm!«

»Versprich mir, Nell ...«

Sie griff mit der Hand rückwärts und streichelte ihn. »Lieber, mach dir deswegen doch keine Gedanken – auf dir lastet schon genug. Ich habe ja nicht die geringste Angst.«

»Ich weiß – aber das hilft leider nichts. Wir müssen hoffen, dass einer von uns früher oder später zum Schuss kommt, wenn der Puma sich in diesem Teil des Geländes zeigen sollte. Aber bevor das geschieht, solltest du wirklich nicht im Wildbach angeln. Fisch doch dort, wo der Fluss zwischen den Wiesen fließt und wo keine Bäume an seinen Ufern stehen.«

»Nun gut.«

»Versprichst du das?«

»Ich verspreche dir, nicht im Wildbach zu fischen.« Sie lachte und schloss wieder die Augen.

Am Abend war ihre Müdigkeit stets übermächtig. Sie empfand sie als einen schweren, süßen Schmerz und sich ihm zu überlassen war wie ein Versinken in bodenlose Tiefe.

Ihre Gedanken fingen an groteske Formen anzunehmen und in Stücke zu zerfallen wie zerbrochenes Glas. Sie fühlte Robs Wange an ihrem Haar. Er küsste sie sanft, ihre Schläfe, ihre Wangen, bis zum Mundwinkel hinab.

Er glaubt, dass ich schlafe, dachte sie und atmete noch gleichmäßiger und tiefer, mit geschlossenen Augen. So furchtbar müde war sie – die Tiefe zog sie hinab in Bewusstlosigkeit; Rob zog sie ganz in seine Arme. Irgendetwas bewegte sich im dichten Laub der Bäume am Wildbach – ein Ast rührte sich – Schatten – Wind, der durch die Kronen fährt ...

Cowboy Ross
betritt die Bühne

Während der folgenden Woche, in der Ken sich für eins von den einjährigen Fohlen entscheiden sollte, hatten alle viel zu tun. Es regnete Tag für Tag aus einer großen Wolke, die sich am Abend rot färbte und verschwand, so dass es am Morgen heiß und klar war, die aber am Nachmittag wieder über der Gegend hing; dumpfem Donnergrollen folgten bald krachende Blitze und Regengüsse, während der Horizont ringsum klar und blau blieb und wollige weiße Wolken auf den Hügeln lagerten.

Nell nannte dies das »Besprengungssystem des Gänseland-Gestüts«; es lockte die starken, frischen Farben der Blumen hervor: das dunkle Lachsrot der Geranien in den ultramarinblauen Kästen vor den Fenstern und das Weiß der Petunien auf dem langen Blumenbeet am Haus. Die Dächer der Gebäude waren staubfrei, rund und rein, und das Gras war so grün wie ein Billardtisch.

Die Knaben ritten Lady, Calico, Buck und Baldy. Das waren die Pferde, die für den Rodeo vermietet werden sollten.

»Wenn ihr nach Rocket sucht und die Einjährigen

besichtigt oder die Wallache umherjagt, dann tut ihr das am besten auf diesen Gäulen«, sagte McLaughlin.

»Welche sollen Ken und ich reiten?«, fragte Howard.

Es war vor dem Abendessen und McLaughlin lag in einem Stuhl ausgestreckt auf der Terrasse. Er überlegte scharf. »Lass sehen«, sagte er. »Lady ist nervös und nimmt gleich Reißaus. In der vorigen Woche fiel sie mit Tim hintenüber. Baldy, ein eigensinniges Biest, hat immer viele Einwände zu machen; er hat auch immer Recht. Er hat mehr Grips als ein Mensch. Calico, das ist ein Narr, der immerzu rennt. Er weiß nie, wann er damit aufhören soll, und ermüdet sich unnütz. Howard, du nimmst Calico, aber du darfst keinen Augenblick vergessen, wie unvernünftig er ist. Ohne jeden Grund ist er im Nu schaumbedeckt. Hat ein hartes Maul. Erlaub ihm nicht sich in den Zügel zu stützen. Halt ihn zurück, aber stütz nicht seinen Kopf. Sprich viel zu ihm. Nichts beruhigt ihn so sehr wie die Stimme des Reiters. Ken, du nimmst Lady. Du bekommst sie, weil du ja meistens noch nicht weißt, wo du bist. Du sitzt wie ein Mehlsack da und vergisst beinahe die Zügel zu halten. Sie wird gar nicht wissen, dass sie dich auf dem Rücken hat. Ich habe gemerkt, dass sie nicht richtig beisammen ist, wenn du sie reitest; sie geht unter dir herum wie auf der Weide. Aber dieser Stute tut das gut, es beruhigt sie. Pass auf, dass sie nicht mit dir davonläuft. Lass sie nicht allzu schnell laufen, denn sonst kommt sie plötzlich auf den Einfall durchzubrennen – das Laufen steigt ihr gewissermaßen zu Kopf. Das will ich ihr diesen Sommer abgewöhnen. Sie ist ein ausgezeichnetes Pferd.«

»Ich will bei Lady mithelfen«, sagte Nell, »sie benimmt sich immer sehr gut gegen mich. Ich reite sie sehr gern. Wir verstehen einander.«

»All right. Du könntest überhaupt alle reiten, es wäre nur nützlich, wenn ihr fleißig tauscht. Und ihr alle solltet Buck und Baldy reiten. Es hat keinen Sinn, euch zu sagen, wie ihr Baldy behandeln sollt. Er tut ja doch, was er will, aber für gewöhnlich ist es gerade das Richtige. Buck hat es sehr nötig, aufgelockert zu werden, und er gehorcht dem Zügel nicht so, wie er sollte. Nehmt sie alle auf den Übungsplatz und übt jeden zweiten Tag eine Stunde lang Achten. Und seht zu, dass sie etwas schneller reagieren. Übt den Ansatz zu Trab und Galopp. Und benützt Sättel! Striegelt sie vorher und nachher. Denkt nun daran, Jungen, dass dies eure tägliche Pflicht ist; vergesst es nicht und vernachlässigt es nicht, ich habe zum Beaufsichtigen und zu Ermahnungen keine Lust. Ihr haltet sie am besten alle vier auf der Kälberweide, denn dort kann man sie leicht einfangen. Sie mischen sich dort nicht unter andere Pferde. Reitet sie so viel wie möglich!«

Der Aufkäufer vom Colorado, Joe Williams, kam mit der Anfrage, ob McLaughlin Pferde zu verkaufen habe. Er pflegte einmal oder zweimal im Jahr zu erscheinen und die erstandenen Pferde später auf den Versteigerungen an den jeweiligen Orten loszuschlagen; aber er bot so niedrige Preise, dass allein sein Erscheinen auf dem Gestüt McLaughlin in schlechte Laune versetzte.

Williams bot fünfunddreißig oder vierzig Dollar für eine alte Zuchtstute mit Fohlen; zwanzig oder dreißig Dollar für einen eingefahrenen oder gerittenen Wallach, vorausgesetzt, dass er noch gute Zähne hatte und daher nicht mager war; aber da Williams bar bezahlte, kam es zwischen ihm und McLaughlin nach stundenlangen Verhandlungen bei lautem und beleidigendem Wortwechsel für gewöhnlich doch zu einem Geschäft. Sonst blieb nämlich nichts anderes übrig, als Pferde, die für gute Märkte taugten, mit alten Kleppern und solchen, die sich nicht zähmen ließen, wagenweise zur Leimfabrik fahren zu lassen und das Gestüt auf diese Weise von ihnen zu befreien. Nell unterstützte die Geschäfte mit Williams. »Schließlich und endlich«, sagte sie, »werden die Tiere ja immer älter und es ist schwer, sie gut im Futter zu halten. Er kann acht bis zehn Pferde auf sein Lastauto nehmen und das bringt immerhin trotz der niedrigen Preise einige Hundert Dollar.«

Diesmal sagte McLaughlin ihm, dass er von den weiter entfernten Weiden einige Pferde herbeischaffen werde, die ihm selbst nichts nütze seien; sie würden also ein Geschäft machen. Williams fuhr wieder ab, nachdem er versprochen hatte im Laufe der Woche mit seinem Lastauto wiederzukommen.

Jingo, der die schwerste Operation durchgemacht hatte, wurde eines Tages tot aufgefunden.

Niemand auf dem Gestüt durfte beim Tod eines Tieres Schmerz zeigen oder auch nur empfinden; McLaughlin erlaubte das einfach nicht. Es war auf dem Gänseland-Gestüt ein ungeschriebenes Gesetz, dass der Tod so aufzufassen sei, wie die Tiere selbst ihn hinnahmen: als etwas Selbstverständliches, nicht allzu Wichtiges, als etwas, was in das tägliche Geschehen hineingehörte und bald vergessen war. Da sie alle den Tieren so nahestanden und ihre Freunde waren, hätte es allzu viel Trauer gegeben, wenn sie dieses Gefühl hätten aufkommen lassen. Der Tod war stets um sie herum und daher wurden keine Tränen darüber vergossen. Aber Jingo ... Ken konnte Jingos Art, ihn an der Schulter zu berühren und sich bemerkbar zu machen, nicht so leicht vergessen. Gus band einen Strick um den Kopf des toten Tieres, befestigte das andere Ende hinten am Ford – dem Laster – und schleppte es zum Schacht der alten, verfallenen Mine bei den Hügeln ab. Der war hundert Meter tief.

»Doppelfleck«, so genannt, weil er auf den Schultern und Flanken einen weißen Fleck hatte, war nach der Operation auch beinahe eingegangen. Drei Tage nachdem er verschnitten worden war, hatte er Beulen an Bauch und Rückgrat bekommen und wollte sich nicht mehr bewegen. »Entzündung«, sagte McLaughlin. Die Jungen waren hinter Doppelfleck hergeritten und hatten schreiend ihre Stricke geschwungen und ihn zum Laufen gezwungen. Ströme von eitriger Flüssigkeit waren aus der Wunde geflossen und am nächsten Tag ging es ihm etwas besser. Den Vorschriften gemäß wiederholten die Jungen diese Behandlung und allmählich erholte sich Doppelfleck. Er hatte aber mehrere Hundert Pfund an Gewicht verloren und alle Rippen stachen hervor.

»Gut, dass wir nicht auch den verloren haben«, sagte Gus.

Aber das wirklich große Ereignis dieser Woche war die Anstellung eines Cowboys, der die Dreijährigen zähmen sollte.

Ken sah ihn zum ersten Mal, als die Männer vor dem Abendbrot aus den Ställen kamen und der Cowboy auf dem Rasenplatz mit Nell redete. Er war sehr klein und hatte dünne O-Beine; seine anliegenden blauen Hosen waren auf der Innenseite und der Sitzfläche hell gerieben. Um die Mitte war er nicht viel breiter als Ken; er trug den Ledergurt stramm angezogen. Sein kleines Gesicht war hellrot und sah leer aus. Die kleinen Augen blickten so gerade drein, dass die Blicke anderer Menschen dagegen unstet schienen. Nell stellte ihn vor, indem sie sagte, dies sei Ross Buckley, der im Rodeo mitreiten werde und nun, während er darauf warte, gern ein paar Pferde zähmen wolle.

»Ich hörte, dass Sie hier einige hitzige Gäule haben«, sagte Ross mit einer angenehmen, etwas schleppenden Stimme. »Ich würde sie gern einmal vornehmen, falls einige von ihnen gezähmt werden sollen.«

Nell sagte: »Kommt mit, Ken und Howard. Es ist Zeit, dass ihr euch zum Abendessen fertig macht!« Damit ging sie mit den Jungen ins Haus und ließ McLaughlin und Ross allein.

Ross war in einem Ford angekommen, der bis zum Verdeck hinauf mit Sätteln, Zügeln, Pferdedecken und Lassos vollgepfropft war, und als Nell in ihrem Gespräch mit ihm herausgebracht hatte, was er wollte, hatte sie ihn festgehalten, bis McLaughlin aus den Ställen gekommen war.

McLaughlin nahm ihn in seinen Dienst; er führte ihn zum Arbeiterhaus und stellte ihn Gus und Tim vor. Seitdem hatte Ross jeden Tag mit den Dreijährigen in den Koppeln gearbeitet.

Und zu alldem hatte er täglich mehrere Stunden mit der Suche nach Rocket verbracht. Aber niemand hatte auch nur einen Schatten von ihr gesehen. Ken war, was sein Fohlen betraf, immer noch nicht zu einem Entschluss gekommen.

Rocket hielt sich mit ihrem Fohlen in einem kleinen Tal nahe den Ufern des Colorado versteckt. Ganz unten auf der Talsohle wuchs Timothee; an den Abhängen, die das Tal einschlossen, stand Wiesengras; am besten von allem aber war der Rotklee am Fuße des Hügels, dem etwas höher hangaufwärts aus einem Dutzend von Löchern eine Quelle plätschernd entsprang.

Das Wasser schien sich anfangs in gewundenen kleinen Rinnsalen zu verlaufen, schloss sich dann aber zu einem Flüsschen zusammen und im feuchten Erdreich seiner Ufer wuchsen Pappeln und Espen, die einem Di-

ckicht von Himbeeren, Stachelbeeren und Wiesen-
blumen Schatten und Nahrung spendeten. Da gab es
Glockenblumen auf feinen, ellenlangen Stängeln, Li-
lien mit dunklen Herzen, Vergissmeinnicht, die wie
ausgesäte Türkise aussahen, und dazu Rittersporn,
weiß und blau, eine Pflanze, die Pferden und Rindern
den Tod bringt.

Das Stutenfohlen schnupperte an dieser gefähr-
lichen Blume und atmete ihren Duft ein, es schnaufte
und ging dann zum Klee über. Es versank bis an die
Schultern im Grünen, und Stängel und Blüten standen
ihm rechts und links aus dem Maul, wenn es zufrieden
kauend den Kopf hob.

Die kleine Stute hatte nur einige Male an Rockets
Euter gesogen. Rocket war in dieser Hinsicht nicht
mehr so anspruchsvoll gewesen, seitdem sie von der
ersten Milch befreit worden war. Die beiden Pferde, die
große schwarze und die kleine orangefarbene Stute,
grasten Seite an Seite auf der Wiese, tranken aus der
Quelle und galoppierten die Hänge entlang und bisweilen blickten sie mit gespitzten Ohren aufmerksam
von den Gipfeln der Hügel hinab.

Sie waren in diesem Tal nicht allein. Wilde Kanarien-
vögel und Blaumeisen zwitscherten im Dickicht. In den
Pappeln unterhandelte ein halbes Dutzend Elstern; sie
flogen auf, kreisten und verschwanden hinter den Hügeln, um aus anderer Richtung wiederzukommen und
die Runde von neuem zu beginnen. Im Gras regte sich
Kleinwild; aus dem Himmel spähten Habichte nach

Beute aus, und zwei Antilopen – seltsam und zierlich wie Porzellanfiguren – ästen im Tal.

An dem Tage, da ihr Fohlen neun Tage alt geworden wäre, galoppierte Rocket auf einen Hügel hinauf und hielt Ausblick.

Als das Fohlen an ihre Seite kam, bleckte sie die Zähne und schnappte zu. Das Fohlen wich dem Biss aus und Rocket fuhr fort Wind und Ebenen zu befragen.

Das Stutenfohlen legte sich nieder und schlief, während Rocket über die Gipfel der Hügel hin eine große Runde machte. Auf der Höhe blieb sie stehen und wieherte laut: Sie blickte lange nach Norden, dorthin, wo das Gestüt lag.

Bevor es Abend wurde, hatten sie und das Fohlen das Tal verlassen; sie zogen gemächlich gen Norden und ließen sich dabei zum Trinken und Grasen Zeit.

Ein Fohlen wählt Ken!

Eines Morgens wachte Ken im Dunkeln auf. Als er gewahrte, dass draußen schon das Morgengrauen anbrach, stand er auf und beobachtete vom Fenster aus, wie es im Osten heller wurde. Ken pflegte nachts niemals zu träumen. Er konnte gar nicht begreifen, wie das kam, und fragte die Mutter: »Howard träumt ja doch und auch du und Papa; und neulich erzählte Tim, dass er einen ganz verrückten Traum gehabt hat; warum träume ich denn niemals?«

Seine Mutter hatte ihn seltsam angesehen und gesagt: »Wenn du träumst, dann hast du Träume anderer Art – und zu anderer Zeit.«

»Aber warum?«

Darauf schien sie ebenso wenig eine Antwort zu wissen wie er. Er stand mit dem Gesicht an der Jalousie und fröstelte ein wenig. Nun wollte er gleich hinaus und das war aufregend.

Das Wetter hatte sich verändert. Tief hängende kleine Wolken trieben über den Himmel, als ob jene einzige große Wolke nun zerrissen wäre; dazwischen leuchteten ab und zu Sterne hervor; und hinter den

Wolken strahlte vom Horizont her ein grünlicher Glanz auf.

Es war noch nicht so hell, dass Ken irgendetwas deutlich hätte erkennen können. In der Nähe zeichneten sich Umrisse ab und zerflossen wieder wie fließende Schatten. Ebenso war es mit seinen Gedanken. Er suchte im Geist nach festem Boden, der ihm bekannt war, aber alles schien verändert. Etwas Neues war in ihn gekommen und hatte ihn zu einem andern gemacht. Sogar Tim hatte gesagt, er sei zehn Zentimeter gewachsen, seitdem der Vater ihm ein Fohlen versprochen hatte, und Howard behandelte ihn jetzt so, als ob er ernst zu nehmen sei. Und doch hatte er zugleich das Gefühl, etwas verloren zu haben, etwas ihm ganz Nötiges, so dass ihm nun heiß vor Angst werden konnte. Dieses Verlorene war ein Ort, an dem er hatte spielen und glücklich sein können – ganz im Geheimen, ohne dass jemand gewusst hatte, wo er war. Dort hatte er sich sicher gefühlt, denn alles war nach seinem Sinn gegangen, ohne dass irgendetwas ein böses Ende genommen hätte. In der wirklichen Welt pflegte so gut wie alles unglücklich auszugehen oder ihm ein Bein zu stellen, aber dort – ja, dort gab es kein »Ende«, Träume enden nie, einer türmt sich auf den anderen, Träume wechseln wie ein Ausblick oder ein Bild, über dem Nebel liegt, und im Nebel gewinnt eins nach dem anderen Gestalt, das eine löscht stets das andere aus und nie gibt es ein Ende.

In gewisser Hinsicht hatte er die ganze Woche lang

versucht zu diesem Ort der Träume zurückzugelangen, als ob dies seine letzte Möglichkeit wäre.

Aber nun stand er außerhalb. Die Tür war geschlossen. Und hier draußen war es windig und gefährlich. Das Fohlen …

Er fing an sich schnell anzuziehen. Heute oder morgen musste er sein Fohlen entdecken, er wollte jetzt zu den Hügeln reiten und wieder einmal die Einjährigen ansehen.

Als er sich zur Vordertür hinausschlich, war es noch recht dunkel. Niemand hatte ihn gehört. Das war gut. Er wollte Howard nicht mit dabeihaben. So früh am Morgen hinauszugehen war beinahe dasselbe wie in die Unterwasserwelt hinabzutauchen oder in die Welt eines Bildes oder in einen Traum. Ganz so zuverlässig wie ein Traum war es nicht, denn er musste auf sein Pferd achtgeben oder, wenn er auf dem Burgfelsen herumkletterte, zusehen, wohin er trat. Aber es war doch ganz anders als die gewöhnliche Welt am hellen Tage.

Er ging über den Rasenplatz zur Kälberweide, um sich ein Pferd zu holen.

Seitdem er gehen gelernt hatte und über den Rand seines Kinderbettes hatte klettern können, war Ken Nachtwandler gewesen. Es hatte damals geschehen können, dass Nell von einem Geräusch in der Halle oder im Wohnzimmer erwachte und dann das Bett ihres Kleinen leer fand, so dass sie auf die Suche nach ihm hatte gehen müssen. Sie hatte ihn dann irgendwo im Dunkeln unsicher auf dem Saum seines Nachthemdes stehend gefunden.

Sie hatte versucht das Ende des Nachthemdes zusammenzuknoten, aber das hatte ihn noch geschickter gemacht; sie hatte seine Füße mit einem weichen Handtuch zusammengekoppelt, aber er hatte bald gelernt beide Beine gleichzeitig aus dem Bett hinauszuschwingen, dann wie ein kleiner Affe an den Händen zu hängen, sich zu Boden fallen zu lassen und die Füße in kleinen Schritten über den Boden zu schleifen.

Als er größer wurde, war er mitunter nachts ins Freie gegangen. Das tat auch Nell zuweilen. Wenn sie ruhelos war und nicht schlafen konnte, zog sie irgendein weites Kleid über, nahm ein Kissen und eine Decke und ging zu ihrer Hängematte hinunter; dort lag sie dann, das Gesicht dem Himmel zugewandt, und blickte zu den Sternen auf.

Ken fand Lady gleich am Zaun der Kälberweide, und als er die Hand ausstreckte und mit ihr sprach, lief sie nicht davon, sondern ließ sich am Halfter nehmen und hinausführen.

Wenn sie den Wallachen Bewegung machten und auf der Suche nach Rocket und den Einjährigen waren, hatte er die ganze Woche Lady geritten. Jeden Tag hatte er die Einjährigen aufgesucht und gestern war auch die Mutter mitgekommen. Zuerst hatten sie die Fohlen nirgends finden können, aber beim Verweilen auf der Anhöhe hatten sie mit einem Mal das Donnern von Hufen gehört.

»Es klang wie ein Regiment«, sagte Nell, als sie beim Abendessen davon erzählte. »Wir sahen sie wie einen farbigen Strom unter uns. Es war herrlich anzuschauen. Sie leuchteten in der Sonne: Rappen, Füchse, Falben und Rotschimmel, und sie bewegten sich so froh und so munter und frei.«

Dann waren sie zu ihnen hinuntergeritten und abgestiegen. Nell erzählte ausführlich, wie sehr das Äußere der Fohlen sich während des ersten Lebensjahres verändert hatte. Dunkle Kastanienbraune waren zu Falben, Rotschimmel zu Blauschimmeln, Rappen braun geworden, seltsame Flecken waren völlig verschwunden und die Körperform hatte sich bei vielen Tieren dermaßen verändert, dass man sie gar nicht wiedererkannte.

»Sie sehen großartig aus«, sagte sie zu Rob, »glatt und glänzend, und ihre Haut sitzt zum Zerplatzen stramm.«

Ken war von ihrer Schönheit wie geblendet gewesen. Er hatte sich reich gefühlt, denn eins von diesen war ja sein Fohlen! Aber welches? Er wollte sie alle miteinander haben, und bevor er seine Wahl getroffen hatte, gehörten sie alle in gewisser Weise ihm.

Ken führte Lady auf dem kleinen Weg zum »Hals« in die Koppeln und dann in den dunklen Stall; er band sie an, gab ihr ein Maß Hafer und machte sich daran, sie zu striegeln. Papa will, dass wir auf Sätteln reiten – begreife nicht, warum –, aber deshalb ist es jedenfalls besser, es zu tun.

Lady war ein großer Rotschimmel mit schwarzer Mähne und schwarzem Schweif. Sie war schnell, trug den Kopf hoch und hatte dunkle, kluge Augen.

Ken schlüpfte um sie herum, gab ihr einen leichten Klaps und ließ sie auf die andere Seite des Standes treten, um sie am ganzen Körper striegeln zu können. Dann legte er ihr den Sattel auf und zog, eingedenk der verlorenen Satteldecke, den Gurt so fest an, wie er nur konnte. Zuletzt legte er ihr den Zaum ein – sie war jetzt mit dem Hafer fertig geworden. Er führte sie in die Koppel hinaus, schloss die Pforte und gängelte sie dicht an den Stein, von dem er auf die höchsten Pferde zu steigen pflegte. Noch einmal versuchte er den Gurt. Er war locker! Sie blies sich beim Satteln immer auf. Damals, als er die Satteldecke verlor, hatte er vergessen den Gurt zum zweiten Mal anzuziehen. Jetzt konnte er den Gurt noch um drei Löcher enger ziehen. Er stieg auf und Lady setzte sich in Bewegung.

Die vier Dreijährigen, die Ross »in der Mache« hatte, grasten auf der Stallweide dicht bei den Koppeln, und als sie Ken sahen, kamen sie angetrabt. Ken zog die Zügel an und ließ Lady ein wenig mit ihnen plaudern. Als er weiterritt, folgten sie und kehrten dann zu den Koppeln zurück; wahrscheinlich, dachte Ken, warten sie dort auf ihren Hafer. Ross gab jedem von ihnen ein Maß, bevor er mit ihnen an die Arbeit ging. Sie hießen Gangway, Don, Rumba und Blazes.

Während er zur Landstraße galoppierte, dachte Ken daran, dass die Namen, die seine Mutter den Fohlen im

Laufe des ersten Sommers zu geben pflegte, nicht immer auch später zu ihnen passten, denn die Fohlen veränderten sich so stark. »Irish Elegance« war ein Beispiel dafür. Sie hatte zuerst so glänzend und vornehm ausgesehen, dass Nell ihr diesen Namen nach einer prachtvollen kupferfarbenen kalifornischen Rose gegeben hatte. Aber im zweiten Sommer war sie zu einer kleinen Maus geworden; deshalb hatte man später die »Elegance« weggelassen und sie nur noch »Irish« genannt.

Mit Gangway hatte Ross es recht schwer. Er war das größte und schönste von den vier Pferden: ein dunkelroter Sohn von Taggert. Ken und Howard hatten auf dem Zaun der Koppel gesessen, als Ross mit ihm gearbeitet hatte. Gangway war bockig gewesen und Ross hatte Howard zugerufen, er solle die Pforte öffnen und ihn hinauslassen. Fortwährend ausschlagend war Gangway hinausgestürmt, und während Ross unablässig Peitsche und Sporen gebrauchte, hatte Gangway die tollsten Sprünge gemacht, um ihn abzuwerfen. Mit blödem Lächeln aber hatte Ross immer weiter auf ihn losgeschlagen, und als Gangway in weiten Heuschreckensprüngen an Ken vorbeigekommen war, hatte Ross nur gesagt: »Mag er ruhig dabei bleiben, bis er ein für alle Mal genug hat!«

Als Ross endlich in der Koppel abgestiegen war, hatte er sich am Zaun festgehalten und sich übergeben müssen.

Um auf die Landstraße hinauszukommen, musste Ken absteigen und die Pforte öffnen. Er vergaß nicht, den Zügel fest in der Hand zu behalten, als er Lady durch die Pforte führte und diese hinter ihr schloss. Er fand einen Stein, um aufsteigen zu können, und ritt zur Sattelhöhe hinauf.

Die Wolken hatten sich jetzt leicht gerötet und hinter ihnen schimmerte es wie blaue Ferne. Je höher er kletterte, desto mehr weitete sich der Himmel, desto größer wurde die Flotte der verstreuten Wolken. Sie gewannen mit jeder Minute an Farbe; hier und da glühten sie rot. Alle Sterne waren verschwunden bis auf einen einzigen, der golden zwischen den Wolken hervorblickte.

Lady verlangte freiere Zügel. Zwischen ihr und dem Knaben bestand ein natürliches Einverständnis. Wollte er halten und sich umschauen, dann schien sie es zu begreifen; gleich ihm in Betrachtung versunken stand sie dann mit gespitzten Ohren und seitwärtsgewandtem Kopf da; und ebenso wusste sie, wann er genug hatte, und setzte sich von selbst in Bewegung.

Die Farben ringsum, die elektrisch geladene Luft und das windbewegte Gras erregten sie heute und sie hörte nicht auf freiere Zügel zu fordern. Als Ken ihr nachgab, streckte sie den Kopf und nahm im Galopp den steilsten Abhang der Sattelhöhe.

Ken suchte die Einjährigen dort, wo sie gestern gewesen waren, aber sie ließen sich nicht sehen. Eine ganze Stunde lang ritt er umher; Shorty, sagte er sich, hätte sie gleich gefunden; er war ja viel vernünftiger als Lady; wenn sie nur laufen durfte, war ihr jede Richtung recht.

Die Farben des Sonnenaufgangs waren alle verblichen. Zerrissene Wolkenfetzen hingen grauviolett herab und drohten mit Gewitter.

Ken ritt auf den höchsten Gipfel der Sattelhöhe, von dem aus er einen meilenweiten Ausblick hatte; aber kein Tier ließ sich sehen. Er wusste, dass die Einjährigen ganz in der Nähe, in einer Vertiefung zwischen den Hügeln versteckt sein konnten, ohne auch nur ein Ohr zu zeigen, aber wo waren sie? Hinter welchem Hügel?

Er ritt weiter und mit einem Mal, bei einer Biegung, sah er Banner gespannt und unternehmungslustig an der Spitze der Zuchtstuten stehen. Ken wandte den Kopf und folgte Banners Blick; da sah er Rocket und eine gelbliche Einjährige auf das Rudel der Zuchtstuten zulaufen; Banner hatte sich in Bewegung gesetzt und trabte mit gesenktem Kopf, unwiderstehlich, zielbewusst, auf sie zu.

Rocket und die kleine Falbe machten gleichzeitig halt. Rocket wieherte; Banner schrie laut. Sein Kopf schoss schlangenhaft über das Gras hin; er erreichte die beiden Stuten und umkreiste sie. Rocket galoppierte davon, Banner folgte ihr bald auf der einen, bald auf der anderen Seite. Die Einjährige hielt sich ängstlich wiehernd dicht bei der Mutter, so dass sie Banner im Wege war. Der wieherte böse und biss sie in die Rippen. Sie schrie auf und floh; Banner hinter ihr her.

Lady hielt still, aber sie zitterte vor Erregung. Ebenso Ken. Auch die Zuchtstuten standen regungslos da und schauten der Jagd zu.

Die Einjährige lief wie ums Leben – und laufen konnte sie! Rocket, im Stich gelassen, trabte derweilen unruhig in der Nähe der Zuchtstuten umher. In einem großen Bogen kehrte die Verfolgte – Banners donnernde Hufe stets hinter sich – zu den Zuchtstuten zurück, und als sie an denen vorbeikam, wechselte Banner die Richtung und stürzte sich auf Rocket. Das Fohlen rannte weiter, dicht an Ken vorbei. In einem Durcheinander von schlanken Beinen und fliegenden Haaren traf ihn aus entsetzten Augen ein Blick, der ihm durch und durch ging. Es war nur der Bruchteil einer Sekunde, aber dieser Blick war beredt wie ein Hilfeschrei. Unwillkürlich warf Ken sein Pferd herum und folgte dem Fohlen. Über die Schulter blickte er nach Rocket zurück.

Sie galoppierte davon, Banner dicht neben sich; aber noch bevor ein Hügel sie seinem Blick entzog, sah Ken, dass sie innehielt und der mächtige Körper des Hengstes sich über ihr bäumte. Für einen kurzen Augenblick bildeten sie, gegen den stürmischen Himmel gesehen, einen einzigen Umriss.

Als Ken wieder nach dem Fohlen ausschaute, war es nirgends zu sehen. Er zog die Zügel heftig an und brachte Lady zum Stehen. Die Hügelkette war leer; nichts regte sich außer Wolken und Gras, und nichts war zu hören als das Keuchen seiner Stute und sein eigener Herzschlag. Rockets Fohlen – diese Einjährige –, nun war es entschieden. Er hatte nicht zu wählen brauchen, sie war von selbst zu ihm gekommen. Sie war sein geworden durch den kurzen Hilfeschrei ihrer Augen, der seinem Blick begegnet war; sie war sein um ihrer Geschwindigkeit und ihrer großen Schönheit willen und weil ihm bei ihrem Anblick und im Gedanken an sie das Herz brannte; sie war sein, weil … einfach weil sie zu ihm gehörte!

Weit in der Ferne vor sich vernahm er etliche Male ein lebhaftes Wiehern. Von irgendwoher, aus dem Nichts, sah er plötzlich sein Fohlen erscheinen und auf dem Kamm eines Hügels vor ihm dahinrennen: Der wehende Schweif sah gegen die dunklen, zerrissenen Wolken besonders hell aus. Auf der anderen Seite des Hügels tauchte das Fohlen unter, Ken hörte noch mehr Gewieher und jetzt drückte er Lady die Fersen in die Rippen und gab ihr freie Zügel … In wenigen Augenblicken hatte er selbst den Hügelkamm erreicht und sah unter sich die schöne kleine Stute auf das Rudel der Einjährigen zueilen. Sie wurde von ihren lebhaft schwatzenden Altersgenossen begrüßt – wie unter Schulkindern, die sich nach den Sommerferien zum ersten Mal wiedersehen!

Ken war, als er den Hügel hinabritt, blind vor Glück. Kein Traum, den er je gehabt hatte, keine Fantasien über Abenteuer und Triumphe reichten an diesen Augenblick heran. Ihm war, als sei er aus seinem alten Ich hervorgebrochen und verwandelt – und damit schien ihm auch die ganze Welt neu geworden zu sein. Dies also war, was man Leben nannte! Oh, mein Fohlen, meine schöne kleine Stute, mein Fohlen!

Eine Lektion
für Ross und Rumba

»Ausnahmsweise kommst du mal pünktlich zum Frühstück«, sagte Rob, als Ken sich an seinen Platz setzte.

Nell füllte Kens Teller mit Hafergrütze und reichte ihn ihm hinüber.

Seit sie in den amtlichen Mitteilungen über den Stand der Landwirtschaft gelesen hatte, dass alle prämierten Tiere mit verzwickt zusammengesetzten Getreidemischungen aufgezogen wurden, die in der Hauptsache aus Hafer bestanden, seit sie ferner bemerkt hatte, dass die Hunde, wenn sie hungrig waren, durch den Stacheldrahtzaun auf die Kälberweide schlüpften und in den Futterkrippen nach dieser Mischung fahndeten – seitdem hatte Nell Hafergrütze zum festen Bestandteil des Frühstücks gemacht. Wenn damit gute Kälber und Fohlen aufgezogen werden können, dann taugt das ja wohl auch für Jungen, sagte sie sich. Und McLaughlin, dessen weit in die Vorzeit zurückreichende schottische Vorfahren alle Hafergrütze gegessen hatten, war derselben Meinung wie sie.

Zur Hafergrütze gab es stets eine große Kanne Guernseysahne und eine Schale mit braunem Zucker.

Nell schob beides Ken hinüber und lächelte dabei: Sie hatte bemerkt, wie viel Farbe er heute hatte. Seine Augen waren dunkel vor Erregung und sein ganzes Gesicht leuchtete, war wie verklärt – Nell war erschrocken darüber. Was war geschehen? Er war die ganze Woche lang nicht mehr der alte Ken gewesen, war sicherer, munterer und glücklicher geworden, aber jetzt dies …?

Auch Rob sah zu Ken hinüber; ihm konnte nichts entgehen. Irgendetwas war wohl heute Morgen auf den Hügeln geschehen.

»Welches Pferd hast du heute geritten?«, fragte er.

»Lady.«

»Und wo ist sie jetzt? Auf dem Weg zur Grenze?« – Das sollte ein Scherz sein.

»Ich habe sie auf die Hausweide gebracht. Sie ist eben beim Springbrunnen.«

»War sie erhitzt?«

»Nein, Sir, ich ließ sie auf dem Rückweg sich abkühlen.« – Ein stolzes kleines Lächeln war in Kens Gesicht zu sehen und Nell dachte: Bisher hat alles gestimmt.

Das Examen ging weiter. »Hast du sie gründlich bewegt?«

»Ja, Sir.«

»Reite sie heute nicht noch einmal. Nimm Baldy, wenn du ein Pferd brauchst.«

»Ja, Sir.«

»Irgendetwas zerrissen oder verloren?«

»Nein, Sir.«

Rob lachte. Er beugte sich vor und fuhr Ken übers Haar. »Das ist gute Arbeit gewesen, junger Mann. Du machst dich.«

Ken musste lachen. Er war so erregt, dass er nur mit Mühe stillsitzen und richtig antworten konnte. Bevor die Woche um war, wollte er nichts von dem Fohlen erzählen. Morgen war die Woche zu Ende. Aber es war schwer, das Geheimnis für sich zu behalten; er wäre lieber aufgesprungen und mit wildem Geschrei in der Küche umhergelaufen. Nun, immerhin, er konnte ja von Rocket erzählen …

»Verloren habe ich nichts, aber ich hab etwas gefunden«, prahlte er, während er große Löffel Hafergrütze in sich hineinschaufelte. »Ich habe Rocket gefunden. Sie ist wieder da.«

»Wo?«, fragten Rob, Nell und Howard alle zugleich.

»Bei den Zuchtstuten.«

»Gut«, sagte McLaughlin. »Lass mal sehen. Wie viel Tage mag es her sein, dass sie gefohlt hat?«

»Das Fohlen war noch nicht eine Woche alt, als sie es verlor«, rechnete Nell aus.

»Ja, und dazu kommt die letzte Woche; es muss zwischen dem neunten und vierzehnten Tage sein. Also ungefähr heute.« McLaughlin lächelte breit und zufrieden. »Die wilde Person ist also von selbst wiedergekommen.«

»Sie kam vom Süden her und Banner war gleich hinter ihr her. Gedeckt ist sie auch schon.«

»Das kann ich mir denken«, sagte McLaughlin.

Nell ging zum Herd, nahm den gebratenen Schinken aus der heißen Pfanne und legte ihn auf die Schüssel. »Was wünschen die Herrschaften?«, rief sie.

»Zwei Fliegen mit einer Klappe!«, rief Rob vergnügt und seine weißen Zähne leuchteten. »Ein Ochsenauge, das mich ansieht!«, rief Ken.

Howard sprang auf. »Ich will dein Ei doppelt braten, Mutter«, rief er. Niemand konnte für Nell ein Ei so gut braten wie Howard. Es musste auf beiden Seiten nur leicht angebraten sein und durfte dabei nicht entzweigehen. Durch Hochschnellen wurde es gewendet. Rob verstand sich auch darauf, aber er machte ein so großes Wesen daraus und schleuderte die Eier zuweilen so hoch, dass manche auf dem Herd oder auf der Kante der Bratpfanne landeten. Howard tat nur wenig Fett auf eine kleine Pfanne. Während das Ei brodelte, bestreute er es sorgfältig mit Salz und löste die braunen Ränder; dann schnellte er die Pfanne mit einer weichen, kleinen Handbewegung empor, das Ei flog nur wenige Zoll hoch, schlug langsam einen Purzelbaum und glitt in das Fett zurück.

Nell brachte die angewärmten Teller herbei und verteilte die Eier; dann setzte sie den gebratenen Schinken auf den Tisch. Ihre Gedanken waren noch bei Ken. Sie beobachtete ihn, und jedes Mal wenn er ihren Blick auffing, lächelte er glücklich. Hinter seiner Erregung steckte etwas, was er nicht sagen wollte – irgendetwas, das er heute Morgen auf den Hügeln gesehen hatte: das Fohlen, natürlich!

»Nell«, sagte Rob, »hast du heute Morgen sehr viel zu tun?«

»Nicht besonders viel, kein Backen und kein Reinemachen – warum?«

»Willst du nicht ein Pferd für mich zähmen?«

Nell blickte schnell auf. »Eins von den vieren? Rumba, die kleine Stute?«

»Ja.«

»Nur zu gern.«

»Warum tut Ross es nicht?«, fragte Howard.

»Ross nimmt sie zu hart heran.« Rob sah erbittert aus. »Ich will nicht, dass mit Rumba auf seine Art umgesprungen wird. Mit den drei anderen hab ich genug ausgestanden; nun hab ich es satt! Soll mich nicht wundern, wenn Dons Knie verdorben sind.«

»Doch nicht für immer?«, rief Nell.

»Es wird jedenfalls lange dauern, bis die Schwellung sich gibt. Er warf sich arg hin und her, und da Ross ihm die Beine gebunden hatte, konnte er nicht anders als immer wieder auf die Knie fallen. Ich musste weggehen, ich konnte es nicht mit ansehen. Ich will mich nicht einmischen, wenn jemand zu einer Arbeit angestellt ist und sie auf seine Weise ausführt, aber es wurde mir zu viel. Und die kleine Stute hat ja Füße, die in eine Teetasse hineinpassen würden, sie ist zierlich wie ein junges Reh. Und ihre Vorderbeine –«, er griff nach Kens Arm, »sind nicht breiter als Kens Handgelenk.«

»Ja, sie ist eine lustige kleine Stute«, sagte Nell.

»Wisst ihr noch, wie ihr sie damals brachtet, um sie an den Halfter zu gewöhnen? Sie fiel rücklings in den Wassertrog und wollte nicht mehr aufstehen.«

Ja, Ken erinnerte sich gut daran und musste lachen. »Sie blieb den ganzen Nachmittag darin liegen und streckte alle viere in die Luft.«

Howard ließ sich nicht abbringen. »Warum tust du es denn nicht selbst, Papa?«

»Ich bin ja viel zu schwer. Ich bin auf ihr gesessen und hab sie das eine und das andere gelehrt, und an den Sattel ist sie gewöhnt, aber sie braucht einen leichten Reiter und vor Ross fürchtet sie sich – auch wenn ich ihm erlauben würde sie zu binden. Sie zittert, sobald sie ihn nur zu Gesicht bekommt.«

»Könnte nicht ich sie reiten?«, fragte Howard.

»Du bist wahrscheinlich nicht leicht genug, aber das Gewicht allein macht es nicht. Du hast keine leichte Hand, Howard. Neulich sah ich, wie du Calico schlimm an den Zügeln gerissen hast!«

Howard zog die Brauen zusammen. »Er wirft immer den Kopf hoch; das kann ich nicht leiden.«

»Das war also eine Strafe?«

Howard nickte. McLaughlin sagte ruhig: »Es kommt vor, dass man ein Pferd bestrafen muss. Calico hat die schlechte Gewohnheit, den Kopf hochzuwerfen, aber du gabst ihm mehr, als er verdiente. Die kleine Rumba würde in dem Stadium, in dem ihre Schulung sich eben befindet, nicht die Hälfte davon vertragen. Sie könnte dadurch das Bocken lernen und das soll sie nicht. Sie muss sich sicher fühlen und freundlich, ja zärtlich behandelt werden.«

»Passe nicht ich dazu?«, fragte Ken.

McLaughlin lachte. »Du würdest gleich in irgendeinen Traum verfallen und gar nicht merken, dass das Pferd mit dir davonläuft. Erst nach zehn Meilen würdest du aufwachen und dich fragen, wo du eigentlich bist. Du hast gewiss eine sehr gute Hand, Ken, aber du beherrschst das Pferd nicht. Rumba braucht jemand, dem sie gehorchen muss, und daher passt die Mutter am besten zu ihr, denn ihre Hand ist ebenso gut wie deine und im Sattel ist sie leichter als ihr alle; das heißt, nicht nach Pfunden, sondern durch gut verteiltes Gewicht, also Sitz. Ich sähe gern, dass ihr beide in der Koppel seid, wenn Mutter Rumba reitet. Da würdet ihr etwas lernen.«

Als Nell späterhin zu den Ställen ging, trug sie gut geschnittene Reithosen aus verblichenem, haltbarem blauem Baumwollstoff. Es war nicht leicht für sie gewesen, passende Kleidungsstücke für ihr Leben hier draußen zu bekommen. Sie hasste Unordnung ebenso sehr wie Zwang; Stiefel und die üblichen Reithosen waren ihr zu schwer und sie hatte daher ihre weißleinenen indischen Reithosen von einem Schneider der Umgegend in blauem Baumwollstoff genau nachahmen lassen. Nun hatte sie ein halbes Dutzend davon, sie ließen sich kaum abtragen, waren gut waschbar und standen ihr ausgezeichnet. Dazu trug sie ein Polohemd in dunklerem Blau mit sehr kurzen Ärmeln, schweinslederne

Handschuhe, einen runden blauen Leinenhut mit schmaler Krempe, die sich herabziehen ließ und die Augen vor dem scharfen Wind hier schützte, und an den Füßen hatte sie weiche braune Schuhe mit Sporen, die im Leder des Absatzes befestigt waren. Aber auch diese Kleidung war ihr zu viel, lange bevor der Tag zu Ende ging, und sie war froh, wenn sie zu leichten Baumwollkleidern zurückkehren konnte.

Rumba erwartete sie, gesattelt und gezäumt und an einen Pfosten gebunden. Ross kam auf Gangway in die Koppel geritten und stieg ab.

»Morgen, Missus«, sagte er zu Nell und brachte es dabei fertig, sowohl den Ton eines Kavaliers als auch den des Angestellten zu treffen, und Nell fühlte wieder einmal mit Vergnügen, dass »Missus« hier im Westen ein wahrhaft königlicher Titel war. Schon dadurch, wie der kleine Ross sich vor ihr verbeugte, stellte er sich ihr ganz zur Verfügung.

»Nun, wie ist das Pony heute Morgen?«, fragte McLaughlin.

»Es ist etwas unsicher und etwas steif, geht aber ganz gut.«

»Die Mutter wird Rumba reiten«, sagte Ken.

Ross sah schnell zu Rumba und dann zu McLaughlin hinüber. Er schnallte Gangways Sattelgurt auf und sagte ruhig: »Sie kann noch nicht geritten werden. Sie ist noch nicht mit gebundenen Füßen bewegt worden, wie ich das mit Gangway und den anderen getan habe.«

McLaughlin sagte: »Rumbas Füße sind zum Binden zu klein und ihre Beine zu zart.«

»Ich selbst würde sie nicht reiten wollen, ausgenommen in einem Rodeo, wenn ich dafür besonders bezahlt bekomme. Diese Warmblüter sind, wenn sie einmal anfangen zu bocken, schlimmer als Wildpferde.«

»Ich glaube, es wird ganz gut gehen«, sagte McLaughlin. »Meine Frau hat das rechte Gewicht; sie ist allerdings etwas ängstlich, aber es wird wohl gut ablaufen.«

»Ängstlich!«, sagte Ross. »Ich habe mal meine Frau auf einen alten Klepper gesetzt, der schon recht viel geritten war; aber kaum dass er etwas ins Laufen kam, fing sie an zu schreien und kam laut jammernd zurück. Da bekam ich's gründlich zu hören!«

»Sie sehen nicht alt genug aus, um schon verheiratet zu sein«, sagte Nell.

»Ich habe Frau und zwei Kinder, die halb so groß sind wie Howard und Ken«, sagte Ross grinsend. »Ich bin fünfundzwanzig. Mein Bruder ist sechsundzwanzig.«

Ross drehte sich eine Zigarette und setzte sich mit dem Rücken gegen den Zaun der Koppel. Howard und Ken kletterten auf die oberste Stange hinauf. Nell ging zu Rumba hinüber und Rob stand neben Ross und sprach mit ihm, während er so tat, als sähe er nichts.

Rumba blickte Nell gespannt und mit gespitzten Ohren entgegen. Sie duckte sich leicht in den Hinterbeinen, als wollte sie sich jeden Augenblick bäumen. Nell streckte die Hand aus und sprach beruhigend auf sie ein, aber als Nells Hand ihren Kopf berührte, schreckte sie zurück. Nell streichelte sie und redete ihr weiter gut zu, bis die Stute endlich ruhig war und nicht mehr zitterte. Nun kehrte Nell ihr den Rücken und unterhielt sich, an den Pfosten gelehnt, mit Rob und Ross, damit die Stute Gelegenheit bekäme, sich an ihren Körper und ihre Stimme zu gewöhnen. Wilde Pferde fürchten den Blick menschlicher Wesen.

»Ist Ihr Bruder auch Cowboy, Ross?«

»Nein, er wagt es nicht. Man muss Neigung dazu haben.«

»Sie haben eine ganze Menge zu tun?«

»O ja, den ganzen Sommer hindurch. In einem Sommer habe ich mal tausend Dollar verdient. Sobald ein Rodeo vorbei ist, sehe ich zu, dass ich zu einem anderen komme. Alle sagen, dass ich noch mal dabei umkommen werde. Aber worin besteht denn eigentlich der Unterschied? Besser so, als …«

Da ihr jetzt niemand Beachtung schenkte, fühlte Rumba sich freier, sie streckte die Nase vor und Nell fühlte ihr weiches Maul mit einem Mal zwischen den Schultern. Sie beachtete es nicht, aber Rumba fuhr zurück, wie erschreckt durch den menschlichen Geruch.

Ross sprach von dem Verein der Rodeo-Reiter, dem er angehörte. Bei einem Rodeo in Texas hatten sie außer den ausgezahlten Preisen auch Anteil an den Eintrittsgeldern beansprucht, was die Vorstellung um einige Stunden verzögert hatte; sie waren aber Sieger geblieben.

Rumba versuchte es aufs Neue. Diesmal war sie kühner und tat einen tiefen Atemzug, um das ganze Sein des menschlichen Wesens in sich aufzunehmen, das, wie sie wohl wusste, nun bald auf sie steigen würde. Nell wusste gut, dass es kaum möglich ist, mit einem Pferd Freundschaft zu schließen, das einen nicht mag. Aber hat es einen gern, dann ist das nur eine Frage von Geduld und Zeit. Offenbar bestand Nell die Probe, denn Rumba blickte – mit der Nase auf Nells Arm – neugierig zu den redenden Männern hinüber. Rob wollte nicht, dass die kleine Stute sich als Mittelpunkt der allgemeinen Aufmerksamkeit fühlte. Er pflegte zu sagen, dass Pferde, ganz wie Menschen, es nicht mögen, wenn aller Augen auf sie gerichtet sind. Allerdings gab es Ausnahmen. Gangway zum Beispiel erwartete stets, dass man sie beachtete.

»Kommen Sie oft zu Schaden?«, fragte Howard den Cowboy. Er saß oben auf dem Zaun und die Füße baumelten über Ross' Kopf.

»Das will ich meinen«, war die lakonische Antwort. »Im letzten Sommer bin ich keine Vorstellung ohne Verletzungen davongekommen.«

»Haben Sie sich mal was gebrochen?«

»Rippen, Schlüsselbeine, verrenktes Knie, beschädigter Rücken – hab viel Zeit im Krankenhaus zugebracht. Als ich im letzten Sommer zum dritten Mal hineinkam, war ich pleite. Man wollte mich nicht eher herauslassen, bis ich meine Rechnung bezahlt hätte. Ich sagte ihnen, solange ich hier im Krankenhaus liege, habe ich keine Möglichkeit, Geld zu verdienen; ich muss reiten, um bezahlen zu können. Aber man wollte mich trotzdem nicht freigeben. Da sagte ich, sie sollten den Rodeo-Ausschuss anrufen und dort mitteilen, dass ich meine Rechnung nicht bezahlen könne. Das hat man wahrscheinlich getan, denn ich wurde hinausgelassen und von der Rechnung habe ich nie wieder etwas gehört.«

Nell wandte sich zu Rumba um und sah, dass die Stute sie nicht mehr ablehnte. Ihr Zittern hatte aufgehört und sie hielt den Blick furchtlos auf Nell gerichtet.

Nell streichelte sie und sprach zu ihr, während sie die Zügel nahm und an ihre Seite trat. Sie legte beide Arme auf den Sattel und lehnte sich dagegen, und von Zeit zu Zeit hob sie wie beim Aufsteigen ein Bein unter den Bauch des Pferdes.

Rumba zeigte keine Furcht. Ihr Kopf war ein wenig zur Seite geneigt und sie beobachtete Nell mit einem Auge.

Nun kam Rob hinzu und hielt Rumbas Kopf. Nell setzte den Fuß in den Steigbügel und stieg sehr langsam auf, schwang das Bein über die Kruppe, setzte sich zurecht und Rob nahm den Halfterstrick ab und zog die Steigbügel zurecht.

Ein kleiner Wadendruck, ein wenig Antreiben mit Stimme und Zügel, und Rumba setzte sich langsam in Bewegung. Nell hielt die Zügel ziemlich kurz für

180

den Fall, dass es der Stute einfallen sollte zu bocken. Nach mehreren Runden in der Koppel öffnete Rob die Pforte, er und Ross stiegen auf Don und Gangway, und alle drei ritten zur Morgenarbeit auf das Übungsfeld hinaus.

Ken besteht auf
seinem Willen

Als Ken an diesem Abend Gute Nacht sagte, küsste er seine Mutter und umarmte sie dann plötzlich. Sie legte ihm lächelnd die Hand auf den Kopf. »Kennie«, sagte sie und ihre veilchenfarbenen Augen sahen ihn sanft und verständnisvoll an. Er ging hinauf und blickte lächelnd über die Schulter zurück. Er hatte ein Geheimnis mit ihr; er wusste, dass sie es wusste.

Oben in seinem Zimmer zündete er die Kerze an und starrte in die flackernde Flamme. Es war heute ganz so, als sei es irgendein »letzter« Tag: ungefähr wie der letzte Tag vor Schulschluss oder vor Weihnachten oder bevor die Mutter von einem Besuch im Osten wiederkam. Morgen war der Tag, an dem sein Leben wirklich beginnen würde, sein Leben mit einem Fohlen. Den ganzen Tag hatte er daran gedacht. Er sah »Flicka« noch vor sich, wie sie in großen Sätzen an ihm vorbeiflog, die entsetzten Augen flehend auf ihn gerichtet, das Haar nach hinten flatternd wie das eines Mädchens und die langen, schlanken Glieder in so schneller Bewegung, dass sie, wie Radspeichen, kaum zu sehen waren.

An ihre Farbe konnte er sich nicht mehr recht erinnern. Orangerosa? Tangorot? – Schweif und Mähne waren weißlich. Das war natürlich, denn ihr Großvater war ja Albino, der berühmte Hengst. Diese Abstammung beunruhigte ihn ein wenig, denn sie konnte ihre Gefahren haben. Aber es konnte ja auch sein, dass sie diese Farbe in Schweif und Mähne von ihrem Vater Banner hatte. Als Fohlen hatte er ja auch, wie das nicht selten vorkommt, eine isabellfarbene Mähne gehabt. Er hoffte, dass Flicka gut und gefügig sein würde – nicht so wie Rocket. Würde sie Banner oder Rocket ähnlich werden? Er hatte nicht Zeit gehabt, ihr richtig in die Augen zu sehen. Rocket hatte diesen bösartigen und wild aussehenden Ring um die Augen. Kens Blicke fielen beim Auskleiden auf die Bilder an den Wänden; sie interessierten ihn nicht mehr.

Wie geschwind sie war! Sogar Banner hatte sie nicht einholen können! Daran musste er immerzu denken; es schien ganz unmöglich. Der Vater hatte immer gesagt, dass Rocket das schnellste Pferd im ganzen Gestüt sei; und nun war ihr Fohlen schneller als Banner!

Ken war am Nachmittag noch einmal auf Baldy hinausgeritten, um sie zu sehen; er hatte sich das nicht versagen können. Jenseits der Sattelhöhe hatte er die Einjährigen gefunden, und sobald sie ihn und Baldy bemerkt hatten, waren sie alle über den Berg davongelaufen, während er auf dem Kamm der Höhe dahingaloppiert war, von wo er seine Fohlenstute gut beobachten konnte. Die Beschaffenheit des Bodens schien für sie belanglos zu sein. Immer zwei Pferdelängen vor den anderen flog sie über die Spalten hin, Mähne und Schweif peitschten im Wind und die langen, feinen Beine schienen nach einem Punkt nur zu zielen, um ihn wieder zu verlassen. Sie kam Ken wie ein Märchenpferd vor, so ganz unähnlich war sie den anderen.

Auf dem Rückweg hatte Ken sich alles wiederholt, was ihm von ihr im Gedächtnis geblieben war. Als Howard und er im letzten Sommer die Frühlingsfohlen angesehen hatten, war sie ihm nicht aufgefallen. Aber er erinnerte sich, dass er sie bald nach ihrer Geburt gesehen hatte. Er war einmal an einem Feiertage im Frühling mit Gus auf der Wiese gewesen. Sie hatten treibendes Holz aus den Bewässerungsgräben gefischt und dabei hatten sie Rocket in einer Erdrinne an einem Hügelabhang bemerkt. Sie hatte damals ruhig dagestanden und scheu zu ihnen hinaufgeblickt.

»Ich will wetten, dass sie ein Fohlen hat«, sagte Gus und sie gingen vorsichtig die Rinne hinauf. Kopfschüttelnd und mit wildem Schnauben war Rocket geflohen und dort, wo sie gestanden, hatten sie ein rosiges, kleines Füllen gefunden, das sich noch kaum auf den Beinen halten konnte. Mit quiekender, schwacher Stimme war es auf unsicheren Beinen der Mutter nachgesprungen.

»Sieh doch die kleine Flicka!«, hatte Gus gesagt.

»Was heißt Flicka?«

»Das heißt auf Schwedisch ›kleines Mädchen‹.«

Er hatte das Fohlen später im Herbst wiedergesehen.

Da war es rosagelblich gewesen und hatte strähniges, unordentliches Haar gehabt. Mit ihren zu langen Beinen und der etwas zu hohen Kruppe hatte Flicka damals ungeschickt und nicht weiter vorteilhaft ausgesehen.

Und dann war er zur Schule gefahren und hatte sie erst jetzt wiedergesehen – und nun lief sie schneller als Banner! Ihre Augen hatten an diesem Morgen wie feurige Kugeln geleuchtet. Welche Farbe mochten sie haben? Banners Augen waren braun mit goldenen Lichtern oder golden mit braunen Schatten. Ihre Geschwindigkeit und ihr zarter Bau ließen ihn an einen Windhund denken, den er einmal hatte laufen sehen, aber im Grunde genommen war sie ja doch wie ein kleines Mädchen. Der Ausdruck ihres Gesichts, das wehende blonde Haar … Ken löschte das Licht und ging zu Bett. Er schlief ein, bevor noch das Lächeln aus seinem Gesicht verschwunden war.

»Ich nehme Rockets isabellfarbenes Stutenfohlen, es hat einen hellen Schweif und eine helle Mähne!« Ken machte diese Mitteilung am Frühstückstisch.

Alle waren erstaunt und schwiegen. Nell dachte nach und sagte: »Eine isabellfarbene Stute? Ich kann mich gar nicht entsinnen. Wie heißt sie denn?«

Aber Rob erinnerte sich gut. Als er Ken ansah, war das Lächeln aus seinem Gesicht verschwunden. »Ein Fohlen von Rocket, Ken?«

»Ja, Sir.« Auch Kens Gesicht veränderte sich. Kein Zweifel, sein Vater war nicht zufrieden.

»Ich hatte gehofft, dass du eine kluge Wahl treffen würdest. Du weißt, was ich von Rocket halte. Diese ganze Blutlinie …«

Ken blickte nieder; die Farbe wich aus seinen Wangen. »Sie ist sehr schnell, Papa – und Rocket ist auch schnell.«

»Es ist die schlimmste Blutlinie, die ich im Gestüt habe. Nicht eins von diesen Pferden ist bei Verstand. Die Stuten sind Teufelsweiber und die Hengste Räuber – sie können nicht gezähmt werden.«

»Ich werde sie zähmen.«

Rob lachte auf. »Weder ich noch sonst jemand hat je eins von ihnen wirklich zahm gemacht.«

Ken atmete schwer.

»Ändere doch deinen Entschluss, Ken. Du willst ein Pferd haben, mit dem du wirklich befreundet sein kannst, nicht wahr?«

»Ja!« Kennies Stimme bebte.

»Nun, mit diesem Stutenfüllen wirst du nie Freundschaft schließen. Im letzten Herbst, als alle Fohlen entwöhnt und von ihren Müttern getrennt wurden, da rissen sie und Rocket sich los. Kein Zaun kann sie halten. Sie ist jetzt schon voller Narben vom Durchbrechen der Stacheldrahtzäune, durch die hindurch sie ihrer tollen Mutter überallhin folgt.«

Ken blickte starr auf seinen Teller.

»Nun, entschließt du dich anders?«

»Nein.«

»Ich kann mich nicht erinnern sie in diesem Jahr überhaupt gesehen zu haben«, sagte Nell.

»Nein«, sagte Rob. »Als ich dich vor einigen Monaten bat nach den Fohlen zu sehen, ihnen Namen zu geben und Beschreibungen von ihnen anzufertigen, da fehlte ja ein ganzes Rudel; erinnerst du dich?«

»Ja, gewiss. Sie hat nie einen Namen bekommen.«

»Ich habe ihr einen Namen gegeben«, sagte Ken. »Sie heißt Flicka!«

»Flicka? Was für ein hübscher Name«, sagte Nell. Aber McLaughlin schwieg dazu und es entstand eine peinliche Pause. Ken hatte das Gefühl, dass er seinen Vater jetzt ansehen müsste, aber ihm fehlte dazu der Mut. Alles war nun wieder ganz anders geworden und sie waren nicht mehr Freunde. Er zwang sich aufzuschauen. Für einen Augenblick begegnete er dem zornigen Blick seines Vaters und sah schnell weg.

»Nun«, sagte McLaughlin rau, »das führt entweder zu deiner Beerdigung oder zu ihrer. Aber ich werde mir deswegen keine Unkosten machen. Jedes Mal wenn du auftauchst, kostest du mich Geld.«

Ken sah erstaunt auf und schüttelte den Kopf.

»Zeit ist Geld, denke daran. Es war meine Absicht gewesen, dir beim Zähmen deines Fohlens zu helfen. Gerade so viel, dass es reicht. Aber für diese Pferde reicht es ja nie.«

Gus erschien in der Tür. »Was gibt's heute, Herr Rittmeister?«

»Heute werden wir auf die Hügel reiten, um die Einjährigen hereinzubringen. Leg Taggert, Lady und Shorty den Sattel auf.«

Gus verschwand und McLaughlin schob seinen Stuhl zurück. »Das Erste, was wir tun müssen, ist sie hereinzubringen. Weißt du, wo die Einjährigen sich aufhalten?«

»Sie waren gestern am späten Nachmittag jenseits der Sattelhöhe in der Nähe von Dales Gestüt.«

»Gut. Du hast heute das Kommando und kannst Shorty reiten.«

McLaughlin, Gus und Ken ritten aus, um die Einjährigen zu holen. Howard stand an der Landstraße, um dort die Pforte zu öffnen und zu schließen. Es war leicht, die Tiere zu finden. Als sie merkten, dass sie verfolgt wurden, stoben sie davon. Ken war ganz hingerissen von Flickas Anblick, von ihrer Schnelligkeit, ihrer Kraft, ihrer Wildheit, sie war immer an der Spitze der anderen und Ken war nur noch Auge. Er saß – Shorty zurückhaltend – regungslos im Sattel, bis sein Vater im Galopp an ihm vorbeiritt und ihm zurief: »Was ist los? Warum hast du sie nicht abgefangen?« Da erwachte er und galoppierte hinterdrein.

Shorty brachte die ganze Herde herein. Die Pforten der Koppel wurden geschlossen und es dauerte eine Stunde, bis man die Ponys so hin und her gejagt hatte, dass Flicka in der kleinen, runden Koppel allein blieb. Gus nahm Shorty und trieb mit ihm die anderen Fohlen auf die Sattelhöhe zurück.

Aber Flicka wollte nicht allein zurückbleiben. Sie warf sich gegen die Stangen des Zaunes und versuchte hinüberzuspringen. Der Zaun war zwei Meter hoch.

Sie hängte sich mit den Vorderfüßen über die oberste Stange und kletterte hoch, während Ken den Atem anhielt vor Angst, dass ihre schlanken Beine sich zwischen den Pfählen verfangen und brechen würden. Die Stange, auf die sie sich stützte, brach; sie fiel rücklings zu Boden, wälzte sich, schrie auf und raste dann aufs Neue durch die Koppel.

Eine der Stangen brach. Sie warf sich dagegen und eine zweite zersplitterte. Sie gewahrte die Öffnung, steckte zuerst den Kopf hindurch, dann auch die Vorderbeine, und geschickt wie ein Hund, der durch einen Zaun kriecht, kletterte sie hindurch und floh, aus vielen Wunden blutend.

Als Gus, schon auf dem Rückweg, gerade dabei war, die Pforte zur Landstraße zu schließen, sauste Flicka hindurch, nahm auf ihre unnachahmliche Art in weitem Sprung Graben und Landstraße und rannte, schnell wie ein Kaninchen, den Abhang zur Sattelhöhe hinauf. Weit vom Berg her hörte Gus erregtes Wiehern: Sie hatte das Rudel erreicht, das soeben dorthin getrieben worden war, und nun sah er sie alle wie Hirsche über den Kamm der Hügel dahinrennen.

»Diese Hexe!«, sagte Gus und starrte regungslos hinauf, bis die Ponys jenseits der Höhe verschwunden waren. Er schloss die Pforte, bestieg Shorty von neuem und ritt zu den Koppeln zurück.

Auf dem Wege ins Haus gab McLaughlin seinem Sohne noch einmal die Möglichkeit, sich anders zu entscheiden. »Nimm dir doch lieber ein Pferd, von dem man erwarten kann, dass du es einmal wirst reiten können. Ich hätte diese ganze Blutlinie schon längst abgeschafft, wenn sie nicht alle so verdammt schnell wären, dass ich die dumme Idee habe, vielleicht doch noch einmal eins unter ihnen zu finden, das gefügiger ist und ein Rennpferd werden könnte. Aber bisher ist noch keins dabei gewesen und Flicka wird es jedenfalls nicht sein.«

»Nein, Flicka wird es nicht sein«, wiederholte Howard.

»Aber vielleicht könnte sie doch gehorsam werden«, sagte Ken, und obwohl seine Lippen zitterten, lag fanatische Entschlossenheit in seinem Blick.

»Ken«, sagte McLaughlin, »du hast dich zu entscheiden. Wenn du sagst, dass du sie haben willst, dann werden wir sie holen. Sie wäre nicht die Erste, die lieber dabei draufgeht, als dass sie sich fügt. Sie sind schön und sie sind schnell, aber ich muss dir sagen, junger Mann: Bei denen ist es nicht richtig im Kopf.«

Ken wand sich unter dem festen Blick des Vaters.

»Wenn ich sie jetzt noch einmal holen gehe, werde ich sie nicht schonen, was auch kommen möge. Verstehst du, was ich damit meine?«

»Ja.«

»Wofür willst du dich entscheiden?«

»Ich will sie haben.«

»Dann ist das abgemacht.« Rob schien plötzlich ruhig und gleichgültig geworden zu sein. »Wir wollen sie morgen oder übermorgen hereinholen. Heute Nachmittag habe ich etwas anderes vor.«

Rocket rennt
um fünfhundert Dollar

Ken lag auf dem Hügel hinter dem Rasenplatz auf dem Waldboden ausgestreckt und stützte das Kinn in die Hände. Er konnte das Haus drunten sehen. Hin und wieder hörte er Stimmen aus der Küche: Howard erzählte seiner Mutter, wie es zugegangen war, als sie Flicka hereingebracht hatten.

Es war nicht mehr lange bis zum Mittagessen. Am liebsten wäre er hiergeblieben. Howard würde sehen wollen, was für ein Gesicht er nun machte. Der Vater würde ihn gar nicht beachten oder ihn nur anstarren. Und die Mutter ansehen – das wäre von allem das Schlimmste.

Beide Hunde waren auf der Terrasse. Es war ein heißer, schwüler Tag, und Tim und Gus waren damit beschäftigt, das Sonnensegel über die Pergola zu spannen. Nell hatte schon häufig davon gesprochen, dass es jetzt an der Zeit sei. Tim arbeitete oben, Gus auf der Terrasse; er zog das Segel glatt und Tim nagelte es fest.

Ken konnte sich gar nicht vorstellen, was nun geschehen würde. Würde er die kleine Stute bekommen? Sie gehörte ihm, das war von niemandem bestritten

191

worden, aber würde man sie fangen können? Vielleicht musste man nach mehreren vergeblichen Versuchen – wenn sie so ausfielen wie heute Morgen – die Sache aufgeben. Dann blieb seine Stute für immer draußen auf den Hügeln: wild, frei, allein, ohne je mit ihm Freundschaft zu schließen. Und auch der Vater würde vielleicht niemals sein Freund werden. Alles zerstört, auch der ganze Sommer. Und Howard auf seinem Highboy würde mehr denn je auf ihn herabsehen.

Das Geräusch eines nahenden Autos ließ ihn aufblicken: Zwischen den Baumstämmen konnte er einen langen, grauen, eleganten Wagen sehen, der jetzt an der Wegbiegung war, dann über die Brücke fuhr und schließlich hinter dem Haus hielt.

Wer mochte das sein? Der Vater trat bereits aus der Vordertür auf die Terrasse heraus und jetzt erschien der Besucher um die Hausecke herum – Ken konnte nicht herausbringen, wer es war: ein sehr langer Mann, jedenfalls keiner der Nachbarn, mit einem breitrandigen Filzhut. Der Vater streckte ihm beide Hände entgegen und begrüßte ihn laut. Vielleicht war es ein Offizier von seinem alten Regiment.

Nell kam – noch mit der Schürze – aus dem Haus gelaufen und wieder gab es eine freudige Begrüßung; dann kam Howard und Ken konnte sehen, wie er vorgestellt wurde und dem Fremden die Hand gab. Die Mutter ging ins Haus zurück; Gus und Tim hatten ihre Arbeit beendet und waren zum Geräteschuppen unterwegs. Howard saß auf der Mauer der Terrasse, wo

192

er hören konnte, was drinnen gesprochen wurde; er spielte mit den Hunden.

Ken fühlte sich von alldem ausgeschlossen. Er fragte sich, ob der Fremde zu Tisch bleiben würde, aber bei dem Gedanken an Flicka vergaß er ihn bald. Er legte den Kopf auf den Arm. In seiner Nähe summte eine Fliege; es war eine von den »Sommerrennfliegen«, die immer so schnell in engen Kreisen herumflogen. Sie tummelten sich gewöhnlich hier unter den Kiefern, und obwohl sonst nichts Hübsches an ihnen war, machte ihr Summen einen doch froh, weil es mit zum Sommer gehörte, zu Tannennadeln und heißem Sonnenschein.

Ken grub mit einem Stöckchen ein kleines Loch in den Waldboden. Einige Ameisen liefen geschäftig hin und her. Er legte einer von ihnen sein Stöckchen in den Weg und sah zu, wie sie hinüberkroch. Dann schüttelte er sie ab, hielt wieder den Stock hin und sie kroch aufs Neue hinüber. Wenn er das den ganzen Vormittag lang tat, dann würde, meinte er, die Ameise Hunderte von Malen über das Stöckchen klettern, ohne doch irgendwohin zu gelangen.

Wie mochte Flicka sich jetzt fühlen? Ob sie wohl noch daran dachte? Hasste sie nun alle hier? Auch ihn? Es hieß ja, dass Pferde nie vergessen. Und jetzt war etwas viel Schlimmeres geschehen, an das sie sich erinnern konnte: Vielleicht dachte sie an Banner, der sie gejagt und gebissen hatte; oder daran, wie man sie in die Koppel getrieben hatte und wie sie durch den Zaun hinausgekrochen war, wobei sie sich verletzt und arg zerschunden hatte.

Die Glocke ertönte. Er stand auf und blickte hinab. Nell hatte Howard hinausgeschickt, um die große Lokomotivglocke zu läuten, die in einem eisernen Rahmen hoch über dem steilen Dach eines der Wirtschaftsgebäude hing. Der Vater hatte diese Glocke von der Eisenbahnverwaltung gekauft; sie war innen rot, aus glänzendem Messing; ein langer Draht hing vom Dach bis zum Boden herab und man läutete sie, indem man an einem hölzernen Griff zog, der sich am Ende des Drahtes befand. Der Ton trug weit über das ganze Gebäude des Gestütes hin; drunten auf den Wiesen hörte man ihn ebenso gut wie in den Ställen.

Howard läutete, um Ken zu rufen; niemand wusste ja, wo er steckte. Ken stand auf, lief den Hügel hinab, über den Rasenplatz und durch die Küche ins Haus, um sich die Hände zu waschen und das Haar zu bürsten.

Die Mutter war in der Küche und schien ein wenig nervös zu sein. »Mr Sargent ist hier, Kennie, er bleibt zu Mittag und wir essen heute im Speisezimmer. Ihr beide müsst mir helfen.«

Gleich darauf war Ken auf der Terrasse und gab Mr Sargent die Hand. Der Vater nahm ihn bei der Schulter und sagte: »Hier ist der andere. Beide sind Zureiter, wie Sie sehen.«

Charley Sargent, an den Ken sich nun erinnerte, schüttelte ihm herzlich die Hand, während Ken in das lange, lustige Gesicht unter dem großen Sombrero emporblickte; er fühlte sich mit einem Male viel besser, denn alle schienen Flicka vergessen zu haben und gar nicht mehr zu wissen, dass er in Ungnade war.

Zu Mittag gab es ein Frikassee aus den Kaninchen, die er und Howard am Abend vorher geschossen hatten; dazu hatte Nell weißen Reis und eine Sahnesoße mit Pilzen gekocht, und Charley Sargent war ganz begeistert vom Brot und bat sich immer wieder ein paar Scheiben davon aus; denn zu Hause, sagte er, bekomme er nur Brot aus der Bäckerei; er habe deshalb geglaubt, dass die Kunst des Brotbackens in Wyoming ausgestorben sei.

Howard und Ken sprachen nicht viel, aber dafür sprachen die drei Erwachsenen umso mehr und es war sehr interessant, ihnen zuzuhören, denn Charley Sargent sagte alles auf eine so lustige Art, dass man fortwährend lachen musste. Das Gespräch war sehr spannend, denn es drehte sich um das Verladen einer Wagenlast Pferde, die von Sargents Gestüt an einen Mann in Los Angeles geschickt werden sollten, um dann auf Bestellung an einen Poloklub weiterzugehen. Auf dem Lastauto war noch Platz für einige Pferde und Sargent wollte wissen, ob McLaughlin sich an dem Geschäft und an den Transportkosten beteiligen wolle.

Ken blickte seinen Vater an und sah, dass er in bester Laune war. Seine blauen Augen leuchteten und beim Lachen blitzten die Zähne in seinem dunklen Gesicht. Auch die Mutter sah glücklich und froh aus. Ihr Haar war so glatt und weich, und ihre Augen strahlten; sie hatten die Farbe der dunklen Iris, die in einer Schale mitten auf dem Tisch standen. Zu allem, was gesagt wurde, hatte sie, wie Charley Sargent behauptete, etwas Lustiges hinzuzufügen und so ging es denn bald sehr munter her. Auch die Jungen lachten.

Nach dem Mittagessen ging McLaughlin mit Sargent ins Schreibzimmer, und während die Mutter abwusch und in der Küche abräumte, deckten Ken und Howard den Tisch ab. Dabei hörten sie Vater im Nebenzimmer über Rocket sprechen. Die beiden Männer saßen mit großen Gläsern bei einer Flasche Whisky und McLaughlin sprach laut.

»Ich sage Ihnen: Mit allen Ihren Rennpferden reichen sie nicht an dieses Pferd heran. Eine halbwilde, ungezähmte Stute – niemand hat sie an den Sattel gewöhnen können –, aber ich kann Ihnen zeigen, dass diese Teufelin so läuft, wie Sie dergleichen noch nicht gesehen haben. Fünfundzwanzig, achtundzwanzig – dreißig Meilen in der Stunde!«

Ken brachte seiner Mutter ein Teebrett mit Tellern und sagte: »Der Vater erzählt ihm von Rocket.«

Nell ging zur Tür und stand mit dem Handtuch über der Achsel und einem tropfenden Glas in der Hand einige Augenblicke lauschend da. Rob und Sargent lachten; Sargent rief: »Sie fabeln ja …«

»Nein, ich sage Ihnen …«

»Solch ein Tier kann es ja gar nicht geben!«

»Um was wollen Sie wetten?«

»Wenn ich eine Stute bekommen würde, die unge-schult achtundzwanzig Meilen in der Stunde macht …«

»Wenn Sie sie bändigen können, werden Sie mit ihr ein Vermögen verdienen!«

»Ich habe einen Cowboy, der mit jedem Pferd fertig wird.«

»Außer mit Rocket! Aber auch wenn Sie sie nicht zahm bekommen, können Sie doch immer Rennpferde mit ihr züchten.«

»Jake wird sie schon zähmen, wenn sie es wert ist.«

»Wert ist! Ich habe Ihnen doch gesagt …«

»Kann sie denn wirklich dreißig in der Stunde ma-chen?«

»Ich verkaufe sie Ihnen billig.«

»Für wie viel? – Wie schnell, sagten Sie?«

»Ich verlange fünfhundert.«

»Haben Sie eine Kontrolluhr?«

»Ich habe einen Geschwindigkeitsmesser.«

Alles andere wurde vergessen über Rocket, und noch bevor Nell den Teppich im Esszimmer gebürstet hatte, rief McLaughlin schon nach Ross und Gus und ließ sat-teln, um die Zuchtstuten hereinzubringen.

»Bringt sie alle her«, sagte er. »Ich kann nicht damit rechnen, dass ich sie allein hierherbekomme. Banner muss mithelfen.«

Sargent in seinem eleganten Tweedanzug und mit dem großen Sombrero auf dem dünnen grauen Haar ritt Shorty; zum Glück war das Rudel der Zuchtstuten nicht weit weg, und der Nachmittag war noch nicht zur

Hälfte vergangen, als man sie alle in den Koppeln hatte, wo sie nun in die Runde rannten. Banner war sehr neugierig, warum man sie wohl hereingebracht hatte; er ließ McLaughlin nicht aus den Augen. Rocket machte wilde Augen und war sehr unruhig, wie gewöhnlich, besonders als sie merkte, dass man sie von den anderen getrennt hatte, so dass sie nun in der kleinen Koppel allein war.

»Warum hat sie dieses Halsband?«, fragte Sargent. »Ist das eine besondere Auszeichnung?« Während er das sagte, ging er um sie herum, betrachtete mit scharfem Blick ihre breite Brust, die aufgesperrten Nüstern, die langen, starken Sprunggelenke; sie war ein wenig überbaut und etwas zu lang. Ihre Augen gefielen ihm ebenso wenig wie ihre Art, die Nase hoch in der Luft zu tragen. Rob schämte sich wegen des alten Strickes, den sie um den Hals trug. »Ich habe ihr den längst abnehmen wollen.«

»Dazu ist jetzt gute Gelegenheit.«

Rob lachte. »Ich habe Ihnen doch gesagt, dass sie eine Teufelin ist. Wahrscheinlich werde ich mein Leben über diesem Versuch verlieren, den Strick abzuschneiden; deshalb würde ich sie lieber vorher verkaufen.«

Er beschloss Rocket auf der Stallweide Probe laufen zu lassen, und zwar auf dem ebenen Grasstreifen, der sich am Zaun längs der Landstraße hinzog. Er ging zum Hause und alle setzten sich in den großen Studebaker, Nell und die Jungen auf den Rücksitz und Sargent neben Rob. Sie fuhren zuerst zu den Ställen und

Ken öffnete die Pforte, die auf die Stallweide führte; der Wagen wartete auf ihn, bis er sie wieder geschlossen hatte. Gus stand in der Koppel und McLaughlin rief ihm zu, Rocket hinauszulassen. Er öffnete die Pforte und die große Stute trat langsam, im Schritt, auf die Weide hinaus; sie blieb stehen und blickte sich um, als sei sie erstaunt, dass die anderen nicht folgten.

McLaughlin fuhr nun auf Rocket zu. Sie schlug die gewünschte Richtung ein, der Studebaker folgte; sie fing an zu traben, hob mit gespitzten Ohren den Kopf, und obwohl McLaughlin mehr Gas gab, machte die Stute keine Miene, sich noch mehr ins Zeug zu legen; sie hielt aber mit Leichtigkeit den Abstand zum Wagen.

Plötzlich brach sie seitwärts aus und McLaughlin machte einen Bogen, um sie wieder zum Zaun zu treiben, aber sie hatte sich's anders in den Kopf gesetzt. Sie bog zu den Wäldern ab mit so großer Geschwindigkeit, dass sie nach wenigen Augenblicken außer Sicht war.

Rob fluchte gründlich, aber er folgte ihr unter den Bäumen und fuhr dann einen eingetretenen Pfad entlang, der zum Wildbach hinabführte. Beim Durchqueren des Baches an einer seichten Stelle sahen sie die Stute wieder. Sie kam unter den Espen auf der anderen Seite hervor und war bald am Zaun, der die Weide im Norden abgrenzte. Dort wendete sie und lief den Zaun entlang.

McLaughlin hatte ihr Zögern und Hinausspähen über den Zaun bemerkt und sagte: »Sie denkt wieder an die Wiese beim Burgfelsen.«

Nun blieb die Stute stehen und auch McLaughlin

machte mit seinem Wagen halt. Plötzlich hob Rocket die Vorderbeine, und ohne sich erst die Mühe eines Sprunges zu machen, brach sie krachend durch den Zaun und riss die Drähte nieder, ohne sich um die Stacheln zu kümmern, die ihr die Haut zerfetzten. Im Nu war sie im Wäldchen auf der anderen Seite verschwunden. In solchen Augenblicken griff McLaughlin tief in den Vorrat von Kraftausdrücken, den er sich während seiner Dienstzeit in der Armee der Vereinigten Staaten angeeignet hatte. Charley Sargent lachte.

»Sie kehrt zur Burgfelsenwiese zurück«, sagte Rob. »Vor ein paar Wochen hat sie dort ein Fohlen verloren und das geht ihr nicht aus dem Kopf. Sie bricht durch jeden Zaun, und Gus oder ich werde morgen wieder mal Extraarbeit haben. Hier, Howard, steig aus und repariere den Draht!« Er zog eine Zange und eine Drahtschere hervor und gab sie Howard, der an einem Pfosten ein loses Stück Draht gefunden hatte und damit die zerrissenen Enden zusammenfügte.

»Jetzt«, sagte Rob, »wollen wir sie damit überraschen, dass wir sie beim Espenwäldchen treffen. Sie wird vor uns dort sein.«

Sie rumpelten und humpelten durch die Wäldchen und folgten dabei den engen Pfaden, die hier unten am Fluss durch scheinbar undurchdringliches Gesträuch und Dickicht führten. Sie schlängelten sich um Baumstämme und Steine und kamen schließlich auf einen mit niedrigen Büschen bewachsenen Abhang hinaus. Bei der Fahrt an dieser Höhe entlang neigte sich der

Wagen so stark auf die Seite, dass sie beständig in Gefahr schwebten umzukippen. Als sie das Espenwäldchen endlich erreichten, hatte Rocket ihre Untersuchungen dort offensichtlich beendet und sich das Fohlen aus dem Sinn geschlagen. Sie graste ruhig auf den Hügeln oberhalb der Wiese. Um dorthin zu gelangen, hatte sie drei Zäune durchbrochen.

McLaughlin fühlte sich erleichtert. »Sie ist jetzt nicht weit von dem Weg, der über das nördliche Gelände nach Hause führt. Der Boden ist nirgends so eben wie gerade hier. Wenn sie beschließt zu den Koppeln zurückzukehren, wird sie wahrscheinlich diesen Weg einschlagen.«

Er fuhr im Bogen um die Stute herum. Sie beachtete es nicht, bis er ein Signal mit der Hupe gab. Dieser Ton war ihr verhasst; einen Augenblick blickte sie nervös um sich und rannte dann in der Richtung auf das Haus davon; das Auto hinterdrein.

Auf keinem anderen Boden hätte sie besser ausgreifen können. Niemand im Wagen sagte ein Wort; aller Blicke hingen gespannt an der Stute, die endlich in vollen Galopp übergegangen war. Mit jedem einzelnen Satz griff sie weiter aus als andere Pferde, vor allem war der völlige Mangel an jeder Anstrengung erstaunlich bei ihr. Sie schien vom Winde getragen zu werden, und mit einer Freude, die ihn fast erstickte, dachte Ken daran, dass auch Flicka diesen mühelosen Galopp beherrschte, der wie ein Dahinströmen war. Worin lag die geheime Kraft? Vielleicht war es die etwas zu hohe

Kruppe, vielleicht die Körperlänge, die nur um ein Geringes das Gewöhnliche überstieg.

Ken, Howard und Nell hingen alle vorgebeugt über der Lehne des Vordersitzes.

»Donnerwetter!«, sagte Sargent vor sich hin. »Die ist ja wie eine Lokomotive. Läuft sie übrigens immer mit der Nase so hoch in der Luft?«

»Ja«, sagte Rob, »sie ist ein Sterngucker.«

»Fahren Sie schneller!«, sagte Sargent. »Sie strengt sich ja gar nicht an.«

»Passen Sie auf den Geschwindigkeitsmesser auf.«

Der Wagen fuhr schneller; der Geschwindigkeitsmesser stand auf dreißig. Die Stute schien sich nicht noch mehr ins Zeug legen zu wollen, hielt aber mit Leichtigkeit den Abstand zum Wagen.

Als Rocket die Landstraße erreichte, die von der Lincolnstraße abzweigte, machte sie eine Wendung dem Hause zu; McLaughlin folgte.

»Jetzt mal richtig schnell!«, rief Sargent. »Wenn der Geschwindigkeitsmesser mehr als dreißig zeigt, kaufe ich sie!«

»Das ist leicht zu machen«, sagte Rob von oben herab; dabei gab er mehr Gas und drückte auf die Hupe. Die Stute schnellte vorwärts. Sargent hielt ein Auge auf sie und eins auf den fortwährend kletternden Geschwindigkeitsmesser: dreißig – einunddreißig – dreiunddreißig – und er war schon in der Nähe von fünfunddreißig, als Rocket über die kleine Brücke donnerte und zum Rasenplatz hinaufstürmte.

»Papa, denk an die Grabenbrücke!«, rief Howard. Aber McLaughlin hielt das Tempo. Ebenso Rocket. Als sie sich dem Graben näherte, griff sie weiter aus, ihr Körper hob sich und ohne sichtliche Anstrengung flog sie über den fünf Meter breiten Graben, als ob es bloß ein Bach gewesen wäre.

Rob und Sargent kehrten zu ihren Gläsern im Schreibzimmer zurück und nach einer Stunde war der Handel abgeschlossen: Sargent kaufte Rocket für fünfhundert Dollar unter der Bedingung, dass man sie gesund und unverletzt auf seinem Gestüt ablieferte.

»Aber wie Sie das fertigbringen wollen, mein Lieber«, sagte er mit breitem Lächeln, »das möchten wir alle gern wissen.«

»Überlassen Sie das nur mir«, prahlte Rob. Er versprach auch, die vier Dreijährigen so weit zu zähmen und zu schulen, dass sie zehn Tage später mit Sargents Wagenlast nach Los Angeles verfrachtet werden konnten. Damit endete der interessante und gewinnbringende Nachmittag und Sargent fuhr nach Hause.

Beim Abendessen wurde jedes Ereignis des Tages durchgesprochen, sogar das Kaninchenfrikassee und Nells Brote, die dunklen Iris auf dem Esstisch, Charleys Blicke, wenn er Nell ansah, die Komplimente, die er ihr gemacht hatte, und die Neckereien zwischen ihm und Rob.

Nachher gingen die Knaben mit ihren Zimmerstutzen hinaus, um wieder Wildkaninchen zu schießen, und Nell und Rob saßen auf der Terrasse und genossen den Abend. Ein magisches Licht, das aus dem sanften Indigoblau des Himmels hervorzugehen schien, lag über der Erde, und hinter dem Rasenplatz, gerade über dem Hügel, glänzte ein goldener Stern. Er blinzelte kokett und nicht weit von ihm winkte eine weiße Wolkenmasse wetterleuchtend zurück. Immer wieder zuckte es in ihr wie von elektrischen Lampen auf; sie konnte ganze zehn Minuten lang von goldig-rosa Licht erfüllt sein und dann ein paarmal aufblinken und leise grollend verlöschen. Der Stern funkelte in fröhlicher Erwiderung. Sonst regte sich nichts in dieser Welt des Zwielichts; alles schien ganz Auge zu sein für dieses Spiel zwischen Wolke und Stern.

Schließlich war der Himmel übersät von Lichtern, und bald aufblitzend, bald grollend zog die Wolke weiter und verschwand.

»Die Jungen sind zur Wiese hinuntergegangen, nicht wahr, zur Burgfelsenwiese?«, fragte Nell.

»Ja, sie wollen Kaninchen schießen.«

Nell schwieg. Ein leichter Wind war aufgesprungen und spielte in den Kiefern auf dem Hügel; es klang wie Seufzen. Unter dem sternklaren Himmel sahen Erde und Kiefern sehr schwarz aus. In dieser Dunkelheit, die sich zwischen Dämmerung und Mondlicht gelegt hatte, dachten Rob und Nell mit Unruhe daran, dass die Jungen noch nicht vom Burgfelsen zurück waren; und weil es ihnen unmöglich war, an etwas anderes zu denken, schwiegen sie. Beide waren froh, als drüben auf dem Rasenplatz zwei dunkle Schatten erschienen und Howards Stimme sagte: »An Rockets Fohlen ist wieder genagt worden; nun ist kein Stückchen Fleisch mehr daran – es riecht sogar kaum noch.«

»Vielleicht hat der Berglöwe sich wieder darüber hergemacht«, sagte Ken.

»Bevor es dunkel wurde, suchten wir nach Spuren, haben aber keine finden können.«

»Nun, und die Kaninchen? Ich dachte, ihr wolltet welche schießen?«

Jeder der Knaben zeigte zwei Kaninchen vor.

»Gut, lauft zum Gerätehaus, zieht sie ab und nehmt sie aus; es ist bald Zeit zum Schlafengehen.«

Die Knaben verschwanden. Rob sagte: »Nell!«

Er bekam keine Antwort und beugte sich zu ihr hinüber. Ihr Kopf war zur Seite gesunken, sie lag ausgestreckt im Klappstuhl – und schlief.

Rob macht Schluss
mit Rockets Sippe

Robs Arbeit für den nächsten Tag stand fest. Banner und die Stuten waren hinausgetrieben worden, bald nachdem Sargent weggefahren war, nur Rocket war in einer der Koppeln allein zurückgeblieben und sie war unruhig, obschon man ihr ein reichliches Maß Hafer in den Futterkasten geschüttet hatte.

»Die Schlinge?«, fragte Nell beim Frühstück. »Willst du dir wirklich die Mühe machen, sie abzunehmen, bevor Rocket verladen wird?«

»Glaubst du, dass ich sie mit dem alten Bindfaden um den Hals abliefern werde?«, fragte Rob gekränkt.

Howard und Ken blickten einander an. Das hieß so viel wie: dass Rocket in den »Gang« gebracht werden musste. Zuerst dort hinein und dann auf das Lastauto!

»Wer wird das Auto fahren?«, fragte Nell.

»Ich fahre selbst. Werde Gus mitnehmen – kann sein, dass ich ihn brauchen werde …«

Das Frühstück war schnell beendet und McLaughlin eilte zu den Ställen. Er gab Anweisung, das Lastauto für die Fahrt in Ordnung zu bringen. Tim wollte beim Einfangen mithelfen.

Es gelang ohne viel Mühe, Rocket durch die Koppeln zu jagen, aber als sie wieder in der kleinen Umzäunung war, die in den »Gang« führte, und als das schwere Tor sich hinter ihr schloss, fing sie an zu schnauben und zu steilen. Obschon man sie antrieb, ihr zuschrie und über den Zaun hinweg mit Decken und Gerten über ihren Rücken fegte, war sie doch zu klug, als dass sie sich in den engen Gang hineingewagt hätte. Denn sie konnte hindurchsehen: am anderen Ende versperrte ihr eine schwere Tür den Weg.

»Es liegt an der Tür dort«, sagte McLaughlin. »Sie sieht, dass es aus dem Gang keinen Ausweg gibt. Wir werden dort öffnen müssen, damit das Tageslicht hindurchscheint. Dann werde ich sie vielleicht hineinbringen können, wenn ich sie gründlich antreibe. Ken, klettere doch dicht bei der Tür auf die Wand des Ganges hinauf und öffne dort. Sobald Rocket hineinrennt, schlage die Tür zu. Hier muss schnell gedacht und schnell gehandelt werden. Du musst dich hinunterbeugen und die Tür von oben her zuschlagen; das ist nicht leicht. Pass auf, dass du nicht in den Gang hinunterfällst. Die Tür öffnet sich nach innen; wenn du sie zu drei Vierteln geschlossen hast und sie dagegen anrennt, wird sie selbst die Tür völlig zudrücken …«

Ken kletterte, unsicher vor Erregung, auf die Wand des Ganges hinauf. McLaughlin stellte sich mit einer Decke über dem Arm auf eine der unteren Querstangen des Zaunes. »Fertig, Ken? Öffne die Tür!«

Ken beugte sich vor und stieß die Tür auf und im selben Augenblick schwang Rob mit gellem Geschrei die Decke über Rockets Kruppe. Rocket sah am Ende des Ganges Tageslicht und stürzte darauf zu. Ken schloss wieder die Tür – gerade rechtzeitig – und die Stute stieß krachend dagegen. Sie war genau unter ihm, und als er sich zurückzog, steilte sie und ihr großer Kopf mit den wilden Augen war seinem Gesicht gerade gegenüber.

»Tim! Den Balken!«, rief McLaughlin und Tim, der schon bereitstand, schob einen schweren Pfosten durch beide Wände des Ganges und verlegte Rocket dadurch den Rückweg. Der Pfosten befand sich in Höhe ihrer Kruppe, war also zu hoch für sie, um mit den Beinen hinüberzuschlagen, und zu niedrig, als dass sie darunter hätte hindurchkriechen können.

Als Rocket wieder auf allen vieren stand und den Balken hinter sich fühlte, fing sie an zu toben.

McLaughlin kletterte Ken gegenüber an der Wand des Ganges empor und versuchte den Kopf des rasenden Tieres zu fassen. Rocket bäumte sich aufs Neue und das gab ihm Gelegenheit, den Strick mit beiden Händen zu ergreifen. Sie schüttelte den Kopf und versuchte sich loszureißen, aber er hängte sich an sie und wurde beinahe über die Wand hinübergezogen. Sie schrie auf und streckte den Kopf mit gebleckten Zähnen vor. McLaughlin duckte sich, sie fiel auf die Füße zurück und er musste loslassen. Nun senkte sie den Kopf tief und begann zu schlagen; ihre Beine trommelten gegen die Wände des Ganges und ein Bein geriet über den Balken hinter ihr; aber in dem darauffolgenden Tumult ihrer Sprünge bekam sie es wieder frei.

Danach bäumte sie sich wieder und das gab McLaughlin neue Gelegenheit, sie am Kopf zu fassen. Ken beobachtete das Gesicht des Vaters: Zorn und unerbittliche Entschlossenheit waren darin zu lesen. Mit der Schere in der rechten Hand wartete er auf einen günstigen Augenblick.

Plötzlich stand Rocket einen Augenblick still; ihre Flanken arbeiteten, und ihre Atemzüge waren beinahe ein Stöhnen. McLaughlin streckte schnell die Hand aus und schnitt den Strick durch, der zu Boden fiel. Im gleichen Augenblick aber steilte die Stute aufs Neue; McLaughlin konnte sich nicht schnell genug zurückziehen und der Kopf des Pferdes traf ihn ins Gesicht.

Ken sah, dass Blut aus dem Auge des Vaters spritzte und dass gleichzeitig Rockets schaumbedeckter Kopf einen Bogen rückwärts beschrieb: Sie stürzte rücklings zu Boden und der Balken hinter ihr brach.

Einen Augenblick hielt sich McLaughlin an der Wand fest, er fluchte, während er die andere Hand an das Gesicht drückte. Die Stute unter ihm warf wie toll ihren großen Körper von einer Seite zur anderen. Ihre Hufe donnerten gegen die Wände.

McLaughlin stieg hinunter und band sich sein Halstuch um das blutende Gesicht. Sein Auge schwoll zusehends. »Da haben wir's also!«, sagte er und ging zu den Ställen.

Rocket machte unter Stöhnen und lauten Schreien

verzweifelte Anstrengungen, auf die Füße zu kommen. Sie war so weit nach hinten gefallen, dass Kopf und Hals schon beinahe in die vor dem Gang befindliche Umzäunung hineinragten; daher konnte sie die Vorderbeine besser bewegen, allmählich aus dem Gang herausarbeiten und zu guter Letzt aufspringen.

»Wir müssen weitermachen, Gus«, sagte McLaughlin. »Hol das Lastauto und fahr damit rückwärts vor den Ausgang des Ganges. Wir wollen sie da hindurch und über den Steg gleich auf das Auto treiben. Tim, hol den Steg und setz ihn dicht an den Gang.«

»Wäre es nicht besser, Herr Rittmeister, Sie ließen erst mal nach Ihrem Auge sehen?«, sagte Gus. »Und auch die Wange – die ist ja schlimm aufgerissen und klafft. Die Missus wird Sie verbinden.«

Rob hielt das Taschentuch an sein Auge. Er blickte an sich selbst nieder und sah, dass er schaum- und blutbedeckt war. »Ja, ich werde mal erst gehen und das abwaschen«, sagte er stirnrunzelnd. »Mit der Stute will ich aber keine Scherereien mehr haben. Man weiß nie, was sie anstellen wird. Ist sie erst mal auf dem Auto, dann sind wir einigermaßen sicher; aber sie dorthin zu bekommen – das ist eben die Sache. Am besten wäre es, du satteltest Shorty. Ich werde ihn durch den Gang und über den Steg reiten und es könnte sein, dass sie hinterhergeht und ihm auf das Auto folgt.«

Während Tim und Gus damit beschäftigt waren, das Auto rückwärts dicht vor den Gang zu fahren, ging Rob ins Haus, um sich einen Notverband machen zu lassen.

»Mir scheint, dass es genäht werden muss«, sagte Nell. Sie hatte sich die Hände mit heißem Wasser gewaschen und ihr Verbandzeug auf dem Küchentisch ausgebreitet. Jetzt untersuchte sie die Wunde. »Es ist auf dem Backenknochen, unter dem Auge. Ein breiter Riss.«

»Tief?«, fragte Rob.

»Nicht sehr.«

»Drücke es zusammen und kleb Heftpflaster darüber.«

Nell hielt die Wundränder aneinander, und als die Blutung beinahe aufgehört hatte, klebte sie kleine Brücken von schmalen Heftpflasterstreifen quer darüber. Zuletzt machte sie über das Ganze einen Verband.

Als sie fertig war, schlang sie die Arme um Robs Hals, legte die Wange an die seine und drückte ihn an sich. Er fühlte, dass sie zitterte.

»Mach dir keine Sorgen, Liebe«, sagte er. »Es ist nichts.« Er streichelte ihre Schulter und plötzlich drückte er sie fest an sich und küsste sie. Dann ging er hinauf und erschien ein wenig später in einem tadellosen Reitanzug.

Das Verladen von Rocket ging dann später verhältnismäßig mühelos vor sich. Rob ritt Shorty durch den Gang auf das Lastauto und Rocket folgte hinterdrein. Dann wurde Shorty wieder hinuntergebracht, und bevor Rocket ihm folgen konnte, schloss man die Rückwand des Wagens.

Flucht war nun unmöglich für sie. Die Wände des

Wagens waren sechs Fuß hoch und durch Balken verstärkt. Rocket steilte, stampfte und wieherte wild, sie sprang und warf sich hin und her; wieder und wieder glitt sie auf den Brettern aus und stürzte zu Boden, aber sie kam immer wieder hoch, um sofort aufs Neue zu beginnen. Sonst aber konnte sie nichts anstellen und niemand schenkte ihr weiter Beachtung.

Rob holte triumphierend das Strickende aus dem Gang und hängte es sich um den Hals. Er setzte sich neben Gus auf den Führersitz und die Jungen baten, bis zur Biegung auf die Lincolnstraße mitfahren zu dürfen. Sie saßen auf dem Trittbrett und riefen Nell Lebewohl zu, als sie am Hause vorbeifuhren. Nell winkte ihnen nach.

Aber damit war die Geschichte von Rocket noch nicht zu Ende. Dort, wo der Weg von der Lincolnstraße abbog, hing das Schild des Gänseland-Gestüts. Jeder Züchter ist stolz auf sein Schild, unter dem alle Besucher hindurchfahren müssen, und jeder ist bemüht ihm ein möglichst eigenes und wirkungsvolles Aussehen zu geben.

McLaughlins Schild hing über einem hohen, viereckigen Tor. Auf die breite, horizontale Querfläche hatte er in roten Buchstaben auf blauem Grund »Gänseland-Gestüt« gemalt und an den Seiten war bildlich dargestellt, was alles hier produziert wurde.

Als sie sich dem Schild näherten, waren Rockets wilde Augen darauf gerichtet. Offenbar schien ihr, dass es aus dem Himmel herniederhing. Sie bäumte sich vor dieser Begegnung auf, und gerade als sie auf den Hinterbeinen stand, traf sie der untere Rand des Schildes am Kopf. Es gab einen furchtbaren Krach auf dem Auto; McLaughlin blickte besorgt zurück; er hielt den Wagen an und alle stiegen aus. Da sahen sie, dass Rocket regungslos dalag.

Gus warnte ängstlich, aber Rob stieg dennoch über die Seitenwand. Das war nun nicht mehr gefährlich, denn Rocket sollte sich nie mehr rühren.

Alle standen um den Wagen herum und niemand wagte ein Wort zu sagen, bevor McLaughlin sich geäußert hatte. Das Blut war ihm ins Gesicht geschossen und machte sein geschwollenes Gesicht noch röter; in seinen Augen flackerte Wut. Ken hatte das nicht anders erwartet; McLaughlin geriet immer in Wut, wenn er übervorteilt wurde oder etwas, worauf er Wert legte, verloren hatte.

Er lachte bitter. »Da haben wir es also!«, rief er. »Ich freue mich bloß darüber. Jetzt macht uns die gottverfluchte alte Mähre nicht mehr zu schaffen. Ich wünschte nur, ich hätte sie und ihre ganze Nachkommenschaft schon vor Jahren abgeschossen. Gus, bring sie mit dem Auto zum alten Minenschacht und wirf sie hinein. Ich gehe zu Fuß nach Hause.«

In diesem Augenblick bog ein anderes Lastauto von der Lincolnstraße auf den Seitenweg ein und hielt an. Es war Williams, der nun, wie er versprochen hatte, zurückkam, um eine Wagenlast billiger Pferde zu holen.

»Heute verkaufe ich Ihnen auch einen Kadaver«,

witzelte McLaughlin, als Williams aus seinem Wagen kletterte. Man erzählte ihm, was vorgefallen war. Williams warf einen Blick auf das tote Tier.

»Das nenne ich Glück!«, sagte er. »Eine große, ausgezeichnete Stute. Ähnliches habe ich schon früher erlebt. Ein ganz leichter Schlag, wenn er nur richtig sitzt, und das Pferd ist gewesen.«

»Ich habe eine gute Ladung für Sie, Williams«, sagte McLaughlin mit einem seltsamen Blick. »Ein ganzes Rudel halbwilder Pferde.«

»Nur her damit«, sagte Williams munter. »Wenn wir es fertigbringen, sie zu verladen, kaufe ich sie.«

»Es ist die ganze Sippschaft dieser Stute«, sagte McLaughlin mit unterdrückter Wut.

»Dürfte ganz gutes Pferdefleisch sein, wenn die anderen ihr einigermaßen ähnlich sind. Wie viele?«

»Weiß es selbst kaum. Sie sind auf dem ganzen Gelände verstreut. Es wird nicht wenig Zeit kosten, sie alle einzukreisen.«

»Ich habe den ganzen Tag Zeit.«

»Gus, ich schicke Tim hierher, damit er dir hilft«, sagte McLaughlin, als er in Williams' Auto stieg, um zurückzufahren.

Als Tim kam, fuhren Howard und Ken mit zur alten Mine, um Rocket das letzte Geleit zu geben. Die Knaben lagen auf dem Bauch und ließen ihre Köpfe über den Rand des tiefen Schachtes hängen, während die Männer mit dem Auto im Rückwärtsgang dicht heranfuhren. Sie befestigten an Rockets Hufen Stricke und knüpften diese dann einmal um einen jenseits des Schachtes stehenden Baum. Darauf zogen sie gleichzeitig die freien Enden der Stricke an, bis der Kadaver am äußersten Ende des geöffneten Wagens lag. Nun wurden die Stricke weggenommen und man schob die widerstandslose, schwarze Masse mit Hebebäumen so weit vor, dass sie ins Gleiten geriet und schließlich über den Rand fiel. Die Jungen sahen den großen Körper hinabstürzen, sahen, wie er an den Wänden des Schachtes anschlug, die Hufe aufwärtsgerichtet, Mähne und Schweif flatternd – und dann verschwand alles im Dunkeln. Eine Weile nichts – und erst nach einer Pause, hundert Meter tief, ein dumpfer Aufschlag …

Beim Mittagessen in der Küche fragte Williams: »Darf ich mir erlauben zu fragen, Herr Rittmeister, warum Sie dieses Stück Lasso um den Hals tragen? Hat jemand Sie etwa einfangen wollen?«

Alle außer Nell lachten. Sie aber wurde rot, griff nach dem Strick, der Rob um den Hals hing, und warf ihn eilig ins Feuer. Der Rest des Tages ging damit hin, die Nachkommen des Albinos – Pferde jeden Alters – zusammenzutreiben.

Anfangs hatte niemand recht geglaubt, dass McLaughlin wirklich mit dem, was er gesagt hatte, Ernst machen würde: dass jedes Pferd vom Blut des Albinos – gleichgültig wie schön, wie vielversprechend es war – verkauft werden sollte. Aber als eins nach dem andern in die Koppel gebracht wurde und sie wieder und wieder hinausritten, um noch mehr Pferde zu holen, während Nell im Gestütbuch nach den Namen und Beschreibungen sah, da wurde allmählich allen klar, dass es ihm ernst war. Ken und Howard mussten an den Pforten bleiben und sie öffnen oder schließen, wenn das betreffende Rudel in die Koppel hineingetrieben und das Tier, das verkauft werden sollte, herausgefunden und zurückbehalten wurde, während die anderen wieder hinausdurften. Gus, Tim und Ross – alle waren zu Pferd.

»Jetzt haben wir sie alle«, sagte Nell, als sie das Buch zuklappte. Ihre Stimme verriet, dass der Verkauf ihr leidtat.

Sie und Williams waren im Stall und blickten über die holländische Tür hinweg auf die Koppel hinaus, während die Jungen in Sicherheit oben auf dem Zaun saßen und Rob und die Leute mitten unter den in die Runde galoppierenden Pferden standen.

»Alle außer Flicka«, murmelte Ken. Über die Koppel hinweg fing er den Blick der Mutter auf und wusste, dass sie beide dasselbe dachten. Er hatte sich Flickas wegen keine großen Sorgen gemacht. Sie gehörte ja doch ihm; der Vater hatte sie ihm geschenkt und ohne seine Einwilligung konnte sie nicht verkauft werden.

»Es sind neun«, sagte McLaughlin.

Williams kam nun auch in die Koppel und ein langes Feilschen begann. Mit den Pferden vor Augen redeten McLaughlin und Williams so lange hin und her, dass alle, die dabeistanden, es gründlich müde wurden.

»Ich könnte zehn auf den Wagen nehmen«, sagte

Williams. »Haben Sie nicht noch eins, das Sie hergeben könnten?«

»Ich hätte schon noch eins«, sagte McLaughlin, »aber wir wollen erst mal den Preis für diese neun festsetzen.«

Sie kritzelten Zahlen auf ihre Zettel und schließlich war der Kauf abgeschlossen.

McLaughlin ging zu Ken hinüber, rief ihn vom Zaun herunter und trat mit ihm beiseite.

»Ken«, sagte er ruhig, »ich will dir Gelegenheit geben, etwas Vernünftiges, etwas Männliches zu tun. Ich möchte gern, dass du dir ein anderes Fohlen aussuchst, so dass ich Flicka mit dem Rest dieser Höllenbrut an Williams verkaufen könnte.«

Eine heiße Welle ging Ken durch den Körper. Er blickte zu Boden und grub mit den Zehen im Schotter des Weges. Er schüttelte den Kopf.

McLaughlin blieb ruhig und versuchte ihn zu überreden. »Du hast es ja selbst gesehen – was kannst du Gutes erwarten? Ich frage dich ebenso sehr um deinetwillen, als auch um mir selber Mühe und Ärger zu ersparen, wenn ich dir zu helfen versuche und dich von etwas zurückhalten will, was rein unmöglich ist. Was hast du davon, dich mit einer Rocket Nummer zwei abzuplacken? Du hast ja gesehen, wie es schließlich mit ihr gegangen ist, obschon sich bestimmt noch niemand mit einem Pferd mehr Mühe gegeben hat als ich mit ihr.«

»Aber ich werde Flicka ja doch zähmen«, flüsterte

Ken. »Bisweilen werden ja doch auch schlimme Pferde zahm.«

McLaughlin sagte laut und unzufrieden: »Sieh mich an!«

Ken gehorchte und erschrak. Das Gesicht seines Vaters sah schrecklich aus. Es war dermaßen geschwollen, dass es jegliche Form verloren hatte; ein Auge war von schwarzlila Fleischmassen beinahe geschlossen und der Kreis einer bösartigen Entzündung umgab den weißen Verbandstoff auf dem Backenknochen.

»Wirst du ein stierköpfiger, kleiner Narr oder ein vernünftiger Junge sein?«

»Ich muss sie ja doch behalten, Papa«, sagte Ken hartnäckig, »sie ist ja doch mein Fohlen.«

Was er eigentlich sagen wollte, war dies: Sie ist ich. Ihm war, als ob der Vater von ihm verlangte, dass er sich in Stücke reißen lassen sollte.

»Nun also, um deiner Mutter willen und auch um meinetwillen: Verhilf uns allen zu einem schönen Sommer! Tu das Deine, damit wenigstens einmal etwas gut ausgeht!«

Ken schüttelte den Kopf und plötzlich packte die Hand des Vaters seine Schulter so hart, dass es wehtat.

»Ich würde dir am liebsten die Zähne aus deinem eigensinnigen Schädel schütteln«, sagte McLaughlin, wild vor Zorn. Er kehrte um und ging zu den Ställen zurück. Ken folgte mit klopfendem Herzen, aber mit innerlichem Triumphgesang. Flicka war sein. Man konnte sie ihm nicht wegnehmen.

Mit Shortys Hilfe wurden nun die Ungezähmten durch den Gang auf das Auto getrieben und dort eingesperrt. Der Wagen machte beim Haus halt, wo Williams für Rob einen Scheck ausschrieb. Obschon die Summe kleiner war als der Preis, der für Rocket gezahlt worden wäre, so war sie doch groß genug, um bei Rob in dem Auge, das offen und gesund war, einen Ausdruck der Zufriedenheit hervorzurufen.

»Nell, willst du bis zur Lincolnstraße mitfahren, um ihnen noch einen letzten Blick nachzuwerfen?«, fragte Rob.

Sie stiegen alle in den Studebaker und fuhren hinter Williams her, wobei sie das Verhalten der Pferde auf dem Lastauto beobachten konnten. Obschon sie dicht nebeneinanderstanden, verursachten einige der geängstigten Tiere doch viel Unruhe und besonders eins wollte nicht aufhören zu steilen. Es war ihm geglückt, die Vorderfüße über die Seitenwand hinüberzubringen. Als der Wagen den Hügelabhang entlangfuhr, neigte er sich zur Seite und da geschah plötzlich das schier Unmögliche. Der Wildling zog sich an der Seitenwand hoch, schob den Körper hinaus und schlug über.

Es war ein furchtbarer Sturz, denn es ging hier steil über zwölf Meter in die Tiefe. Sich überschlagend rollte und fiel das Tier den Abhang hinab.

Rob brachte den Studebaker zum Stehen. Alle sprangen hinaus und auch Williams kletterte von seinem Führersitz.

Als das Pferd unten angekommen war, sprang es auf

die Füße und blickte allem Anschein nach unverletzt und aufs Höchste erstaunt um sich. Alle lachten. Williams trat an McLaughlin heran. »Ich komme zu spät, wenn ich umkehren und ihn noch einmal verladen soll.«

Rob zog den Scheck aus der Tasche. »Hier ist meine Füllfeder, schreiben Sie einen neuen Scheck und ziehen Sie den Preis für diesen ab.«

Williams beeilte sich dem nachzukommen, denn er wusste, dass der Verlust eigentlich ihn und nicht McLaughlin hätte treffen müssen, da die Pferde ja bereits verladen und bezahlt waren. Beim Austauschen der Schecks sagte er witzelnd: »Sie dürfen ihn ein Jahr lang für mich füttern, ich hole ihn mir nächstes Jahr.«

McLaughlin sagte: »Fahren Sie los! Sie wollen ja noch vor Dunkelheit zur Grenze kommen. Und übrigens: Fahren Sie um das Schild an der Straße herum – nicht darunter hindurch!«

»Das tue ich bestimmt. Abend!« Williams stieg in sein Auto und fuhr los.

Das Pferd lief ängstlich auf der Wiese umher und blickte sich um, als wüsste es nicht recht, wo es sei. Dann fiel es in Galopp, senkte aber plötzlich den Kopf und überschlug sich. Einen Augenblick lag es still; dann fing es wieder an zu galoppieren.

Die Knaben sahen zum Vater auf und versuchten in seinem Gesicht eine Erklärung für dieses seltsame Benehmen zu finden, das auf jeden Fall höchst unnatürlich war. Nell wusste – und es gab ihr einen Stich ins Herz –, dass das schöne junge Tier verletzt war.

McLaughlin sah hart und entschlossen aus. Alle schauten schweigend den seltsamen Sprüngen dort unten zu. Es war stets dasselbe: Galopp – Überschlagen – Stillliegen – und dann fing es von vorn an.

Endlich sagte McLaughlin: »Ist das Winchestergewehr im Wagen?«

»Ja«, sagte Howard sofort. »Du hast es hinten in den Wagen gelegt, als wir nach dem Puma fuhren – weißt du noch? Du sagtest uns, wir sollten es im Wagen lassen.«

»Hol es her!«

McLaughlin nahm das Gewehr und sagte: »Nell, fahr doch mit den Jungen nach Hause.«

»O bitte, lass uns bleiben!«, bat Howard.

»Nein. Schlimm genug, dass ich es erschießen muss. Das hier ist keine Vorstellung.«

Nell fuhr mit den Jungen davon und McLaughlin suchte einen guten Stand auf ebenem Boden und legte an.

Er musste lange warten, bis das Fohlen eine Pause in seinen Sprüngen machte. Als es endlich wieder seine groteske Stellung einnahm, in der es erstaunt zu fragen schien, was nun weiter geschehen würde, hörte man den scharfen Knall des Winchestergewehrs. Das Echo warf den Knall von den Hügeln gemildert zurück und das Fohlen legte sich sachte in das tiefe Wiesengras.

»Das war also der letzte Wildling«, sagte McLaughlin, indem er das Gewehr aufstützte. Er blieb einen Augenblick stehen, um zu sehen, ob sich noch etwas im Grase rühren würde. Dann warf er die leere Patrone weg und fügte in verbissener Wut hinzu: »Der letzte – außer Flicka!«

Gespräche

Es vergingen mehrere Tage, bevor McLaughlin einen zweiten Versuch machte, Flicka hereinzubringen; alles, was geschehen war und was ferner geschehen würde, schien ihm in diesen Tagen gleichgültig zu sein. Er kümmerte sich nur um seine eigene Arbeit. Nell hatte alle Hände voll zu tun, um neben ihrem Haushalt Zeit genug für Rumba zu haben. Rob tat so, als wäre Ken nicht vorhanden.

Die vier Dreijährigen hatten sich gut entwickelt. Die tägliche Behandlung, die sich aus Hafergaben, Striegeln und Schulung zusammensetzte, tat ihnen gut; ihre Muskeln wurden voller, ihr Fell glänzte. Sie waren nun so weit, dass sie ihre Ohren spitzten und fröhlich tänzelten, wenn man sie durch Pfeifen in die Koppel rief. Gangway hatte das Bocken aufgegeben und McLaughlin ließ sie alle vier täglich auf dem Übungsfeld gründlich durcharbeiten, wozu auch gehörte, dass sie sich an geschwungene Poloschläger und umherfliegende Bälle gewöhnten.

Am Sonntag fuhr die ganze Familie nach Cheyenne zur Kirche und wie gewöhnlich wurde zuerst hin und her darüber geredet. Rob wollte gern den Vormittag mit dem Lesen von Witzblättern auf der Terrasse verbringen und sagte daher, er müsse zu Hause bleiben, weil einige Offiziere von seinem Regiment zu Besuch kommen könnten. »Es ist immer möglich«, meinte er, »dass einer von ihnen ein Pony kaufen will.«

»Nicht gerade am Sonntagmorgen«, antwortete Nell bestimmt. »Aber«, fügte sie hinzu – und dabei erschien ein Grübchen in ihrer rechten Wange –, »da dein Gesicht noch nicht geheilt ist, kannst du auf keinen Fall mitkommen. Ich werde allein fahren und die Jungen mitnehmen.«

»Ausgezeichnet«, sagte McLaughlin. Nach einer Viertelstunde war Nell fertig; Howard und Ken hatten ihre langen grauen Flanellhosen und weiße Hemden angezogen; dazu hatten sie kleine weiße Leinenhüte mit schmalem Rand. Plötzlich kam Rob die Treppe heraufgestürmt und rief entrüstet: »Glaubst du, dass ich dich allein in der Kirchenbank sitzen lassen werde, ohne mit dabei zu sein?«

Man wartete also, bis er sich umgezogen hatte, und die Jungen wurden dabei recht ungeduldig. Nell erklärte ihnen, dass Offiziere ihrer Stellung wegen sehr genau auf ihr Äußeres achtgeben müssten; der Vater brauche daher zum Umkleiden viel Zeit. Endlich erschien McLaughlin auf der Treppe; der hellgraue Flanellanzug stand ihm ausgezeichnet und der weiche Filzhut saß ein wenig schräg – genau im richtigen Winkel – auf seinem schwarzen Haar. Statt des Verbandes hatte er nur noch ein Stückchen Heftpflaster auf der Wunde.

Nell trug ein Kleid aus dunkelgrün bedrucktem Stoff, dazu Turban und ausgeschnittene Schuhe mit hohen Absätzen. Tim hatte den Wagen gewaschen und geputzt, so dass die rote Farbe und das glänzende Metall des Studebakers von keinem Wagen übertroffen wurden, dem sie auf der Lincolnstraße begegneten.

McLaughlin fuhr gewöhnlich fünfundsechzig Meilen in der Stunde; heute, da es eilte, fuhr er siebzig Meilen. Trotzdem kamen sie, wie gewöhnlich, zu spät und verursachten einige Unruhe dadurch, dass sie gerade beim Verlesen des ersten Bibeltextes durch das ganze Kirchenschiff zu ihren Plätzen geführt wurden.

Zu Mittag waren sie eingeladen und beim Nachhausekommen fanden sie einige gute Freunde vor, die sie vergnügt empfingen. Nun ging es den ganzen Nachmittag lebhaft zu: Wagen kamen und fuhren weg, Teebretter mit Gläsern und Flaschen wurden hin und her getragen und es wurde viel geschwatzt und gelacht.

Kinder hören gern zu, wenn ihre Eltern sich unterhalten, und Howard und Ken hielten sich dicht an Vater und Mutter und zur Gruppe der Offiziere und ihrer Frauen; wieder und immer wieder hörten sie, wie die Geschichte von Rockets Tod erzählt und das Rudel der tollen Pferde beschrieben wurde; auch die Unbändigkeit des Albinos, der überall durchgeschlagen hatte, wurde ausführlich besprochen.

»Nicht richtig« war ein Ausdruck, den Ken von Kindesbeinen an häufig gehört hatte. »Du bist nicht richtig« bedeutete dasselbe wie: »Dir fehlt eine Schraube im Kopf.« So aber, wie die Erwachsenen das Wort jetzt gebrauchten, schien es einen besonderen, ernsteren Sinn zu haben ... Ken begriff das nicht recht.

Er saß auf der niedrigen Mauer der Terrasse und seine Beine baumelten über das Blumenbeet hinab. Während er zuhörte, wie die Eltern sich munter unterhielten, beobachtete er eine große Hummel, die sich gerade in die rote Blüte einer Petunie verkroch.

Auch Gus, Ross und Tim hatten über »nicht richtige« Tiere gesprochen. Gestern Abend vor dem Schlafengehen waren Howard und Ken eine Stunde lang im Arbeiterhaus gewesen, wie sie das häufig taten. Das Gespräch hatte sich hauptsächlich darum gedreht, was wohl die erste Veranlassung dazu geben könnte, dass Tiere »nicht richtig« waren.

Tim erzählte eine Geschichte von einem kleinen schwarzen Fohlen, das einmal von einem Rudel Präriewölfe gehetzt worden war. Die Mutter hatte es tapfer verteidigt, aber sowohl die Stute als auch das Fohlen seien die ganze Nacht hindurch in Lebensgefahr gewesen; sie hätten sich verteidigt, seien davongelaufen und hätten dann aufs Neue mit den Wölfen gekämpft. Am Morgen sei das schwarze Fohlen schneeweiß und überdies »nicht richtig« im Kopf gewesen.

Auch der Cowboy wartete mit einer ähnlichen Geschichte auf.

Er erzählte von seinen eigenen Pferden. Er hatte sich

durch Einfangen wilder Mustangs eine ganze Herde verschafft und sich von Zeit zu Zeit eine gute Stute dazugekauft. – »Aber, wenn ich die Wahrheit sagen soll: Es war kein einziges gutes Pferd darunter. Die wilden Fohlen brauchbar zu machen ist nämlich höllisch schwer. Wenn ich auf die Jagd ging, konnte ich bisweilen am Horizont ein Rudel Pferde sehen, das über den Kamm der Hügel raste. Sie halten sich auf den Höhen und sehen einen schon auf viele Meilen kommen – und dann kriegt man sie meistens nicht wieder zu Gesicht. Gelingt es aber doch und kann man sie zähmen, dann hat man trotzdem hinterher rein gar nichts von ihnen.

Mein Hengst war eins von diesen eingefangenen wilden Fohlen … Er taugte nichts, hatte ein hartes Maul, kaute nicht am Eisen. Ich beschloss, mir ein wirklich gutes Fohlen von guter Abstammung zu verschaffen und es als Zuchthengst zu erziehen. Hatte ja auch eine gute Stute und zahlte zehn Dollar, um sie auf einem staatlichen Gestüt decken zu lassen.«

»Auf den staatlichen Gestüten kostet das doch nichts«, sagte Gus.

»Die zehn Dollar musste ich für den Transport zahlen. Nach einem Jahr fohlte sie und das Junge wurde eine wahre Schönheit. Lange, gerade Beine und Augen so sanft wie Frauenaugen – ein strammer, kleiner Bursche. Als er ein Jahr alt war, ritt ich die Mutter in die Gegend von Centennial, wo ich ein Stück Land eingezäunt hatte, und das Fohlen lief mit. Kennen Sie das Gelände dort oben? Die Berge ragen lotrecht in den

Himmel, und Häuser oder menschliche Wesen kommen da nicht vor. Ich hatte meinen Zaun im vorangegangenen Sommer gezogen, aber der Wind dort oben hatte ihm dermaßen zugesetzt, dass eine halbe Meile von ihm umgelegt worden war. Ich hatte eine ganze Woche damit zu tun, das auszubessern. Eines Tages, am Nachmittag, als ich so dasitze und rauche, sehe ich, wie ein großer Berglöwe das Fohlen anfällt. Es graste ein Stück entfernt am Abhang und dieses Katzenbiest schoss von oben herab durch die Luft und auf das Fohlen. Habt ihr jemals einen Berglöwen gesehen? Die sind ebenso groß wie neugeborene Fohlen, schreien wie eine Frau, so dass einem das Blut zu Eis wird, halten sich auf Bäumen, auf Felsspitzen und springen von dort auf Fohlen und Pferde, die vorüberlaufen.«

»Wie können die denn Pferde töten?«, fragte Howard.

»Sie haben einen schlauen Kniff. Sie springen zuerst auf den Hals, beißen dort, wo das Rückgrat ansetzt, hinein und bleiben dort mit den Vordertatzen hängen; ihr Übriges baumelt unter Hals und Kopf des Pferdes; und mit den Hinterbeinen hängt sich der Puma an das Kinn und dann schwingt und zerrt er so lange, bis er durch sein Gewicht dem Pferde den Hals bricht. Alles kracht zu Boden und das Pferd ist hin.«

»Hat er Ihr Fohlen getötet?«

»Keine Spur. Der kleine Hengst rollte sich schreiend am Boden und seine alte Dame, die nicht weit davon entfernt war, rannte herbei und stürzte sich auf die

Wildkatze. Pumas sind nicht mutig, lassen sich nicht auf Kampf ein. Wenn sie nicht gleich beim ersten Überfall töten, laufen sie lieber davon. Dieser rannte in den Hochwald, und bis ich mein Gewehr bei der Hand hatte und mich umsah, war nichts mehr von ihm zu entdecken. Aber der kleine Hengst wollte nie wieder jemand auf seinem Rücken haben. Später, als er älter wurde, versuchte ich ihn zu reiten, aber er sah mich nur an, zitterte und warf sich herum. Ich habe ihn nie zähmen können. Zum Schluss war er vollkommen verdreht.«

Dieses ganze Gespräch ging Ken verschwommen durch den Kopf, während er der Hummel zusah, die sich einen Weg in die halb offene Blüte der Petunie bohrte. Die Hummel war gänzlich verborgen und ihr Gewicht beugte die Blüte fast bis zum Erdboden nieder. Ken erwartete ihre Rückkehr. Welch eine Welt mochte darin liegen, in das Herz einer kleinen Blume einzudringen! Er fühlte sich in diesem Augenblick als Hummel …

Hinter ihm auf der Terrasse versuchte die Majorin Rob und Nell zu überreden, am nächsten Samstagabend zu einem Ball ins Kasino zu kommen.

»Sie lassen sich nie in der Stadt blicken«, sagte sie. »Aber ich kann es Ihnen eigentlich nicht verdenken. Wenn ich so herrlich wohnen würde wie Sie …!«

»Erinnerst du dich an das letzte Mal, als wir dort tanzten?«, fragte Rob lachend.

»Und ob!«, rief Nell. »Im letzten Herbst. Als wir nach Hause kamen, war hier Überschwemmung!«

»Ich weiß es noch genau!«, rief Howard. »Als ihr zurückkamt, ging das Wasser bis über die Brücke und ihr konntet nicht hinüberfahren.«

Auch Ken erinnerte sich; es war eine aufregende Nacht gewesen. Gerade vor dem Schlafengehen, als er und Howard von einem Spaziergang mit Gus nach Hause gefahren waren, hatten sie plötzlich lautes Gebrüll gehört, und eine große Wasserwoge war den Lone-Tree-Bach herabgekommen und hatte mitten in der Wiese, wo vorher nur ein Bach gewesen war, einen breiten Fluss zurückgelassen. Die Hunde waren angelaufen gekommen und hatten das Wasser angebellt; es hatte die Steinbrücke, ja sogar das Geländer überschwemmt.

»Da saßen wir um vier Uhr morgens auf dem Seitenweg der Lincolnstraße und die Scheinwerfer zeigten mit einem Mal dort Wasser, wo die Landstraße hätte sein sollen. Wir stiegen aus, um nachzusehen, was denn los war, und sahen, dass es zwischen uns und unserem Hause neuerdings einen Fluss gab.«

»Um Gottes willen!«, rief Mrs Gilfillan. »Und was haben Sie denn da gemacht?«

»Ja, Sie hätten uns sehen sollen. Die Geländer der Brücke waren bloß dreißig Zentimeter unter Wasser. Wir zogen also Schuhe und Strümpfe aus, ich krempelte mir die Hosen auf, Nell hob ihre Röcke und so wateten wir auf dem Steingeländer hinüber. Den Wagen ließen wir bis zum Morgen drüben stehen.«

»Wenn ich recht verstanden habe, sagten Sie, dass Sie

vom Kasino zurückkamen?«, meinte Leutnant Grubb sarkastisch. »Kann man denn von dort so nüchtern zurückkommen, dass man wie auf einem gespannten Seil glücklich über ein Geländer spaziert?«

Alle brachen in Lachen aus und auch Howard und Ken mussten mit einstimmen obschon sie nicht recht wussten, was denn daran komisch sein sollte.

Die Hummel kam aus der Petunie hervor, kreiste umher, versuchte nacheinander mehrere Blumenkelche und kroch schließlich in einen hinein, der ihr gefallen hatte.

Ken sah Pauly jenseits des Rasenplatzes vor dem Loch einer Feldmaus sitzen; sie wartete darauf, dass die Maus den Kopf hervorstreckte, und hockte, die Augen auf das Loch geheftet, still wie eine kleine braune Statue da. Zehn, fünfzehn, zwanzig Minuten musste sie warten, bis die Feldmaus es nicht länger aushalten konnte und den Kopf vorstreckte, um zu sehen, ob Pauly noch da war.

Nun sprach man wieder von Rocket. Der Major sagte: »Es ist natürlich glaubwürdig, dass Geisteskrankheit bei Tieren ebenso erblich ist wie bei Menschen.«

Leutnant Grubb unterbrach ihn: »Wie kann man jemals mit Sicherheit wissen, worum es sich eigentlich handelt? Es gibt die verschiedensten Temperamente. Auch Eigenwilligkeit oder großer Übermut kann sich recht toll äußern, aber das gilt dann nicht als Geisteskrankheit oder als sonst irgendwie verdächtig. Wenn man sich ein menschliches Wesen vorstellt –

irgendeinen jungen Mann, der über die Stränge schlägt …«

»Das ist aber etwas Schlimmes«, sagte der Major. »Und das könnte ebenso gut Geisteskrankheit genannt werden, denn es ist dasselbe wie eine Unfähigkeit, sich der Umgebung anzupassen.«

»Aber wenn dieser Typ dennoch Anpassungsfähigkeit zeigt, so ist das Resultat außerordentlich.«

»Ja – aber wie viele kommen so weit? Die meisten rennen so lange mit dem Kopf gegen die Wand, bis sie sich die Schädel einschlagen.«

»Mag sein, aber auch dann halte ich es nicht für Geisteskrankheit, wenn ein freiheitsliebendes Wesen – Mensch oder Tier – sich nicht unterwerfen will.«

Tim und der kleine Cowboy schlenderten über den Rasenplatz, um die Kühe zum Melken hereinzubringen.

»Meiner Erfahrung nach«, sagte der Oberst, »ist es das hoch gespannte Individuum, das nervöse Wesen, von dem man viel erwarten kann. Dagegen fürchte ich den einsamen Sonderling. Wer immer nur für sich sein will, kein natürliches Gemeinschaftsgefühl hat, also den Typ des einsamen Wolfes darstellt, bei dem lässt sich am ehesten eine lockere Schraube vermuten.«

Pauly saß immer noch reglos vor dem Loch der Feldmaus. Plötzlich schlug sie mit der Pfote blitzschnell zu und duckte sich; gleich darauf hielt sie etwas Lebendiges zwischen den Pfoten. Sie biss zu und das Lebendige lebte nicht mehr. Pauly erhob sich, die tote Feldmaus hing ihr aus den Kiefern und so trottete sie langsam den Hügel hinauf.

»… In manchen Fällen handelt es sich tatsächlich um eine Psychose, daran ist kein Zweifel«, sagte der Major.

In Kens Hirn wirbelte alles durcheinander. Er kannte die Bedeutung der Worte nicht, aber das machte nichts. Er war gar zu glücklich. Heute Morgen in der Kirche hatte er plötzlich Nell einen kleinen Knuff gegeben, und als sie in sein strahlendes Gesicht hinüberblickte, wurde ihr bewusst, dass der Pastor gerade die Worte ausgesprochen hatte: »Schön auf den Bergen.« Kens Lippen formten lautlos das Wort »Flicka« und Nell lächelte ihm zu. Er hatte die ganze Woche nur an Flicka gedacht. In allem, was er sagte, kam Flicka vor; er sprach bloß von »ihr«, sagte »sie« tut dies, »sie« ist das, bis sein Vater ihn plötzlich angeschrien hatte: »Welche ›sie‹?« Der Vater war böse auf ihn, aber nicht einmal das machte ihm etwas aus.

Jeden Abend, wenn er schlafen gegangen war, hatte er, wach im Bett liegend, an Flicka gedacht – solange er nur konnte. Er stellte sich vor, wie sie über die Erdspalten hinflog: die langen, schlanken Glieder im Sprung vorwärts- und rückwärtsgestreckt, so dass sie wie eine in der Luft hängende, leicht gebogene Linie aussah. Oder er sah ihr Gesicht dicht neben dem seinen. Er hatte sie ja in Wirklichkeit noch nie ganz in der Nähe gesehen; oder doch, einmal: damals, als sie ihm auf der Flucht vor Banner einen entsetzten Blick zugeworfen hatte. Ihr Kopf war ihm so nahe gewesen, dass er sie beinahe hätte berühren können. Später einmal, sagte er sich, würde er das tun. Er würde ihr Gesicht streicheln, würde ihr das unordentliche Stirnhaar bürsten und zwischen die Augen legen und er würde seine Wange an ihre samtweiche Nase drücken.

In manchen seltsamen Augenblicken wurde er von einer wahren Verzückung des Besitzens ergriffen und auch jetzt, als er auf der Terrassenmauer saß, sang es in seinem Herzen und er ließ den Kopf hängen, damit niemand merkte, wie viel Stolz und Glück seine Augen verrieten.

Hinter ihm wurde wieder laut gelacht und er wandte den Kopf, um zu sehen, was los war. Die Mutter erzählte gerade etwas, worüber alle lachten. Sie behauptete, Rob hätte auf der Fahrt zur Kirche nur deshalb so gut ausgesehen, weil er verstand sich den Hut richtig aufzusetzen.

»Alles kommt darauf an«, sagte sie, »wie der Mann den Hut aufsetzt. Er kann dadurch wie ein respektabler Gentleman wirken« – hier erschollen allerlei Zwischenrufe – »oder wie ein Lebemann.«

»Her mit ihm!«, kicherte Mrs Gilfillan. »Oder wie ein breitspuriger Esel!« Der Major klopfte dem Oberst auf den Rücken und sagte: »Stehen Sie auf und verbeugen Sie sich, Oberst!«

»Oder äußerst sorgfältig«, schloss Nell, worauf der Leutnant sagte: »Ein guter Mensch kann ich ja doch nicht werden, also bemühe ich mich um größte Sorgfältigkeit.« Darauf versuchten alle sich ihre Hüte auf die verschiedenste Art und Weise aufzusetzen. Daran beteiligten sich auch Howard und Ken; sie stolzierten mit ihren kleinen, weißen Leinenhüten einher, bis sie ihnen von Mrs Gilfillan und Mrs Grubb weggenommen wurden, die sie sich auf das blonde Haar setzten.

Etwas später stülpte McLaughlin eine leere Konservenbüchse auf einen Kiefernast am Hügel und die Offiziere schossen, auf der Terrasse stehend, mit ihren Revolvern ins Ziel.

Rob schickte die Knaben nach ihren Zimmerstutzen, sie sollten sich als Schützen zeigen; und zuletzt holte er selbst die großen Gewehre herbei, die Winchester und das Repetiergewehr. Die Schüsse krachten durch das Tal und rissen von Klippen, die eine halbe Meile entfernt waren, Splitter ab, bis schließlich Tim mit einem Gesicht, das röter als sonst war, vom Kuhstall heraufkam und erklärte, er könne nicht melken, solange geschossen würde; die Kühe hätten bereits zwei Eimer umgeworfen.

Da erklärten Mrs Grubb und Mrs Gilfillan, dass sie nun gern zu den Zuchtstuten hinausfahren wollten, und man stieg in zwei Wagen. McLaughlin übernahm die Führung.

Sobald die Stuten gefunden waren, stieg man aus und McLaughlin erklärte, dass Banner gleich erscheinen und sie hier als »Hausherr« begrüßen werde.

»Wie wissen Sie denn das?«, fragte Mrs Gilfillan.

»Das tut er immer.«

Die Stuten hörten auf zu grasen. Sie standen, zum Davonlaufen bereit, neugierig und wachsam da, Banner hielt sich in ihrer Mitte. Sein Kopf überragte sie alle.

Plötzlich kam der große Hengst auf sie zu: die Ohren gespitzt, die Augen groß und furchtlos. Er setzte sich in Trab. Die Bewegung der Beine war hoch, frei, weit ausgreifend, rund. Er trug den Schweif hoch; und die helle Mähne umflatterte ihn.

»Mit fliegenden Fahnen!«, rief Nell.

Alle Offiziere riefen laut Beifall, als der Hengst, ohne aus dem Trab zu fallen, geschwinder wurde und schnurstracks wie ein Hornruf auf sie zukam. In einem Abstande von etwa zehn Ellen hielt er inne und betrachtete die Gruppe. Sein goldenes Fell glänzte in der Sonne.

»Wie klug er aussieht!«, rief der Oberst. McLaughlin, der noch seinen grauen Anzug und den schick sitzenden Hut trug, trat vor und entschuldigte sich ernsthaft, dass er keinen Hafer mitgebracht hätte.

Als Ken abends im Bett lag, dachte er noch einmal an Banners Aussehen. Banner war Flickas Vater – auch Flicka hatte dieses goldene Fell, dieselbe Schönheit, dieselben »fliegenden Fahnen«. Oh, mein Fohlen! Mein einziges Fohlen, du gehörst mir – mir allein!

Er hätte gern gewusst, wann der Vater sie wieder hereinbringen würde. Diese Frage hatte er sich jedes Mal gestellt, wenn Gus sein rundes, rosiges Gesicht zur Küchentür hereingesteckt und gefragt hatte: »Was gibt's heute, Herr Rittmeister?« Aber der Vater hatte immer andere Arbeit vorgehabt: entweder auf den Wiesen oder bei den Bewässerungsgräben. Die Arbeit mit den Dreijährigen, die nach einigen Tagen weggeschickt werden sollten, schien endlos. Und außerdem wurde bei einer Pforte am Eisenbahndamm ein neuer Grabenübergang gebaut.

Aber am nächsten Morgen, als Gus fragte: »Was gibt's heute, Herr Rittmeister?«, sagte McLaughlin ganz zuletzt: »Mir scheint …«, und machte dann eine Pause.

Ken sah zu Boden, um seine Aufregung zu verbergen; unter dem Tisch ballte er die Fäuste.

McLaughlin sprach weiter: »Morgen bringen wir die Einjährigen hierher und fangen Kens Fohlen ein. Ich will das gern machen, solange Ross noch hier ist. Möglich, dass wir seine Hilfe brauchen.«

Morgen also …

Arbeit und Ärger
mit Flicka

Als Ken am nächsten Morgen die Augen öffnete und hinaussah, war das Haus in dichten Nebel gehüllt. Es war kein Regen gefallen, seitdem der Wind in der vorigen Woche das himmlische »Besprengungssystem« zerrissen und die zerstreuten Wolken weggeblasen hatte. Das war an dem Tage geschehen, als Ken Flicka gefunden hatte. Seitdem war es furchtbar heiß gewesen; die Sonne hatte fast unerträglich auf die Terrasse herabgebrannt. Man war täglich zum Schwimmen an die Badestelle gegangen. Auf den Hügeln fing das Gras an braun zu werden.

Aber heute war es wolkig. Auf große Hitze folgte oft Nebel oder auch Hagel, wenn nicht gar Schnee.

Ken konnte vom Fenster aus die Kiefern drüben auf dem Hügel kaum sehen. Er fragte sich, ob der Vater bei diesem Wetter wohl nach dem Einjährigen würde suchen wollen, es würde ja gar nicht möglich sein, sie zu finden. Aber McLaughlin erklärte beim Frühstück, dass der Arbeitsplan nicht geändert werden sollte: Es sei bloß »eine dicke Wolke«, die über der Gegend liege und sich hebe und senke; auf der Sattelhöhe sei es vielleicht klar.

Sie stiegen zu Pferde und ritten hinaus. Der Nebel lagerte in den Senken zwischen den Hügeln; hier und da ragte ein nackter Hügel in den Sonnenschein empor, während etwas weiter entfernt formloses, watteartiges Weiß die vier Reiter bis auf die Haut durchnässte und den Pferden ganze Ketten von Mondsteinen ums Maul hängte.

Es war nicht leicht, in Fühlung miteinander zu bleiben, und Ken merkte auf einmal, dass er die anderen verloren hatte. Er brachte Shorty zum Stehen und horchte. Rings um ihn herum wogten Wolken und Nebel; ihm war, als sei er auf der Welt ganz allein.

Ein Seidenschwanz – blau wie der wilde Rittersporn auf den Ebenen – saß in der Nähe auf einem Zweig; sobald Shorty sich in Bewegung setzte, folgte er mit, indem er von Busch zu Busch flatterte.

Ken ritt langsam, da er sich über die Richtung, die er einschlagen musste, nicht klar war; aber dann hörte er Rufe und brachte Shorty in Galopp und bald sah er den Vater, Tim und Ross vor sich.

»Da sind sie!«, sagte McLaughlin und zeigte auf den Abhang des Hügels. Sie ritten vor und Ken sah die Einjährigen eng zusammengedrängt unten stehen; sie blickten herauf, als fragten sie, was nun geschehen werde. Dann wogte ein großer Nebelfetzen über sie hin und sie kamen außer Sicht.

McLaughlin ließ nun einen Halbkreis hinter den Fohlen bilden und dann langsam auf sie zureiten, damit sie sich in der Richtung auf die Koppeln in Bewegung setzten. Er sagte, wenn sie bei diesem Nebel ins Laufen kämen, würde es unmöglich sein, ihrer habhaft zu werden.

Der Plan erwies sich als gut; die Einjährigen waren nicht so unternehmungslustig wie sonst und ließen sich in die gewünschte Richtung treiben. Erst als sie schon auf der Landstraße und in der Nähe der Pforte waren, die Howard offenhielt, sah Ken in einem nebelfreien Augenblick, dass Flicka fehlte. Auch McLaughlin bemerkte das. »Sie ist nicht dabei«, sagte er, als Ken an ihn heranritt.

Sie saßen eine Weile schweigend in den Sätteln, während McLaughlin überlegte, was nun zu tun sei. Der Nebel wirkte offenbar drückend auf die Stimmung der Einjährigen; sie rupften verdrossen an dem Gras, das am Wegrande wuchs. McLaughlin blickte zur Sattelhöhe hinüber; ebenso Ken, der sich leidenschaftlich wünschte, Nebel und Hügel mit den Blicken durchdringen zu können, um Flicka zu entdecken. War sie anfangs dabei gewesen und hatte sie sich dann im Nebel davongemacht? Oder war sie nach den schlimmen Erfahrungen in der vorigen Woche aus dem Gelände des Gestüts ausgebrochen? Oder – und das Herz wurde ihm bange – war sie am Ende gar den Verletzungen erlegen, die sie sich beim Ausbrechen aus der Koppel zugezogen hatte, und lag nun unter einem Gewimmel von Ameisen und anderem kriechenden Getier am Abhange eines jener Hügel?

McLaughlins Gesicht drückte seine Erbitterung aus.

»Ein einsamer Wolf – wie die Mutter«, sagte er. »Niemals mit den anderen zusammen. Hätte es mir denken können.« Ken fiel ein, was der Oberst vom Typ des einsamen Wolfes gesagt hatte. Es war nicht gut, ein einsamer Wolf zu sein.

»Treiben wir also die Einjährigen wieder zurück«, sagte McLaughlin schließlich. »Keine Aussicht, sie allein zu finden. Wenn die anderen zufällig in ihrer Nähe vorbeikommen, wird sie vielleicht mitlaufen.«

Man kehrte um. Sobald die Einjährigen einmal über den ersten Hügel waren, kamen sie ins Laufen und waren bald außer Sicht. Der Nebel fiel bald wieder und Ken hielt an. Der Vater, Tim und Ross waren plötzlich weg und er konnte nicht sehen, wohin er ritt. Erstaunt, dass der Hufschlag der anderen so völlig vom Nebel verschluckt wurde, saß er horchend da und wieder überkam ihn das Gefühl, ganz allein auf der Welt zu sein. Da hob sich der Nebel vor ihm und er sah sich am Rande einer steilen Bodensenkung. Es war fast ein Abgrund, der allerdings nicht sehr tief war, und am Grunde dieser halbkreisförmigen Tasche wuchsen einige junge Pappeln. Klee, der mit kleinen, gelben Blumen gesprenkelt war, bedeckte den Boden, der von einer am Abhang sprudelnden Quelle bewässert wurde. Mitten im Klee stand Flicka und ließ sich's gut schmecken. Sie hatte Ken schon bemerkt und blickte mit erhobenem Kopf zu ihm hinüber, während ihre Kiefer eifrig mahlten. Ihr Anblick machte Ken zu allem Denken und Handeln unfähig. Plötzlich hörte er aus dem

Nebel die leise Stimme seines Vaters: »Rühr dich nicht!«

»Wie ist sie dahin geraten?«, fragte Tim.

»Sie ist diesen Abhang hinuntergeklettert, und wenn wir nicht hier wären, würde sie ihn auch wieder heraufklettern.«

»Auf der anderen Seite dieser Sackgasse fällt der Boden sechs Meter tief senkrecht ab; dort kann sie nicht hinunter«, sagte Tim.

Flicka hatte aufgehört zu kauen. Einige Kleestängel steckten ihr noch im Maul, aber sie stand mit gespitzten Ohren und angespanntem Körper da und horchte hinauf.

»Wirst du sie fangen, Papa?«, fragte Ken leise.

»Ich kann sie von hier aus erwischen«, sagte Ross und gleichzeitig antwortete McLaughlin: »Ross kann sein Lasso werfen. Es ist einerlei, ob er sie hier fängt oder in der Koppel. Wir wollen uns in einem Halbkreis hier oben verteilen. Sie kann an uns nicht vorbei und drüben kann sie nicht hinunter.«

Sie gingen in Stellung und Ross nahm sein Lasso vom Sattelknopf. Weiter vorn, unterhalb dieser Sackgasse, sah man die Einjährigen laufen. Man hörte fernes Gewieher und vom Nebel gedämpftes Hufgetrappel.

Auch Flicka hörte es und plötzlich wurde sie sich der drohenden Gefahr bewusst. Mit einem Satz war sie aus dem Klee heraus; sie rannte zum Rande des Abgrunds, der nach dem Gelände zu abfiel, wo die Einjährigen umherliefen. Aber dieser Abhang war zu steil und zu tief; sie bäumte sich voll Entsetzen und machte eine scharfe Wendung zurück zur Höhe, die sie kürzlich hinabgerutscht war, um hier unten zu grasen. Aber jetzt standen dort oben, im Nebel lauernd, vier unheimliche schwarze Gestalten. Sie schrie auf und fing an in die Runde zu laufen.

Ken hörte das Sausen eines Lassos. Flicka stolperte, fiel und verschwand für einen Augenblick im Klee.

»Verdammt!«, sagte Ross und holte den Strick wieder ein, während Flicka wieder auf die Füße kam und aufs Neue anfing in ihrem engen Gefängnis zu kreisen. Dann stand sie über dem Abgrund still und sah in rasender Sehnsucht und Verzweiflung den unten umherlaufenden Fohlen nach. So war sie eine ausgezeichnete Zielscheibe für Ross und der schleuderte noch einmal das Lasso. Um Flickas willen wünschte Ken, sie möge der Schlinge entgehen; dennoch sehnte er sich danach, dass sie gefangen würde. Flicka bäumte sich, ihre feinen Vorderbeine schlugen in die Luft und streckten sich dann weit über den Abgrund vor. Ross' Lasso hatte zum zweiten Mal das Ziel verfehlt und Flicka schien von vier Stahlfedern hochgeschnellt zu werden und sauste wie ein Taucher in den Abgrund. Sie erreichte den Boden mit allen vieren und kullerte wie ein Ball – hier und da aufschlagend – das letzte Stück des Abhangs hinunter, genau wie das ungezähmte Fohlen, das über die Wand des Lastautos geklettert und den zwölf Meter hohen Abhang hinuntergerollt war.

»Gerade diesen Sprung habe ich erwartet«, sagte McLaughlin. »Sie ist genau wie alle anderen.«

Die vier Zuschauer saßen schweigend im Sattel und warteten ab, was geschehen würde, sobald Flicka den Boden erreicht hatte. Ken dachte schon an das Winchestergewehr und das Echo, das den Knall von den Hügeln zurückgeworfen hatte. Er war von Kopf bis Fuß in Schweiß gebadet und brach in halb ersticktes Lachen aus.

Plötzlich kam Wind auf und fegte den Nebel davon. Nur in den Spalten ließ er weiße Streifen als Nachzügler zurück und auch um die Büsche herum lag er noch wie weiße Watte. Drunten sah man Flicka zu den Einjährigen galoppieren; sie hatte sie bald erreicht und nun unterschied man nur noch ein vielfarbenes Durcheinander von bewegten Gestalten, auf die die Sonne heiß herabbrannte und denen sie leuchtende Funken aus dem glänzenden Fell schlug.

»Vorwärts!«, rief McLaughlin. »Wir müssen sie von hinten einkreisen. Sie haben jetzt angefangen zu rennen und es hat sich aufgeklärt. Seht zu, dass sie mit dem Laufen nicht aufhören, dann können wir sie alle miteinander hereintreiben, bevor sie zum Stehen kommen. Tim, du nimmst den kürzesten Weg zur Pforte zurück und hilfst Howard, damit sie zur Stallweide abbiegen und durch das Tor gehen!«

Tim schoss nach der Landstraße zu davon und die drei anderen Reiter galoppierten um die Höhe herum bergab, dem Rudel der Einjährigen in den Rücken. Mit gellen Rufen, ihren Pferden die Sporen gebend, waren sie hinter ihnen her und jagten sie in Richtung auf die Ställe zu, bis sie alle auf der Landstraße beisammenhatten. Ken sah, wie Tim und Howard ihnen beim offenen Tor die Straße versperrten. Die Einjährigen rannten gerade auf sie zu. McLaughlin rief sein »Hoho-hoho« und das Laufen wurde langsamer. Oft genug waren die Einjährigen diesen Weg gekommen; er führte zu den Koppeln, zu Hafer und Heu, zum Schutz vor den Winterstürmen. Würden sie ihn einschlagen? Flicka war mit dabei, mitten im Rudel – würde sie den anderen durch die Pforte folgen?

Alles war im Nu geschehen. Die Einjährigen bogen zur Pforte ein, gingen hindurch und rannten auf die Koppeln zu, wo ihnen von Gus geöffnet worden war. Flicka war wieder gefangen.

Da sie sich aus der runden Koppel hatte befreien können, beschloss McLaughlin sie nun in einer anderen einzusperren, die an die Ställe grenzte und von drei Meter hohen Wänden aus Espenbalken umgeben war. Die übrigen Einjährigen mussten von ihr weggelotst werden.

Jetzt, da es nicht mehr neblig war, brannte die Sonne glühend herab und Pferde und Männer waren triefend nass, als das Umherjagen der Tiere überstanden und das Rudel nach und nach in die andere Koppel getrieben worden war. Flicka war allein übrig.

Sie wusste, dass ihre Abgeschiedenheit Gefahr bedeutete und dass sie ausersehen war, etwas Schreckliches zu erleben. Wie toll rannte sie an dem hohen Zaun entlang, durch den sie die anderen Ponys sehen konnte; sie bäumte sich und kletterte an den Pfosten hoch, sie schrie, drehte sich um sich selbst und rannte bald in der einen, bald in der anderen Richtung in die Runde. Und während McLaughlin und Ross miteinander überlegten, ob es ratsam sei, sie mit dem Lasso zu fangen, entdeckte sie plötzlich die offen stehende obere Hälfte der holländischen Tür. Für sie war es ein dunkles Loch in der Stallwand und sie sprang hinein. McLaughlin beeilte sich, die Tür hinter ihr zu schließen. Jetzt war sie sicher im Stall und eingesperrt!

Der Rest der Fohlen wurde weggetrieben und Ken stand beim Stall und horchte auf das wilde Schlagen der Hufe, auf das Krachen und laute Schreien. Er fühlte ein verzweifeltes Verlangen, sie irgendwie zu beruhigen, mit ihr zu reden. Wenn sie doch nur wüsste, wie er sie liebte, dass sie nichts zu befürchten brauchte und dass sie beide nun Freunde sein würden!

Ross rollte kopfschüttelnd sein Lasso zusammen. »Das ist mal eine Wilde!«, sagte er.

»Nicht ganz richtig im Kopf«, stellte Tim kurz fest.

McLaughlin sagte: »Wir wollen sie allein lassen, damit sie ein wenig nachdenken kann. Nachmittags kommen wir wieder her und geben ihr Futter und Wasser und dann wird gleich ein wenig mit ihr gearbeitet.«

Aber nachmittags zeigte es sich, dass Flicka nicht mehr im Stall war. Ein Fenster über der Krippe war zerbrochen und die Krippe lag voll Glas.

McLaughlin lachte bitter. Er sah Ken an. »Sie ist auf die Krippe geklettert«, sagte er, »hat sich auf den Futterkasten gestellt, das Glas mit den Vorderhufen ausgeschlagen und ist – entwischt!«

Das zerbrochene Fenster führte auf die Sechsfußweide hinaus. Als man sich hier nach Flicka umsah, fand man sie ganz in der Nähe des Stalles. Sie stand an einem Heuwagen und fraß, sprang aber gleich davon und rannte in östlicher Richtung über die Weide.

»Ganz wie die Mutter«, sagte Rob. »Jetzt wird sie geradeaus durch den Zaun gehen.«

»Ich wette, sie setzt über ihn hinweg«, sagte Gus. »Sie springt ja wie ein Hirsch.«

»Kein Pferd kann da hinüber«, antwortete McLaughlin.

Ken sagte nichts, denn er konnte nicht sprechen. Dies war der schrecklichste Augenblick seines Lebens. Er sah Flicka zum Zaun im Osten rennen. Wenige Meter davon entfernt schwenkte sie plötzlich ab und lief in südlicher Richtung diagonal über die Weide.

»Sie hat kehrtgemacht! Sie hat kehrtgemacht!«, rief Ken beinahe schluchzend. Es war das erste Zeichen, dass doch noch Hoffnung für Flicka vorhanden war. »Oh, sieh doch, Papa, sie ist ja doch vernünftig!«

Als Flicka zum Zaun im Süden gekommen war, machte sie wieder eine Wendung und ebenso am Zaun im Norden; die Stallgegend vermied sie. Ohne an Geschwindigkeit zu verlieren, untersuchte sie jede Möglichkeit so genau, als folgte sie einem ausgeklügelten

Plan. Und dann, als sie sah, dass es keine Hoffnung für sie gab, rannte sie dem Gelände zu, in dem sie bisher ihr Leben verbracht hatte; sie sammelte sich und hob sich zu einem scheinbar unmöglichen Sprung.

Jeder der Männer, die ihr zusahen, fühlte sich instinktiv versucht, die Augen mit der Hand zu bedecken, und Ken in seiner Verzweiflung heulte auf.

Zehn Meter Zaun folgten mit, als sie durchbrach. Sie verfing sich in den oberen Drähten, schlug einen Purzelbaum und landete auf dem Rücken, wobei ihre vier Beine noch mehr Drähte auf sie herabzogen und sie hoffnungslos verwickelten, so dass eine Flucht nicht mehr möglich war.

»Diese verdammten Drähte!«, fluchte McLaughlin. »Wenn ich mir doch anständige Zäune leisten könnte!«

Ken folgte hinterher, als die Männer jetzt auf das Fohlen zugingen. Ihm war elend zu Mute. Flicka wehrte sich so lange strampelnd gegen den Draht, bis dieser sich fest um sie zusammengezogen hatte und ihr Haut und Fleisch zerriss. Zuletzt verlor sie das Bewusstsein. Ströme von Blut liefen ihr über das goldene Fell und die roten Pfützen unter ihr auf dem Grase wurden breiter und breiter.

Alle hatten währenddessen im Kreise um sie herumgestanden; jetzt schnitt Gus, der immer eine Drahtschere in der Arbeitshose hatte, den Draht an ihr weg. Man zog Flicka auf die Weide zurück und besserte den Zaun aus. Ein Kasten mit Hafer und ein Wassereimer wurden neben sie gestellt. Damit hatten die Männer für diesen Tag genug.

»Ich bezweifle sehr, dass sie darüber hinwegkommt«, sagte McLaughlin kurz. »Aber das bleibt sich gleich. Ein Pferd, das nicht ganz richtig ist, ist nicht einmal einen Fluch wert.«

Krankenpflege

Ken lag neben Flicka im Grase. Eine seiner kleinen, braunen Hände streichelte ihren Rücken und drückte ihn sanft; in die andere stützte er den Kopf. Er neigte sich über Flicka. Seine Kehle war trocken; die Lippen waren wie Papier. Endlich flüsterte er: »Ich wollte dich ja doch nicht töten, Flicka!«

Howard kam und setzte sich neben ihn; er verhielt sich ruhig und gemessen, wie sich das bei Trauerfällen gehört.

»Highboy ist nie so gewesen«, sagte er.

Ken antwortete nicht. Er sah, dass Flicka schwach atmete. Bewusstlose Pferde hatte er schon oft gesehen, Pferde, die durch Drähte schwer verletzt worden waren. Sie waren gesund geworden. Auch Flicka konnte gesund werden.

»Sie ist ja ebenso schlimm wie Rocket«, meinte Howard.

Ken hob stirnrunzelnd den Kopf. »Rocket? Dieses alte, schwarze, höllische Biest!«

»Flicka ist ja doch ihr Kind, nicht wahr?«

»Ja, aber sie ist auch Banners Tochter.«

In Kens Kopf gab es viele voneinander getrennte Abteilungen. In einer von ihnen war Rocket jetzt, da sie tot war, der Bequemlichkeit halber untergebracht worden. Nach einer Weile sagte Howard: »Wir haben heute noch nicht mit den Fohlen gearbeitet.« Er zog die Knie an und schlang die Arme darum.

Ken erwiderte nichts.

»Wir müssen es ja doch, du weißt … Der Vater wird böse, wenn wir es nicht tun.«

»Ich will nicht von ihr weggehen«, sagte Ken. Seine Stimme klang seltsam dünn.

Howard schwieg voll Mitgefühl. Dann sagte er: »Ich könnte es für dich tun, Ken.«

Ken sah dankbar auf. »Wirklich? Das wäre wirklich fein!«

»Ja, ich will alle vier vornehmen, dann kannst du hier bei Flicka bleiben.«

»Danke.« Ken stützte den Kopf wieder in die Hand, mit der anderen streichelte er Flickas Hals.

»Ja, sie war wirklich schön«, sagte Howard mit einem Seufzer.

»Was meinst du mit *war*?«, fuhr Ken ihn an. »Du meinst wohl, dass sie schön *ist*?«

»Ich meine, als sie vorhin hierherlief«, sagte Howard schnell. Ken antwortete nicht. Es stimmte. Flicka im Sprung über die Erdspalten war etwas ganz anderes als diese leblose Masse hier auf dem Boden mit ihrem großen Bauch, dem schlappen Hals und dem leblosen, gestreckten Kopf.

»Denk bloß«, sagte Howard, »dass du ebenso gut eins von den anderen Einjährigen hättest haben können. Es wäre jetzt schon halb zahm; vielleicht könnte man es schon anbinden.«

Ken schwieg immer noch. Howard stand langsam auf. »Ich will jetzt die Fohlen vornehmen«, sagte er und ging. Nach einigen Schritten drehte er sich um. »Wenn die Mutter jetzt nach der Post fährt – willst du dann vielleicht mitkommen?«

Ken schüttelte den Kopf. Als Howard außer Sicht war, hockte er sich auf die Knie nieder und untersuchte Flicka überall. Er hätte nie gedacht, dass er ihr schon so bald nahe genug sein würde, um sie zu streicheln und überall zu berühren. Die Leidenschaft des Besitzens packte ihn. Flicka war, wenn auch krank und halb zerrissen, dennoch sein Eigen und vor Liebe zu ihr zersprang ihm beinahe das Herz. Er glättete ihr Fell, er ordnete ihre Mähne, er versuchte ihren Kopf besser zu betten.

»Du gehörst jetzt mir, Flicka«, flüsterte er.

Er zählte ihre Wunden. Die beiden schlimmsten waren ein tiefer Einschnitt über dem Sprunggelenk am Hinterbein und ein langer Schlitz in der Brust, der bis in den Muskel des Vorderbeins reichte. Außerdem war sie übersät mit dreieckigen Rissen, die das Fleisch entblößten, und mit Schnittwunden, auf denen das Blut nun in Reihen von kleinen schwarzen Diamanten trocknete.

Ken fragte sich, ob die beiden schlimmsten Einschnitte wohl genäht werden müssten. Er dachte an Doktor Hicks und ihm fiel ein, dass der Vater gesagt hatte: »Jedes Mal wenn du dich zeigst, bereitest du mir Unkosten.« Nein, nähen konnte ja auch Gus; er verstand sich recht gut darauf. Aber am besten sei es, hatte der Vater gesagt, sich gar nicht einzumischen. Tiere heilen von selbst, wie zum Beispiel Sultan, der auf der Lincolnstraße von einem Auto verletzt worden war. Er war gestürzt, ein großes Stück Fleisch war ihm aus der Brust gerissen worden und ein Stück Haut hatte lose heruntergehangen – und doch war alles von selbst verheilt, und nur daran, dass das Haar nicht überall gleich lang war, merkte man später, wo die Wunde gewesen war. Der Schnitt in Flickas Hinterbein war furchtbar tief.

Ken neigte den Kopf zu ihr hinab und flüsterte wieder: »Oh, Flicka, ich wollte dich ja doch nicht töten!« Und nach einer Weile: »Werde doch gesund – werde gesund!« Und dann: »Flicka, sei nicht so wild! Sei ein gutes Pferd, Flicka!«

Gus kam mit einem Blechgefäß voll schwarzer Salbe heraus. »Der Herr Rittmeister hat befohlen etwas von dieser Salbe auf die Schnittstellen zu schmieren – es heilt dann besser.«

Beide machten sich daran, auf jede der Wunden, soweit sie erreichbar waren, Salbe zu schmieren. Gus blickte zu dem Knaben nieder.

»Glaubst du, dass sie gesund wird, Gus?«

»Kann sein. Ich habe viele Pferde gesehen, die

ebenso schlimm verletzt waren und doch wieder gesund geworden sind.«

»Vater meint …« Ken versagte die Stimme. Er hatte erzählen wollen, dass der Vater gesagt hatte, da Flicka »nicht richtig im Kopf« sei, mache es nichts, wenn sie nun sterben würde.

Die hellblauen Augen des Schweden blickten eine Weile freundlich auf den Knaben nieder, dann ging er zu den Ställen zurück.

Jede Spur von Nebel war nun verschwunden und die Sonne brannte heiß. Ken stand auf, um aus dem Eimer, der für Flicka hingestellt worden war, zu trinken. In den gehöhlten Händen brachte er ihr dann Wasser und goss es ihr auf das Maul. Flicka rührte sich nicht; er setzte sich wieder neben sie und redete ihr leise zu. Nach einer Weile sank sein Kopf müde zu Boden …

Ein heulender Windstoß weckte ihn. Als er aufblickte, sah er, dass schwarze Wolken eine gerade Linie über den Himmel zogen. Kalte Windstöße fuhren nieder und sogen – wie Wirbelwinde – Blätter, Zweige und Ranken vom Boden auf. Von der schwarzen Wolkenmauer hing ein feiner, eisiger Nebel herab und plötzlich ertönte explosionsartig ein furchtbarer Donnerschlag. Der Himmel flammte und zuckte von Blitzen. Hoch über der Erde lärmte es wie von gellen Trompeten- und Posaunenstößen. Die herabfallenden Bestandteile des feinen, eisigen Nebels wurden größer; sie tanzten und hüpften wie kleine Erbsen auf dem Boden – wie Murmelkugeln, wie Pingpongbälle …

Sie schlugen durch Kens dünnes Hemd und trafen ihn ins Gesicht und auf den Kopf. Er lag neben Flicka auf den Knien und hielt zum Schutz die Arme über den Kopf. Die Hagelkörner waren wie Pingpongbälle, wie Billardkugeln, wie kleine, harte Äpfel – und plötzlich fielen sie hier und da in der Größe von Tennisbällen, prallten vom Boden ab, rollten oder zersprangen an den Felsen. Ein Hagelkorn traf Ken ins Gesicht und ein dünner Blutstreifen lief ihm über die Wange zum Kinn hinab.

Unter einem Mantel von Dunkelheit raste das Unwetter gen Osten und presste das Gras auf den Hügeln flach. Plötzlich, mitten aus den Wolken, heulendem Wind und Hagel, strahlte ein silbernes Licht herab und das Gras hob sich wieder mit schimmernden Halmen.

Ken richtete sich auf und blickte seufzend auf Flicka. Sie hatte sich nicht gerührt.

Ein Regenbogen schlug, wie ein Riesenzirkel, einen Halbkreis von leuchtender Farbe über das Gelände und weiter entfernt hing – vom Unwetter zurückgelassen – eine feurige Fahne vom Himmel herab. Ken legte sich wieder neben Flicka und lehnte die Wange gegen die weiche Wirrnis ihrer Mähne.

Als der Abend kam und Ken an Nells Hand nach Hause gegangen war, lag Flicka immer noch da wie zuvor. Langsam senkte sich die Dunkelheit über sie. Sie war allein; nur die großen Geschöpfe des Himmels, die über ihr kreisenden Gestirne, waren um sie herum: die beiden Bären auf ihrem Wege um den Polarstern, die

Zwillingsschwestern, stets beieinander, als ob sie sich mit Armen umschlängen; der Adler – Aquila, der beinahe bis Mitternacht zögert, ehe seine großen, verborgenen Flügel ihn über den Horizont heben – und im Zenit, hell wie ein blauer, strahlender Diamant, Wega, der herrliche Stern.

Lebloser als sie alle und dunkel, während jene leuchteten, lag Flickas erdgebundener und vom Tode bedrohter Körper auf dem blutigen Grase und jeder Atemzug, den sie tat, war ein köstlicher Sieg.

Gegen Morgen stand der Halbmond hoch am Himmel.

Scharfes, jappendes Gebell zerriss die Stille. Aus anderer Richtung kam eine Antwort, dann noch eine und noch eine – zögernde, fragende Schreie, die am Ende zu einem langen Geheul wurden. Ein Rudel Präriewölfe hob die spitzen Schnauzen dem Monde entgegen und ihr Heulen zitterte durch die langen, gespannten Kehlen und die offenen Rachen. Jeder kleine Präriewolf durfte seine Solonummer vortragen; es klang zuerst ängstlich und fragend und wurde dann immer stärker und frecher. Zum Schluss fiel einer nach dem anderen ein und schließlich war das Rudel ein voller Chor, der die Luft mit so bösartigen, schauerlichen Lauten erfüllte, wie sie das Haar auf Menschenköpfen zu Berge steigen lassen und jedes Tier zur Wachsamkeit aufrufen.

Mit einem tiefen, schaudernden Seufzer kam Flicka wieder zu Bewusstsein. Sie hob den Kopf und rollte, die

Füße unter sich ziehend, auf den Bauch. Dabei drehte sie lauschend den Kopf. Das Geheul klang bald lauter, bald leiser – ein gewohnter Ton, den sie gehört hatte, seit sie geboren war. Das Rudel war jetzt jenseits des Flusses, drüben am Waldrand.

Flicka sammelte sich, duckte sich ein wenig und stand gleich darauf auf den Füßen. Fohlen dürfen nicht hilflos am Boden liegen, wenn ein Rudel Wölfe in der Nähe ist. Schwankend, mit hängendem Kopf, die Beine ein wenig nach außen gestellt, stand sie da und es dauerte mehrere Minuten, bis sie das Gleichgewicht gefunden hatte. Währenddessen blähten sich ihre Nüstern: Sie roch Wasser. Wie weit war es? Konnte sie bis dorthin gehen?

Sie sah den Eimer, trottete mit unsicheren Schritten hin und trank. Kraft und neues Leben durchströmten sie. Sie hob das Maul und bewegte die Lippen, als wollte sie das erfrischende Wasser noch deutlicher schmecken. Dann trank sie wieder tief und horchte mit hoch erhobenem Kopf auf das Heulen der Wölfe, bis die Töne abnahmen und zögernd verklangen.

Sie stand lange am Wassereimer. Das Geheul ertönte von neuem, aber jetzt war der Laut wie ein Echo; er kam wohl eine Meile weit her. Die Wölfe waren jenseits des Tales auf der Jagd.

Langsam fing es an zu tagen und zitronengelbes Licht erhellte den östlichen Horizont. Vom blassen Blau des frühen Morgenhimmels überstrahlt verschwand Stern auf Stern.

Als Ken am Morgen zu Flicka kam, hatte sie das Wasser ausgetrunken, hatte ein wenig Hafer gefressen und kehrte nun ihre Breitseite der Sonne zu, um jeden ultravioletten Strahl in sich aufzunehmen, der zur Gesundung ihres zerschlagenen Körpers beitragen konnte.

Ist Flicka
»nicht richtig«?

Gleich nach dem Frühstück gingen alle hinaus, um Flicka anzusehen. Sie stand am Zaun, so weit weg wie nur möglich, während man ihre Verletzungen und ihre Vorzüge besprach und festzustellen versuchte, ob sie mehr Ähnlichkeit mit Banner oder mit Rocket habe.

Alles, was über sie gesagt wurde, ging Ken durch und durch, als ob es Bemerkungen über ihn selbst gewesen wären. Aber er wollte ein Urteil über seine Wahl haben und sagte: »Nicht wahr, Papa, sie ist herrlich gebaut?«

McLaughlin starrte Ken an. »Du hast sie ja gekauft, Ken, sie ist gezeichnet, versiegelt und geliefert. Kauf du nur immer Pferde, in die du dich vergafft hast, und lerne erst hinterher ihre Schwächen kennen; auf diese Weise wirst du ein ausgezeichneter Pferdezüchter.«

Ken errötete und sah weg. Flicka, die das Beschämende ihrer Lage zu fühlen schien, ging auf schwachen Beinen am Zaune hin und her und sann auf Flucht.

»Sie scheint mir eine vollkommene kleine Schönheit zu sein«, sagte Nell, die nachher Rumba reiten wollte und schon in Reithosen war.

»Ich will sie auf die Kälberweide bringen lassen«, sagte McLaughlin. »Da gibt es Schatten und rinnendes Wasser. Diese Weide hier werde ich für andere Pferde nötig haben.«

»Die Kälberweide hat aber nur drei Reihen Stacheldraht«, sagte Ken besorgt, »da könnte sie hinüberspringen und weglaufen.«

Rob warf ihm einen seiner niederschmetternden Blicke zu. »Sie wird nicht hinüberspringen, Ken. Sie wird überhaupt nicht springen. Noch lange nicht.«

»Außerdem«, sagte Howard, »wird sie dort unten Gesellschaft haben. Die Kälber und die Fohlen mit ihren Müttern. Sie wird also nicht allein sein.«

»Sie wird bestimmt allein sein«, sagte McLaughlin mit abgerissenem Lachen und Ken fiel die Bemerkung ein, dass ein »nicht richtiges« Pferd auch immer ein »einsamer Wolf« sei. »Sie gesellt sich nicht zu den anderen.«

Nell und Ross gingen zu den Ställen zurück, um mit der Schulung der Poloponys zu beginnen, und die anderen verteilten sich fächerartig hinter Flicka und trieben sie behutsam durch die von Gus geöffnete Pforte auf die Kälberweide. Flicka trottete immer nur ein paar Schritte und blieb dann stehen, um sich zu erholen, und ließ den Kopf hängen.

McLaughlin sah verärgerter aus denn je. Endlich war Flicka auf der Kälberweide angelangt und die Pforte wurde hinter ihr geschlossen. Gus und Tim gingen an ihre Arbeit und McLaughlin sagte zu Howard: »Komm, es hat keinen Sinn, den ganzen Tag hier zu stehen und ein krankes Pferd anzusehen.«

Ken freute sich darüber, dass Flicka nun auf der Kälberweide war. Hier übten die Jungen täglich mit ihren Fohlen. Nachts grasten hier die neumelken Kühe und tagsüber die Kälber. Von hier war es näher zum Hause. Man konnte vom Rasenplatz, von der Terrasse und von Kens Fenster einen großen Teil der Kälberweide überblicken und für Ken war es ein tröstlicher Gedanke, dass Flicka sich, auch wenn er nicht bei ihr sein konnte, in seiner Nähe befand.

Als die Sonne an jenem ersten Tag heiß wurde, ging Flicka mit langsamen, zaghaften Schritten in den Schatten der drei Kiefern, die in einer Reihe auf dem Hügel standen. Zum Bach war sie noch nicht gegangen. Das war zu weit für sie. Ken trug ihr daher den Eimer auf die Kälberweide nach, füllte ihn mit frischem Wasser und setzte den Futterkasten mit Hafer daneben. Futter und Wasser, Sonne und Schatten – alles war nur wenige Schritte voneinander entfernt. Den Hafer rührte sie kaum an, sie verstreute davon mehr, als sie fraß, und weidete überhaupt nicht. Ken dachte, dass sie dabei vielleicht Schmerzen hatte; er wollte den Vater um Heu für sie bitten.

Nachmittags wurden die vier Rodeo-Pferde Lady, Calico, Baldy und Buck auf das Lastauto verladen und McLaughlin wollte sie selbst nach Cheyenne fahren. Ken beeilte sich, den Vater vor der Abfahrt aufzusuchen. Er fand ihn, als er schon auf dem Führersitz saß.

»Papa!«

McLaughlin sah hinunter. »Nun?«

»Könnte ich wohl ein paar Gabeln Heu für Flicka bekommen? Sie will nicht grasen und es scheint, dass sie sich nicht viel bewegen kann.«

Eine Bitte um Heu war für McLaughlin dasselbe, wie wenn man ihn um sein rechtes Auge gebeten hätte. Es war einer seiner Grundsätze, nie Heu zu verfüttern, solange es Gras zum Weiden gab.

»Ich habe dir ja gesagt, dass du mich jedes Mal, wenn du auftauchst, Geld kostest«, rief er.

»Darf ich, Papa?«, fragte Ken, ohne nachzugeben.

»Meinetwegen«, sagte McLaughlin, »ein paar Tage lang.« Er lehnte sich aus dem Fenster des Lastautos und rief nach Gus. Ken rannte davon.

»Alles in Ordnung, Herr Rittmeister«, sagte Gus, als er hinter dem Wagen hervorkam. Er setzte sich zu McLaughlin und sie fuhren los, wobei die Pferde anfangs unruhig stampften. Bald aber fingen sie an die Fahrt zu genießen und über die hohen Seitenwände hinweg die vorbeigleitende Landschaft neugierig zu betrachten.

Auf einer Gabel trug Ken das Heu zu Flicka hinaus. Jeder Schritt, den er für sie tat, war ihm eine Freude. Flicka versuchte davonzulaufen, als sie ihn kommen sah, und Ken sagte: »Nicht doch, Flicka! Du sollst nicht so furchtsam weglaufen! Ich bin ja Ken. Und das hier ist Heu. Das magst du ja – komm und friss.«

Er legte das Heu in die Nähe und hielt sich selbst in

einiger Entfernung. Flicka kam hinkend zurück; sie schnupperte am Heu und fing an zu fressen.

Ken lag da mit aufgestützten Ellbogen, das Kinn in der Hand, und schaute zu Flicka hinüber. Hin und wieder hob sie kauend den Kopf und blickte ihn an. Es schien, als ob sie sich ein klein wenig an ihn gewöhnte.

Er wusste, dass es ihr besser ging; ihre Wunden bluteten nicht mehr. Sie waren geschwollen, und wo das Fleisch gestern hell und frisch gewesen war, sah es heute dunkel und trocken aus und war mit Schorf bedeckt.

Howard wollte auch heute Kens Fohlen besorgen; denn es war Ken fast unerträglich, Flicka auch nur für eine Stunde zu verlassen.

Als es Zeit zum Melken war, ging Tim auf dem Wege zum Kuhstall vorbei, und wie gewöhnlich begleitete ihn der Cowboy. Die hohen Absätze seiner Stiefel machten seinen Gang steif und in den ausgeblichenen Baumwollhosen sahen seine dünnen Beine so krumm aus, dass ein Hund zwischen ihnen hätte hindurchlaufen können. Die Männer machten einen Umweg über die Kälberweide, um sich Flicka anzusehen.

»Weiß der Kuckuck, wie das möglich ist«, sagte Ross und sein kleines Gesicht blieb völlig ausdruckslos, »aber sie scheint sich tatsächlich herauszumachen!« Er setzte sich auf einen Stein, zog Zigarettenpapier hervor und drehte sich geschickt eine Zigarette.

Tim stand mit zwei Milcheimern an jedem Arm da

und sein komisches Gesicht war, wie gewöhnlich, zu einem Lächeln verzogen. »Nun, Kennie«, sagte er, »wie gefällt dir die Krankenpflege?«

»Ganz gut«, sagte Ken verschämt.

»Als ich sie gestern auf den Zaun losstürzen sah«, fuhr Tim fort, »wollte ich zuerst gar nicht glauben, dass sie es wirklich versuchen würde; aber dann sagte ich mir: Verrückte Leute werden in Anstalten gesteckt – verrückten Pferden muss man erlauben sich selbst umzubringen.«

Ken hob langsam den Kopf und starrte in Tims rotes, grinsendes Gesicht. Durch Tims Worte war plötzlich Ordnung in die Gedankenfetzen gekommen, die ihn in den letzten Tagen verwirrt hatten. »Nicht richtig im Kopf sein« war also nicht dasselbe, wie wenn man sagte: »Bei dir ist wohl eine Schraube los?« Nein, das hieß so viel wie geisteskrank, richtig verrückt sein, Tollhäusler, reif für eine Anstalt … Flicka war also verrückt …! Ihn durchzuckte ein eisiger Schreck.

»Jedenfalls ist sie ein sehr wildes Mädchen«, sagte Ross ernst.

Ken blickte von einem zum andern. »Glaubt ihr, dass sie wirklich …« Das Wort, das bisher so leicht ausgesprochen worden war, blieb ihm jetzt mit einem Mal in der Kehle stecken; er brachte es aber doch hervor, wenn auch mit Anstrengung, »dass sie nicht richtig ist?«

»Ja, bestimmt.«

»Haben Sie je ein Pferd gezähmt, das nicht richtig ist, Ross?«

»Tja, wie man's nimmt – hin und wieder gibt man mir solch einen Wildling.«

»Und was tun Sie dann?«

»Ihn zähmen, wenn ich kann.«

Der Cowboy warf die Zigarette weg und drehte sich eine neue.

»Im letzten Frühling hatte ich einen bekommen – hab noch nie im Leben mit einem Pferde härter gearbeitet. – Aber ich kriegte ihn nicht unter, sondern er mich. Er hatte mehr Ausdauer.«

»Wo war das?«

»Jock Heely nahm mich auf ein Gestüt mit, auf dem er ein Pferd gekauft hatte. Er sagte, ich solle es zähmen und dann nach Hause reiten. Ich hätte es besser wissen sollen, aber er redete es mir ein. Ich kam dorthin, fand ein wildes, zehn Jahre altes, ungezähmtes Pferd vor, das nie einen Sattel gesehen hatte. Jock ging immer an allen wirklich guten Pferden vorbei und kaufte das älteste und schlechteste. Und hatte man sie endlich gezähmt, so waren sie – wenn es überhaupt so weit kam – nachher nichts mehr wert.

Nun ja, ich arbeitete drei ganze Tage mit ihm. Bekam es so weit, dass ich es zur Not reiten konnte. Wir machten uns nach Hause auf, ohne Weg und Steg. Es fing an sich zu drehen; ich konnte es nicht dazu bringen, dass es geradeaus ging. Ich verlor völlig die Richtung – so weit, dass die Sonne für mich schließlich im Osten unterging und ich die Richtung dahin einschlug, von wo ich gekommen war. Schließlich band ich das Tier an einen

Baum und legte mich schlafen. Am Morgen versuchte ich es wieder, aber es drehte und drehte sich, bis mir ganz schwindlig war. Es wollte nun mal nicht geradeaus gehen. Ich schlug es, bis mir der Arm lahm wurde. Schließlich ließ ich es laufen und ging auf Schusters Rappen mit dem Sattel auf dem Kopf in die nächste Stadt.

Ab und zu treffe ich Jock und dann sagt er jedes Mal, dass ich ihm ein Pferd schuldig bin; aber ich sage ihm, dass ich ihm ein Gutteil weniger als nichts schulde.«

»Könnten Sie ein Fohlen wie dieses zähmen?«

»Tja – wenn ich die hier zähmen müsste, würde ich ihr erst mal keinen Hafer und überhaupt nicht viel Futter geben, bis ich sie so weit hätte. Dein Papa will, dass ich den jungen Pferden, mit denen ich arbeite, Hafer gebe – aber das macht sie zu lebhaft. Sie wären schon längst zahm, wenn er mir erlaubt hätte ihnen kein Futter zu geben. Flicka würde ich erst einmal recht schwach werden lassen, dann ihr die Füße so zusammenbinden, dass sie nicht laufen kann, und sie so lange vorwärtstreiben, bis sie es müde wird, immerzu hinzufallen und wieder aufzustehen. Schließlich würde ich aufsteigen und ihr gründlich die Peitsche geben. Auf diese Weise kann man ein Pferd unterkriegen. Aber eins musst du wissen, Ken: Bei echten, richtigen Wildlingen oder solchen, die nicht richtig im Kopf sind, muss man so lange bei dieser Methode bleiben, dass nicht mehr viel vom Pferde übrig ist, wenn man es endlich zahm bekommen hat. Und dann ist die ganze Mühe umsonst gewesen.«

Die Männer gingen weiter. Ken bemerkte es kaum; die Türen zu den luftdichten Kammern in seinem Hirn hatten sich geöffnet und die Ereignisse der letzten vierzehn Tage rollten in seiner Erinnerung ab wie ein Film: das ungezähmte Pferd, das aus dem Lastauto gesprungen und den Abhang hinuntergerollt war – der Schuss aus dem Winchestergewehr, der es ins Gras gestreckt hatte – Rocket, wie sie in den Schacht hinabstürzte und dort unten dumpf mit dem Ton gedämpfter Trommeln aufschlug und wie sie sich vorher auf dem Wagen gebäumt und den Kopf gegen das Schild geschlagen hatte; wie wild sie sich im »Gang« gebärdete, so dass der Vater beinahe ein Auge dabei verloren hatte. Das war ja Verrücktheit, war »nicht richtig«.

Aber auch Banner fiel ihm ein und dabei wurde ihm noch viel schlimmer zu Mute als beim Gedanken an Rocket. Banner – und der laute Beifall der Offiziere und der Ausruf der Mutter: »Mit fliegenden Fahnen!«

Auch Flicka war es bestimmt, in Freiheit und golden und schön wie Banner auf dem Hochland umherzulaufen, und auch ihre Fahnen sollten im Winde wehen. An den tiefen Minenschacht wollte er nicht denken. Hätte er alles ungeschehen machen und sie zu Einsamkeit und Freiheit in das weite Gelände zurückführen können – er hätte es getan.

Ken zwischen Traum
und Verantwortung

Als Nell die Arbeit mit Rumba beendet hatte, zog sie ein geblümtes Hauskleid an. Nach dem Mittagessen machte sie sich an die Hausarbeiten, zu denen sie am Vormittag nicht gekommen war, und ging dann auf die Terrasse hinaus. Sie seufzte, als ihr Blick auf die Blumenkästen an den Fenstern und auf die Rabatte fiel, denn überall hatte der Hagel die Blumen völlig zerstört. So war es nun mal, wenn man so hoch über der übrigen Welt lebte: Dergleichen fiel hier vom Himmel herab! Rob hatte gestern Abend von einem Unwetter erzählt, dessen Hagelkörner so groß gewesen waren, dass ein Mann sie nicht hatte heben können; eine Schafherde war von ihnen erschlagen worden. Man sei später aus den Städten in der Umgebung mit Autos hinausgefahren, um sich die Schafe anzusehen, die durch Eisstücke vom Himmel herab getötet worden waren. Meilenweit habe man den Gestank der toten Tiere gerochen. Sie selbst war einmal an einem 4. Juli in Cheyenne gewesen und damals hatte es dort dermaßen gehagelt, dass alle Gewächshäuser zerschlagen worden waren und ebenso die Verdecks der Autos, die gerade unterwegs waren.

Nell nahm ihre Gartenhandschuhe, einen kleinen Spaten und die Gartenschere und machte sich daran, die abgebrochenen Blumen und Blätter zu entfernen. Nun würde es also keinen daheim gezogenen, frischen Salat in diesem Sommer mehr geben; es war zu spät, von neuem anzufangen, und das Glas über dem Treibhaus war zerbrochen; Rob musste neues herbeischaffen und es in Ordnung bringen, und das würde ihn ganz wild machen. (Und wie er nun mit Ken alles verfahren hat! Ich habe den ersten Anlass dazu gegeben, denn ich sagte ihm, er solle Ken ein Fohlen schenken, und jetzt …!) Ach, auch die Geranie ist zerstört – könnte sie ebenso gut ganz herunterschneiden … Was soll's zum Abendessen geben? Kaltes Fleisch und Makkaroni und Käse. – Wie doch die Männer Süßigkeiten lieben! – Rob könnte frische Tomaten und Salat und Pfirsiche mitbringen, wenn er mit dem Lastauto zurückkommt … Welch ein Durcheinander! Welch ein Unwetter! – Vier Rhode-Island-Küken sind tot – sind nicht rechtzeitig unter die Flügel der Alten gelaufen …

Als Nell getan hatte, was sie konnte, um Kästen und Blumenbeete in Ordnung zu bringen, ging sie in die Küche, machte Feuer und fing an den Teig für die kleinen Kuchen anzurühren, deren Rezept sie, wie sie sich lächelnd erinnerte, selbst herausgefunden hatte. Rob hatte sie damals um eine Art Berliner Pfannkuchen gebeten, die er als Kind gern gegessen hatte; das Rezept hatte sie in mehreren Kochbüchern studiert und sich dann zu einem Mittelding entschlossen, das sie durch eigene Erfindung noch zu verbessern glaubte. Aber der erste Kuchen, den sie probeweise in das geschmolzene Fett legte, löste sich darin völlig auf, worauf sie kurz entschlossen den ganzen Teig in dünne kleine Scheiben schnitt und ihn in den Backofen tat. Auf diese Weise entstand das beste Teegebäck, das sie je gegessen hatte; es wurde zu einer Besonderheit des Gänseland-Gestüts, und wer es gern essen wollte, bat Nell einfach um Berliner Pfannkuchen, damit stattdessen dieses Backwerk auf den Tisch kam.

Der Ofen war heiß und sie war mit dem Teig beinahe fertig, als Ken in die Küche kam. Er stützte sich mit den Ellbogen auf den Tisch. Seine Haare waren in wilder Unordnung.

»Ist Flicka wirklich nicht richtig, Mutter?«

Nell erschrak darüber, wie er aussah. Er blickte scharf geradeaus, wie das noch nie seine Art gewesen war, und nun sah er sie mit diesem Blick an, um etwas Tatsächliches von ihr zu erfahren.

»Nun, Kennie?«

»Ist sie nicht richtig?«

»Wenn sie nicht richtig ist, dann steht es ja wohl schlimm um ihre Aussichten im Leben?«

Eine lange Pause folgte. Er kämpfte mit sich.

»Wenn sie nicht richtig ist, dann können weder des Königs Rosse noch des Königs Heer ...« Nell sprach den Satz nicht zu Ende, sondern warf den Teig auf den Tisch und fing an ihn auszurollen. Ken schaute ihr zu. Für ihn hing alles von diesem furchtbaren »Wenn« ab.

»Mutter, gibt es etwas, was du dir ganz furchtbar stark wünschst?«

Nell machte eine Pause und sah zum Fenster hinaus, dann griff sie wieder zur Teigrolle.

»Ja, Kennie, ich habe mir lange Zeit furchtbar stark etwas gewünscht.«

»Wie lange?«

»Ein paar Jahre nach deiner Geburt fing es an.«

»Aber Mutter! Ich habe nie gewusst, dass dir noch irgendetwas fehlt!«

»Fast jeder Mensch wünscht sich etwas, Kennie.«

»Aber doch nicht du, Mutter. Du bist ja erwachsen und verheiratet und du hast ja doch den Vater und uns – du bist eben ganz fertig ...«

Nell lachte. »Und dann sollte ich also aufhören zu wünschen, nicht wahr? Aber die Menschen können es nun mal nicht lassen.«

»Tut das ein jeder? Und immer wieder? Wirst du nie ganz fertig?«

Nell legte die Teigrolle wieder hin und ihre blauen Augen blickten in weite Ferne. »Ich weiß nicht«, sagte sie. »Mitunter vielleicht, einige Minuten lang.«

Sie dachte an die kurzen Augenblicke des Friedens, der restlosen Erfüllung, die sie mitunter unerwartet und ganz unerklärlich überkamen. Warum lebte man zu gewissen Zeiten unter dem Druck unaufhörlichen Strebens und Begehrens, und dann wieder beinahe betäubt von wunschlosem Glück, offen für alles, trinkend, hingegeben ...?

»Mutter?«

»Nun?«

»Bist du? Und werde ich je?«

»Wirst du was?«

»Fertig sein mit allem Wünschen?«

»Was wünschst du denn jetzt, Kennie?«

Ihm war, als hätte er zu viel in der Brust, als dass er atmen konnte. »Mutter, ich wünsche so sehr, dass Flicka ganz ›richtig‹ wäre.«

Nell blickte ihn an, während sie den Teig dünner und dünner ausrollte. Sie sah in seinen Augen eine Frage; im Grunde fragte er danach, ob Ersehntes allein durch die Stärke des Wünschens zu Wirklichkeit werden könnte. Ken sah sie angstvoll an.

Gerade jetzt, dachte sie und blickte nieder, weil ihr plötzlich die Tränen kamen, gerade jetzt ist der Augenblick da, ihn ein für alle Male wissen zu lassen, dass Wünschen und Sehnen keine Tatsachen zu ändern vermögen.

»Es mag wohl sein«, sagte sie, »dass Flicka ›richtig‹ ist. Man kann es jetzt noch nicht bestimmt wissen. Aber wenn sie nicht richtig ist, Ken«, und ihre Worte kamen langsam, »dann wird kein Wünschen, und wenn es noch so stark wäre, das ändern können.«

Ken wandte sich um und ging mit gesenktem Kopf aus der Küche.

»Komm zurück, wenn die Kuchen fertig sind«, rief sie ihm nach.

»Einige werden bestimmt knusprig und braun gera-

272

ten.« Sie buk weiter, rollte den Teig, schnitt ihn aus, tat ihn auf ein dünnes Backblech und schob es in den Ofen. In Wirklichkeit war sie jedoch mit Ken über die Hügel und in den Wald gegangen; dort lag sie wie er mit dem Gesicht zur Erde auf den Tannennadeln, wühlte mit den Händen in der Erde und vergoss heiße, salzige Tränen …

»Nein, Kennie, all dein Lieben und Sehnen – weder Wünsche noch Begehren …«

Aber sie wusste nicht, dass Ken in Gedanken den tiefen Minenschacht vor sich sah und dazu ein Pferd, das dort hinunterstürzte … Es war nicht Rocket …

Er konnte es nicht aushalten. Es musste einen Ausweg geben, bisher hatte es noch immer einen gegeben.

Ken warf sich auf den Rücken und blickte in den Himmel; er war dunkelblau und so nah, als ob man tiefer und tiefer in ihn hineinkönnte. Wenn er so dalag und seinen Gedanken freien Lauf ließ, fühlte er sich besser. Es gab in seinem Kopf gut eingefahrene Gedankenwege, die von der Wirklichkeit wegführten, hinein in die unermesslichen Weiten der Fantasie. Er dachte nicht mehr an Flicka, dachte überhaupt nicht mehr an Dinge, die es wirklich gab. Auch in jener anderen Welt waren Fohlen und kleine Stuten. Er wollte das unwirkliche Fohlen haben, das unverletzlich war, das zwei Meter hohe Zäune überfliegen konnte und das man nicht zu zähmen und zu erziehen brauchte; ein Fohlen, das nicht anders als richtig im Kopf sein konnte, das ihn so leicht auf seinem Rücken trug wie ein Vogel die eigenen

Federn ... Er fing an froh zu werden; hier war ja der Ausweg ...

Der Junge lag regungslos mit weit offenen Augen da und starrte in den Himmel. Das Krampfhafte in seinem Gesicht erschlaffte. Sein Mund stand ein wenig offen; er lächelte beinahe.

Eine Stunde verging. Die Beleuchtung wechselte, lange Schatten legten sich über die Welt. Ein Vogel begann ängstlich zu rufen, aber Ken hörte es nicht und blieb unbeweglich liegen. Sein Atem ging regelmäßig wie im Schlaf.

Nachdrückliches Läuten zum Abendbrot ließ ihn auffahren. War es möglich, dass es schon so spät war?

Er wandte sich nach der entgegengesetzten Richtung, dorthin, wo Flicka bei den drei Kiefern nicht weit vom Wassereimer und Futterkasten lag.

Die Mattigkeit, die aus ihrem flach ausgestreckten Körper sprach, und ihre Reglosigkeit rissen an seinem Herzen. Er hatte sie ganz vergessen, war allein für sich und weit weg gewesen; er hatte es schön gehabt, während sie ... Aber nun durfte er sich nicht verspäten.

Er rannte den Hügel hinunter, über den Rasenplatz, in die Küche; er wusch Gesicht und Hände und bürstete sich das Haar. Die große Angst war wieder über ihn gekommen: Flicka war vielleicht schon tot – man konnte ja nicht wissen, ob sie nur schlief –, und wenn sie wirklich tot war, dann war das seine Schuld, denn er hatte sie ja verlassen, als er ihr den Rücken gekehrt und an die Scheinpferde gedacht hatte. Seine Treulosigkeit hatte vielleicht den feinen Faden zerrissen, der sie an das Leben band. Vielleicht hatte sie darum gewusst, hatte geahnt, was er trieb und dass er sie nicht mehr brauchte; und da hatte sie sich müder und immer müder gefühlt und sich zuletzt hingelegt und …

Gleich nach dem Abendessen lief er hinaus, um nach ihr zu sehen. Sie war wieder auf den Füßen und dieses Mal blieb sie stehen, als er sich ihr näherte. Er setzte sich ins Gras vor sie hin, schlang die Arme um seine Knie und redete mit ihr: »Es war wirklich nicht mein Ernst, Flicka … Ich will ja nur dich haben … Ich werde dich nicht wieder verlassen, Flicka, niemals. Die anderen Fohlen will ich ja gar nicht haben. Sie sind nichts, wirklich gar nichts. Und für dich trage ich die Verantwortung, das hat Papa gesagt. Ich habe dich aus dem offenen Gelände hierhergebracht, von dort, wo du frei und wild warst und selbst für dich sorgen konntest. Durch mich ist es so gekommen, dass du das nicht mehr kannst. Darum ist es nun an mir, für dich zu sorgen.«

Flicka stand da und blickte ihn an. Ihre großen Augen waren trübe und nicht ganz geöffnet. Ihr Haar hing in wüster Unordnung herab; sie hielt sich nicht ganz gerade auf den Beinen. Aber sie spitzte die Ohren, sie schien ihm aufmerksam zuzuhören und zeigte keine Furcht.

Rob beginnt
Ken ernst zu nehmen

Nell hatte ihren dunkelblauen seidenen Kimono an, den ein Gurt um ihre schlanke Taille zusammenhielt. Sie bürstete sich das Haar für die Nacht und es lag weich und gewellt – eine hellbraune Masse – auf ihren Schultern. Beim Bürsten ging sie im Zimmer umher, hängte Kleider in den Schrank, deckte das Bett auf, brachte Robs Schlafanzug hinaus und sprach zugleich mit Rob über Ken.

»Ich hätte gern, dass du freundlicher gegen ihn wärst, Rob.«

»Warum das? Er tut ja genau das Gegenteil von dem, was ich ihm gesagt habe.«

»Ich glaube, dass er sehr leidet.«

»Leidet? Das tue ich auch. Und warum das alles?«

Rob saß in einem niedrigen Lehnstuhl; er streckte einen Fuß aus und zog den Stiefelknecht zu sich heran. Einen Fuß setzte er auf das Brett, den anderen drückte er mit der Ferse an die Ausbuchtung und fuhr fort: »Wenn er wie Howard ein Pferd zähmen und aufziehen wollte, dann würde er dadurch etwas lernen; das würde ihn männlicher machen. Aber was kann er mit dieser kleinen Stute anfangen? Nicht das Geringste. Er wird den ganzen Sommer dort auf der Wiese sitzen und sie ansehen und darüber vergisst er seine anderen Arbeiten. Howard hat nun schon zwei Tage die Fohlen für ihn bewegt.« Er stemmte den Fuß gegen den Stiefelknecht und zog ihn aus dem langen, verschrammten Stiefel heraus.

»Lass ihm etwas Zeit, Rob«, bat Nell. »Er ist ganz mitgenommen.«

»Das bin ich auch. Ich bin wie ausgebrannt.« Er zog auch den andern Stiefel aus und spann seine Gedanken weiter. »So wie ihr Zustand jetzt ist, kann er nicht das Geringste mit Flicka anfangen. Nicht einmal ihr einen Halfter umlegen. Sie ist völlig kraftlos und wird es bleiben, selbst wenn sie gesund wäre – was ich sehr bezweifle. Wenn man sie noch einmal ängstigt, sie in eine Ecke treibt, ihr ein Lasso oder einen Halfter umlegt – dann ist es mit ihr aus.«

»Aber Rob, du siehst gar nicht ein, dass mittlerweile schon eine ganze Menge getan worden ist. Ken hat sich ja bereits verändert. Er hat schon viel gelernt, auch wenn Flicka jetzt nicht erzogen werden kann.«

»Lernt er? Ja, was denn? Er lernt, unter einer Kiefer auf dem Bauch zu liegen!«

Nell setzte sich auf einen Schemel vor Robs Stuhl und legte ihm die Arme auf die Knie. Die Hitze und das stundenlange Einschulen von Rumba hatten ihr in dieser Woche die Nasenspitze verbrannt und ihrem Gesicht, das sonst eine Tönung wie gewachstes Kiefernholz besaß, Farbe gegeben.

Rob lehnte sich in seinem Stuhl zurück und seine brennenden blauen Augen wurden nicht sanfter, als er sie ansah. »Er lernt, dass Dickköpfigkeit sich nicht bezahlt macht.«

»Nein, er lernt den Tatsachen ins Gesicht zu sehen. Und darauf kommt ja doch alles an, nicht wahr?«

»Ich meinerseits sehe noch nichts davon«, sagte er hart. »Und der Junge sieht ja miserabel aus. Wenn das den ganzen Sommer so weitergeht, wird er bei Schulanfang in ganz großartiger Form sein.«

Nell fühlte sich zurückgewiesen. Sie stand auf und ging schweigend im Zimmer umher.

Rob nahm seine Stiefel, schob den Stiefelknecht mit dem Fuß in die Ecke und ging zu Nell hinüber. Er umschlang sie mit dem freien Arm. »Liebst du mich?«, fragte er.

»Ich habe ja gewusst, dass du das sagen wirst!«, rief sie verstimmt. »Der Augenblick, in dem du mich ganz rasend gemacht hast, ist nicht gerade der rechte, um mich danach zu fragen!«

Sein Arm schüttelte sie behutsam. »Liebst du mich?«, wiederholte er.

»Fühle mich nicht im Geringsten dazu aufgelegt.«
»Liebst du mich?«

Das tiefe Grübchen in Nells Wange zeigte sich, sehr gegen ihren Willen. Sie wandte das Gesicht ab. »Nun ja denn, meinetwegen. Wie du willst.«

Sie sagte das absichtlich in beleidigendem Ton, aber Rob hatte die unangenehme Gewohnheit, sich mit äußerlicher Nachgiebigkeit zufriedenzugeben. War er erst einmal so weit gekommen, dann glaubte er alles Weitere von selbst erreichen zu können.

»Dann ist alles gut«, sagte er und mit seinem harten, runden Kopf presste er ihr Gesicht so weit zu sich herüber, dass er sie auf den Mund küssen konnte.

»Aber Rob, Ken …«

»Hör auf von ihm zu reden!«, rief er und ließ sie los. »Ich habe nun genauso viel von ihm gehört, wie ich vertragen kann.«

Er ging aus dem Zimmer, schlug die Tür hinter sich zu und stampfte durch die Halle zum Badezimmer.

Nell ging zu Bett. Sie schraubte die Petroleumlampe hoch, die neben ihr stand, nahm ihr Buch und fing an zu lesen. Das Grübchen in der Wange war verschwunden und ihre Lippen waren fest geschlossen.

Am nächsten Tage wollte Rob zu Sargents Gestüt fahren, um die letzten Abmachungen wegen des Transports der Polopferde zu treffen. Nell sollte mitkommen und sie wollten den ganzen Tag wegbleiben.

Als Howard und Ken beim Frühstück davon hörten, sagte Ken: »Hättest du vielleicht Zeit, Papa, vorher noch zu Flicka zu gehen und zu sagen, was du jetzt von ihr hältst? Sie sieht besser aus und frisst ein wenig Hafer.«

»Nein, ich habe keine Zeit!«, schrie McLaughlin ihn an. »Ich habe keine Lust, sie zu sehen oder über sie nachzudenken.«

Tiefes Schweigen folgte. Ein jeder aß schnell, mit

niedergeschlagenen Augen. McLaughlins Blick streifte wieder seinen jüngeren Sohn. Er gewahrte die schwarzen Ringe unter den Augen des Kindes.

»Bist du gestern mit Howard schwimmen gegangen?«, fragte er.

»Nein, Sir.«

»Warum nicht?«

»Ich wollte Flicka nicht allein lassen.«

»Jetzt hab ich aber genug davon! Howard tut deine Arbeit und du bist nur darauf bedacht, den Sommer unter der Kiefer zu verbringen und Flicka anzusehen. Glaubst du, dass das gut für dich ist? Wie wirst du aussehen, wenn es Zeit wird, zur Schule zu fahren? Wir haben eben das heißeste Wetter im ganzen Sommer. Schwimmen tut dir gut. Du gehst heute mit Howard baden und tust wieder selbst deine Arbeit.«

»Ja, Sir.«

Jetzt sagte Howard: »Erinnerst du dich, Papa, was du gesagt hast? Dass Flicka allein bleiben und nicht zu den anderen Pferden gehen würde? Genauso ist es gekommen. Sie bleibt allein in der Zaunecke unter den Kiefern. Warum tut sie das? Ich habe immer gedacht, dass Pferde Gesellschaft haben mögen.«

McLaughlin erwiderte nichts und Kennie kam tapfer mit der Antwort heraus. Er sagte: »Weil sie ein einsamer Wolf ist.«

McLaughlin wandte sich erstaunt seinem Sohne zu und der Junge erwiderte den Blick. Es war ihm nur selten möglich gewesen, dem Blick dieser harten Augen so lange standzuhalten. Nun tat er es für Flicka. Wenn sie ein einsamer Wolf war, dann war auch er einer. Er musste ihre Kämpfe auskämpfen, er stand bei ihr, war dasselbe wie sie und das machte ihn mutig.

Während Rob Auge in Auge seinem Sohne gegenübersaß, sagte er sich: »Schau mal an! Der Kleine macht sich. Nell hat Recht. Er sieht den Tatsachen ins Gesicht.«

McLaughlin wandte den Kopf und bat um noch ein Stück geröstetes Brot. Nell sprang auf und holte die Brotscheibe, die am Rande des Herdes lag. Sie war frisch gebacken, zart, braun, knusprig. Nell ließ sie auf Robs Teller gleiten.

In Gedanken versunken nahm Rob von der frischen, ungesalzenen Butter und strich sie sich aufs Brot.

»Ken«, sagte er jetzt, »das habe ich nicht gemeint, als ich damals sagte, Flicka würde allein bleiben wollen. Sie tut es, weil sie krank ist. Ein verwundetes oder krankes Tier ist immer allein.«

Kens dunkle blaue Augen hingen vertrauensvoll hoffend am Gesicht des Vaters. McLaughlin fühlte sich bewegt.

»Oh!«, sagte der Junge. Er hätte den Vater gern gefragt, ob Flicka vielleicht doch kein einsamer Wolf sei, aber es schien ihm klüger, die unverhoffte Freundlichkeit des Vaters nicht allzu sehr in Anspruch zu nehmen. Nach einer Weile fragte McLaughlin: »Hat sie Salz bekommen, Ken?«

Kens Gesicht zeigte so tiefe Bestürzung, dass es komisch anzusehen war. Rob und Nell wandten sich beide ab. »Nein«, sagte Ken schuldbewusst und starrte den Vater an.

»Ich habe ein Stück Jodsalz im Stall«, sagte McLaughlin stirnrunzelnd.

»Rob, ich werde nicht gleich nach dem Frühstück fertig sein können«, warf Nell ein. »Wenn du zu Flicka hinausgehen willst – ich muss erst noch einiges erledigen.«

»Nun gut, Ken«, sagte Rob. »Ich werde das Salz zu ihr hinausbringen und sie mir mal ansehen.«

Ken wurde vor Freude rot und Nell stieß schnell einen Seufzer der Erleichterung aus.

Ken rannte zu Flicka hinaus. Er war schon in der Frühe bei ihr gewesen. Bald nach Sonnenaufgang hatte er sich vor sie hingestellt und zu ihr gesagt: »Ich bin Ken. Kennst du mich? Wirst du mich gernhaben? Mein Name ist Kenneth McLaughlin.« – Bei diesen Worten legte er sich die Faust auf die Brust. – »Und dein Name ist Flicka. Das bedeutet: kleines Mädchen. Wir werden Freunde werden.«

Jetzt lief er wieder zu ihr hinaus und sagte: »Papa kommt her, um dich anzusehen. Sei jetzt brav und laufe nicht davon.«

Als ob sie ihn verstanden hätte, stand Flicka wirklich in nur geringer Entfernung da, als McLaughlin den Salzklumpen in der Nähe der Kiefer niederlegte. Dann zündete er sich die Pfeife an und betrachtete die kleine Stute, während Ken in seinem Gesicht zu lesen suchte.

Schließlich sagte McLaughlin: »Sie ist so krank und kopfhängerisch, dass es schwer ist, etwas über sie zu sagen.«

»Glaubst du, Papa, dass sie – nicht richtig ist?«

Rob knurrte: »Danach zu urteilen, wie sie sich seit ihrer Geburt benommen hat, hätte ich darauf schwören mögen; tatsächlich aber haben wir sie immer nur dann gesehen, wenn sie toll vor Angst war.«

Ken dachte zurück. Auch als er sie zum ersten Mal gesehen hatte, damals, als sie vor Banner davonlief und ihre Augen wie feurige Kugeln aussahen – auch damals hatte sie sich in tödlicher Angst befunden. Und ebenso, als man sie das erste und das zweite Mal hereingebracht hatte.

»Jedes Pferd sieht wild aus, wenn es große Angst hat«, fügte McLaughlin hinzu.

Ken zwang sich das zu erwähnen, was am meisten gegen Flicka sprach. »Aber sie versuchte ja doch über den Zaun zu springen, obschon sie wusste, dass sie es nicht konnte.«

McLaughlin sagte: »Du darfst nicht vergessen, dass sie die denkbar schlechteste Erziehung gehabt hat.«

»Wieso?«

»Sie ist von einer verrückten Frau erzogen worden, nicht wahr?«

»O ja.«

»Außerdem«, sagte McLaughlin und er verzog den Mund zu einem halben Lächeln, »kann jeder – auch du und ich – das Unmögliche einmal versuchen. Du

weißt, dass es heißt: ›Es war ein Ding der Unmöglich-
keit, aber der Dummkopf wusste das nicht und tat
es.‹ Pferde – geschulte Springer – haben Hindernisse
von zwei Metern und darüber genommen. Mag sein,
dass Flicka geglaubt hat, auch sie könnte das. Wir wollen ihr das vergeben. Der entscheidende Punkt ist:
Wird sie je lernen? Kann sie lernen? Rocket konnte das
nicht.«

»Papa, wenn sie nun, so wie Rocket, nicht richtig ist,
könnten wir sie dann nicht wieder ins Gelände hinauslassen?«

»Warum das?«

»Dann könnte sie sein wie Banner – so wie er letzten
Sonntag war – und nicht wie Rocket …«

Rob sah Ken ins Gesicht. Das war so verzweifelt
ernsthaft, dass sein Gefühl sich regte. Ken sah den Tatsachen ins Gesicht …

»Wollen wir mal weiterdenken, Ken. Banner ist ja
draußen, weil er eine Aufgabe im Leben hat, nicht
wahr?«

»Ja, Sir.«

»Was für eine?«

»Die Stuten zu decken und sie und die Fohlen zu be-
wachen und für sie zu sorgen.«

»Und was ist die Aufgabe der Stuten?«

»Fohlen zu bekommen – oder geritten zu werden.«

»Ganz recht. Aber wenn sie ›nicht richtig‹ sind, dann
taugen ihre Fohlen nichts. Du hast das Rudel gesehen,
das ich in der vorigen Woche verkaufte. Der Grund,

weswegen ich sie verkaufen konnte, ist einzig und allein ihr schönes Aussehen und es findet sich immer ein Narr, der bereit ist es mit einem Pferd zu versuchen – einerlei, ob es richtig im Kopf ist oder nicht. Irgendjemand ist heute schon dabei, sie zu zähmen – oder das wenigstens zu versuchen. Einige unserer Pferde sind schon tot oder im Sterben und andere sind tödlich verletzt. Es wäre besser gewesen, wenn ich jedem von ihnen eine Kugel gegeben hätte.«

»Besser?«, sagte Ken mit bebender Stimme und seine Augen suchten Flicka.

»Ja, auf die Dauer wäre es besser für sie gewesen. Aber ich brauchte Geld.« Hier entstand eine kurze Pause und McLaughlins Zähne bissen grimmig in die Pfeife. »Für ein Pferd, das nicht richtig ist oder das man sich nicht gefügig machen kann, ist der einzige Ort das freie, offene Gelände, weit weg von jeder Zivilisation, wo kein Mensch es sehen und einfangen kann. Werden diese Pferde gesehen und sind sie schön und noch dazu schnell, dann gibt es für sie keine Hoffnung. Jemand wird einen Versuch mit ihnen machen und das ist dann ihr Ende.«

Ken konnte kein Wort sagen.

»Du hast ja gesehen, wie das schlechte Blut sich vererbt«, fuhr McLaughlin fort. »Und was die Gewöhnung an den Sattel betrifft, so brauchst du nur daran zu denken, wie schwer ich mit Rocket gearbeitet habe.«

»O Papa«, hauchte Ken entsetzt, »vielleicht werde ich Flicka nie zähmen können.«

»Um Gottes willen! Rechnest du so fest damit? Habe ich dich etwa nicht gewarnt?«

Ken stand ganz verblüfft da.

»Hast du denn nicht verstanden?«, fragte ihn sein Vater. »Was hast du denn bisher für die Bedeutung des Ausdrucks ›nicht richtig‹ gehalten?«

»Ach, so … etwas wie eine lockere Schraube im Kopf.«

»Und wann ist dir ein Licht aufgegangen?«

»Gestern. Tim sagte, verrückte Leute könnte man in Anstalten einsperren, aber verrückten Pferden müsste man erlauben sich selbst umzubringen.«

Rob lachte bitter auf. »Gott sei Dank, dass wir Tim haben.«

»Papa?«

»Nun?«

»Als du sagtest, dass wir sie immer nur gesehen haben, wenn sie sich gerade in großer Angst befand – meintest du da, dass sie vielleicht doch richtig im Kopf ist?«

Bevor Rob eine Antwort gab, betrachtete er nachdenklich die Stute und tat mehrere lange Züge aus seiner Pfeife. »Sie hat ein sehr intelligentes Gesicht«, sagte er schließlich. »Sieht viel besser aus als Rocket … Feine, zarte Lippen, wundervolle Augen, die weit auseinanderliegen, und dazu überall diese feinen Adern! Aber bevor wir gesehen haben, wie sie sich beim Schulen benimmt, können wir nichts Bestimmtes wissen.«

»Wie könnte ich sie einschulen? Kann ich nicht jetzt schon damit beginnen?«

»Nein, du kannst jetzt nicht das Geringste mit ihr anfangen. Alles, was du tun kannst, ist: ihr Vertrauen zu gewinnen. Das ist überhaupt immer das Allerwichtigste. Und es gibt etwas, das dir helfen wird.«

»Was ist das?«

»Ihre Krankheit und ihr elender Zustand … Wenn man einem lebenden Wesen alles wegnimmt: Freiheit, Freunde, Gewohnheiten, Glück, ja beinahe das Leben, dann hält es sich in seiner Not an das Einzige, was ihm geblieben ist. Und das bist du.«

»Ich?« Ken hatte sich noch nie so wichtig gefühlt.

»Ja. Du bist ihre ganze Welt. Sieh zu, dass sie Gefallen an dir findet.«

Es war ein sehr ernster Augenblick für Ken. Er fasste sich selbst so auf, wie er es bisher noch nie getan hatte, und hörte seinem Vater sehr aufmerksam zu. McLaughlin ließ sich so viel Zeit, als ob er heute nichts anderes zu tun hätte, als Flicka genau anzusehen und Ken einzuschärfen, was mit ihr zu geschehen habe. Den Ellbogen in eine Hand gestützt, während die andere den Pfeifenkopf umschloss, stand er breitbeinig in Manchester-Reithosen und dunkelbraunen Stiefeln da.

»Ich habe jahrelang versucht die Schreckhaftigkeit dieser Tiere durch richtige Zucht zu überwinden«, sagte er. »Flicka ist verängstigt und es gibt nur eins, um das völlig zu überwinden: Sie muss Vertrauen zu dir fassen. Aber auch dann kann es sein, dass sie nicht alle Folgen dieser einmal erlebten Furcht loswird. Das heißt nun nicht, dass du darauf verzichten sollst, sie zu beherrschen. Im Gegenteil: Das musst du. Sie wird Neigungen zeigen, denen sie nicht folgen darf. Aber das ist eine Frage der Disziplin und kommt später – falls sie gesund wird. Unterdessen …«

»Was kann ich jetzt gleich für sie tun?«

»Jedenfalls nichts, was mit Disziplin zu tun hat. Gib ihr Liebe und Kameradschaft und deine Stimme. Sprich mit ihr.«

»Das hab ich die ganze Zeit getan, Papa.«

»Gut. Mach sie allmählich so abhängig von dir, so gewohnt an dein Kommen und Gehen, dass sie nicht anders kann, als sich dir zuzuwenden. Und bring ihr jedes Mal etwas Gutes mit: Heu, Hafer, frisches Wasser, oder gib ihr einfach irgendein Zeichen deiner Freundschaft, Unterhaltung …«

McLaughlin machte eine Pause und ließ seine Gedanken schweifen. »Ich habe Geschichten von wilden Tieren im Zirkus gelesen, von bösartigen, unbändigen Geschöpfen, die sanft und gefügig wurden, weil sie erkrankten und dann irgendein menschliches Wesen sich ihrer annahm und freundlich für sie sorgte. Dergleichen ist oft vorgekommen und eben deshalb behaupte ich, dass Flickas geschwächter Zustand eine gute Gelegenheit für dich bedeutet. Du brauchst ihr keinen Zwang und keine Disziplin aufzuerlegen, weil das schon von ihren Wunden besorgt wird. Und gegen Schmerz und Schwäche stehst du auf ihrer Seite. Du hilfst ihr.«

Flicka war näher herangekommen und leckte am Salz.

Der Vortrag ging noch weiter. »Denk immer daran, dass ein Pferd dir eine ganze Menge sagen kann, wenn du es gut beobachtest und von ihm erwartest, dass es sich vernünftig und klug zeigt. Gib gut acht auf alle kleinen Anzeichen: auf seine Bewegungen, die Ohren, die Augen, das leise Wiehern. Das sind seine Ausdrucksmittel. Es ist ein ganz großer Unterschied zwischen dem Wiehern der Angst, dem Schrei der Wut, dem sehr eigentümlichen Laut nervöser Ungeduld und dem, der Hunger, Sehnsucht, Freundlichkeit und frohes Wiedererkennen bedeutet. Sie wird zu dir reden und deine Sache ist es, sie zu verstehen. Du wirst ihre Sprache lernen und sie die deine, und vergiss nie, dass sie alles verstehen kann, was du ihr sagst.«

»Wirklich alles, Papa?«

»Ja, alles. Und wenn du das mal ganz erfasst und erlebt hast, dann wird deine Freundschaft mit Tieren zu etwas ganz anderem werden – zu verständnisvollem, persönlichem Verkehr. Verstanden?«

Als der rote Studebaker – rein und glänzend wie auf der Fahrt zur Kirche – mit den Eltern um die Wegbiegung am Hügel verschwunden war, rannte Ken zur Kälberweide zurück. Nun, da er wusste, dass Flicka ihn verstehen konnte, hatte er ihr noch allerlei zu sagen. Vor allem, wie leid sie ihm tat.

Aber Flicka war nicht mehr bei der Kiefer, und als Ken sich nach ihr umsah, hörte er sie wiehern und sein

289

Herz schlug laut. Es war, als redete sie zu ihm; seit den furchtbaren Schreien im Stall war es der erste Laut, den sie von sich gab. Er sah nun, dass sie am südlichen Zaun stand und den Kopf hinüberstreckte. Mit gespitzten Ohren, lauschend, blickte sie zur Sattelhöhe hinauf und auch Ken vernahm jetzt fernes Hufgetrappel: Die Einjährigen galoppierten über die Hochebene dahin.

Flicka wieherte abermals und dieser Laut, ihre Stellung und Kopfhaltung sagten Ken, dass sie sich nach der verlorenen Freiheit sehnte. Es war das Wiehern der Sehnsucht ...

Kens Kopf sank herab; es brannte ihm seltsam hinter den Augen; er kehrte um und ging langsam zum Hause zurück.

Ken hat die Aufsicht

Ken entdeckte einen besseren Aufenthaltsort für seine kleine Stute. Von den Koppeln beim Kuhstall lief ein Zaun geradeaus nach Norden, er trennte die Kälberweide vom Übungsfeld. Längs diesem Zaun führte ein Fußweg. Ungefähr einhundertfünfzig Meter von der Koppel entfernt erreichte er die Pappeln, die hier eine Laubwand bildeten. Dann fiel der Pfad mit einem Mal steil zu einer etwa drei Meter tiefer gelegenen, mit schönstem Rasen bewachsenen Senke ab, die vom Lone-Tree-Bach bewässert wurde.

Wenn der Bach Hochwasser führte, überschwemmte er diesen ganzen tief gelegenen Teil des Geländes, aber jetzt im Sommer war es hier trocken und das Gras war von so lebhaftem Grün, dass es gegen den trockenen Boden ringsum überraschend abstach. Teils lag hier Sonne, teils warfen die Pappeln Schatten und spendeten wohltuendes Dunkel. Hier fand Flicka, ohne erst suchen zu müssen, saftiges Gras und rinnendes Wasser, und hier hatte sie Schatten und Sonnenschein.

Ken nannte diese Stelle »Flickas Kinderstube« und jeden Morgen und jeden Abend ging er den Pfad entlang und brachte ein Maß Hafer mit, um es in den hölzernen Futterkasten zu leeren, den er in der Nähe der Pappeln aufgestellt hatte.

Wenn Flicka sich am Fuß dieser Erdstufe so hoch wie möglich stellte, reichte sie gerade noch mit dem Kopf über den Weg und konnte Ken kommen sehen. Auch Ken konnte sie sehen. Es prickelte ihm in allen Gliedern, als er zum ersten Mal ihren hübschen Kopf mit dem hellen Stirnhaar und den feinen, gespitzten Ohren unter dem Grün der Pappeln hervorlugen sah und er sich dabei sagen konnte, dass sie nach ihm ausschaute und ihn erwartete.

Beim Abendessen prahlte Ken damit, aber Howard sagte: »Stimmt nicht! Sie schaut nach dem Hafer, nicht nach dir!«

McLaughlin sagte scharf: »Hafer und der den Hafer bringt werden mit der Zeit ein und dasselbe.«

Und Nell fügte trocken hinzu: »Besteht denn ein so großer Unterschied zwischen Hafer und menschlichen Wesen?«

Kein Zweifel, dass Flicka ihren Hafer liebte. Wenn Ken sich über den Futtertrog beugte, um ihn zu füllen, stand sie dicht neben ihm und steckte die Nase hinein; aber sobald er die Hand ausstreckte, um sie zu streicheln, schreckte sie zurück. Sie wollte sich nicht von ihm berühren lassen.

Ken hatte noch andere Arbeiten zu verrichten: in den Koppeln, wenn die Zuchtstuten mit ihren Fohlen hereingebracht und die Fohlen gezeichnet wurden; an den Zäunen, wenn Tim mit dem kleinen Arbeits-Ford neue Zaunpfosten hinausfuhr, die im vorangegangenen Sommer gefällt, getrocknet und in eine Flüssigkeit getaucht worden waren, die sie vor Fäulnis schützte; Arbeit an den Gräben und auf den Wiesen, deren Wachstum in diesen letzten Wochen vor dem Schnitt auf jede Weise gefördert werden musste. Da die Rodeo-Pferde zur Stadt gebracht worden waren, ritten die Jungen nun wieder Highboy und Zigarette, und alle paar Tage mussten sie die Grenzen des Gestüts entlangreiten, um festzustellen, ob irgendwo die Zäune niedergerissen oder fremde Tiere eingebrochen waren und ob irgendwo Pforten offen standen, die geschlossen werden mussten. Von der Lincolnstraße kamen mitunter Angler herein, um im Fluss zu fischen, und es kam vor, dass sie die Pforten beim Hinausfahren offen ließen. So entdeckten Ken und Howard eines Tages gegen hundert einjährige Stiere, die sich auf McLaughlins Boden gütlich taten und das Gras zertrampelten. Die Knaben galoppierten nach Hause, um es zu melden; McLaughlin und seine Leute ritten hinaus und vertrieben die Stiere. Und dann verschloss McLaughlin wütend die Pforten mit Draht und Pfosten, so dass es unmöglich wurde, sie zu öffnen.

Zu alldem kam noch die Arbeit mit den vier kleinen Frühlingsfohlen, die halfterzahm gemacht werden mussten. McLaughlin hatte die Jungen gelehrt, wie man das machte, und an den ersten Tagen selbst mitgeholfen.

Zuerst musste das Fohlen eingefangen werden. Es kam neben seiner Mutter angelaufen und die Stute kam des Hafers wegen. Sobald beide in dem engen Stand waren, wurde das Fohlen festgehalten – ohne dass es große Angst zeigte, denn seine Mutter stand ja daneben –, dann wurde ihm der Halfter übergestreift und an diesem ein langer Strick befestigt.

Nun wurde das Fohlen von der Mutter weg in die größere Koppel geführt. Den Strick wand man mehrere Male um einen Pfosten, einer der Knaben musste das Ende halten und sich hinter den Pfosten stellen, so dass das Fohlen in dem Glauben war, er sei es, der den Widerstand leistete, und nicht der Pfosten, wenn es am Halfter zerrte und riss.

Das Fohlen kämpfte gegen den Strick an, es schüttelte den Kopf, es stemmte alle viere steif gegen den Boden. Das taten sogar erwachsene Pferde und es kam vor, dass sie sich dabei wie Hunde hinsetzten. Mitunter dauerte dieses Zerren und Reißen lange Zeit, aber die jungen Fohlen pflegten recht bald damit aufzuhören und ihr plötzliches Nachgeben kam bei allen in gleicher Weise zum Ausdruck. Das Fohlen bäumte sich, focht einen kurzen Augenblick mit den Vorderbeinen in der Luft und setzte diese dann wieder auf den Boden, um den starken Druck auf den Kopf zu vermindern. Diese Art, sich auf die Füße niederzulassen, war eine Bewegung auf den Herrn zu – eine Kapitulation, die das Fohlen nie wieder vergaß, denn gleichzeitig empfand es das Nachlassen des Druckes als eine körperliche Erleichterung, hatte dabei also eine angenehme Empfindung. Wenn es nun zitternd bei seinem Herrn stand, hörte es seine tröstende Stimme, fühlte seine streichelnde Hand und wurde bald vertrauensvoller. Mitunter gab es Rückfälle in den Kriegszustand, aber die waren nicht mehr so anhaltend und so erbittert. Nach einigen Tagen war die Gewohnheit fertig ausgebildet und das Fohlen gehorchte dem leisesten Zug des Halfterstricks.

Von diesem Augenblick an brauchten Howard und Ken keine Hilfe mehr. Die Fohlen wurden mit den Knaben so gut bekannt wie mit den Mutterstuten; sie schnupperten und schnappten nach ihnen, stellten sich spielend auf die Hinterbeine und versuchten ihnen mit ihren kleinen Hufen leichte Schläge zu versetzen.

In der letzten Woche hatten Ken und Howard nichts anderes mit ihnen zu tun, als sie am Halfter auf der Weide herumzuführen und dabei hin und wieder »Hoho!« zu rufen, wobei sie das Fohlen zum Stehen bringen mussten; dann galt es, sie in den verschiedenen Gangarten: vom langsamen Schritt bis zum schnellen Trab, zu üben. Waren sie damit fertig, dann brachten sie sie in ihren Stand zurück, nahmen den Strick ab und spielten mit ihnen, streichelten und klopften sie, schwenkten Decken um sie her, stützten sich auf ihren Rücken und gaben ihnen aus der Hand Hafer zu fressen.

Die Kälberweide, auf der die Knaben mit ihren Fohlen arbeiteten, grenzte an das Übungsfeld, auf dem

Kens Eltern und der Cowboy viele Stunden täglich mit den vier Poloponys arbeiteten.

Endlich kam der Tag heran, an dem die Arbeit getan war. Die vier Pferde wurden auf das Lastauto geladen und McLaughlin fuhr mit ihnen zur Station, um sie zusammen mit Sargents Pferden wegzuschicken.

Jetzt reiste auch der kleine Cowboy ab. Alle standen um seine abgenutzte Limousine herum, die mit Sätteln und Riemenzeug vollgepackt war. Sie sagten ihm Lebewohl und wünschten ihm für den Rodeo Glück.

»Lassen Sie sich nicht auf gewagte Dinge ein«, sagte Nell. »Aber ich habe gemerkt, dass Sie verstehen, sich in Acht zu nehmen.«

Er sah sie in seiner geraden Art achtungsvoll an und antwortete: »Wer Pferden scharf zusetzen muss, lässt dergleichen hübsch bleiben, wenn es sich um die eigene Person handelt, Missus. Es hätte ja keinen Sinn.« Ein Lächeln verzog sein Gesicht. »Mag sein, dass ich nach dem Rodeo wieder im Krankenhaus bin. Wenn nicht, dann komme ich her, um zu sehen, wie Ken mit seiner Stute weitergekommen ist.« Er lächelte Ken breit zu und Ken lächelte ebenso zurück. Dann nahm er seinen Sombrero, schüttelte der Reihe nach allen die Hand und ratterte davon.

Das nächste Ereignis, das jetzt bevorstand, war der Rodeo.

An dem Tage, da Flicka plötzlich nicht vom Boden aufstehen konnte, war Ken ganz allein zu Hause.

Es war der letzte Tag des Rodeos. Der Studebaker

war an jedem der vier Tage zu den Vorstellungen nach Cheyenne gefahren. Ken war am ersten Tage mitgenommen worden und hatte Lady, Calico, Buck und Baldy in der Parade gesehen; sie wurden von vier »Vätern der Stadt« geritten, die große, befranste Hüte trugen. Er sah den berühmten Ausschläger »Mitternacht«, der jeden, der sich an ihn wagte, abwerfen konnte. Aber Ken fuhr nicht wieder mit, nicht einmal am letzten Tage, als das Rennen auf ungezähmten Pferden stattfinden sollte. Der Vater ärgerte sich, dass er daheim bleiben wollte, und sagte, das sehe ihm ganz ähnlich. Und wenn er lieber allein zu Hause sein als mit seiner Familie auf den Rodeo fahren wolle, dann möge er nur tun, wie es ihm beliebe. Aber so viel sei sicher: Seinetwegen werde niemand zurückbleiben, nicht einmal Gus und Tim, denn sie sollten diesen Tag freihaben. Gus werde mit dem Vier-Uhr-Autobus zurückkommen, um die Kühe zu melken, bis dahin jedoch werde Ken allein sein.

Ken sagte, das mache ihm nichts aus; er habe ja Flicka.

Er stand am Wagen, als sie wegfuhren, und der Vater steckte im letzten Augenblick den Kopf zum Fenster hinaus und rief ihm zu: »Also gut, Junge. Du hast jetzt die Aufsicht! Das ganze Gestüt gehört dir!«

Und der Studebaker mit dem Vater und der Mutter und Howard und Gus und Tim glitt leise den Hügel hinab, ratterte über die Grabenbrücke und rollte die Landstraße entlang.

Ken sah ihm nach, bis er verschwunden war. Wie anders alles aussah, nun, da sie weg waren! Das ganze Gestüt gehört dir! Er empfand die Schwere der Verantwortung, die der Vater ihm auferlegt hatte. Er hatte die Aufsicht. Die zwei Hunde standen neben ihm: Kim, der so aussah wie ein Präriehund, und Chaps, der schwarze Spaniel. Beide blickten auf die leere Landstraße hinab; es war für sie eine gewohnte Sache und sie kannten den Unterschied zwischen der Landstraße mit und ohne Studebaker.

Ken ging in sein Zimmer hinauf und stellte sich vor das Bücherbrett. Er nahm das Dschungelbuch hervor und lief damit hinunter, den Pfad am Zaun entlang, der zu Flickas Kinderstube führte. Als er kam, trank sie gerade am Bach.

Er begrüßte sie mit einem Redeschwall und hielt sich eine Weile so nah neben ihr, wie sie es irgend zulassen wollte. Dann setzte er sich oben auf die Erdbank unter den Pappeln und fing an zu lesen.

Flicka wanderte in ihrer Kinderstube umher. Mitunter zeigte sie Verlangen nach Sonnenschein und blieb im goldenen Licht stehen, bis sie ganz durchwärmt war; dann brachten wenige Schritte sie in den Schatten der Bäume. Als Ken einmal aufblickte, sah er sie ganz in der Nähe und zu ihm herüberschauen. Da fing er an ihr laut vorzulesen und sie spitzte die Ohren, als ob sie ihm zuhörte.

Er las von Rann, der Königsweihe, die zusah, wie Mowgli, der Sohn der Wölfe, von der Affenherde durch die Baumkronen getragen wurde; er las von Baloo, dem braunen Bären, der Mowgli das Herrscherwort des Dschungels gelehrt und Rann zugerufen hatte: »Du und ich – wir sind vom gleichen Blut!«

Flicka wandte den Kopf. Während Ken las, ging sie zum leeren Futterkasten, prustete hinein und leckte dann mit ihrer langen rosa Zunge einige verstreute Körner auf, die von ihrem Frückstück übrig geblieben waren. Dann stand sie ruhig da, die Breitseite Ken zugewandt, und schlug mit dem gelblichen Schweif nach den Fliegen.

Hin und wieder machte Ken eine Pause beim Lesen und streckte sich mit den Armen unter dem Kopf unter den Ästen der Bäume aus. Er konnte ein Stück des blauen Himmels und darin einen undeutlichen Mond sehen, den Tagmond, der auch Kindermond genannt wird, weil die meisten Kinder den Mond nachts nicht zu Gesicht bekommen. Ken hielt ihn zuerst für eine kleine, zarte Wolke.

Es war wieder einmal ein heißer Tag, aber hier war es angenehm schattig. Kein Laut außer dem Plätschern des Wassers, wo es über Steine und flache Stellen rann, ab und zu das Hochschnellen einer Forelle, dazu das unablässige feine Summen der überall vorhandenen Rennfliegen. Das war ein zum Sommer gehöriger Laut, ein Teil der großen Stille.

Ken und Flicka waren auf der Kälberweide allein. Die von den Knaben geschulten vier Fohlen waren mit ihren Müttern zu Banner auf die Sattelhöhe gebracht worden, denn die Arbeit mit ihnen war nun abgeschlossen; sie war gut ausgeführt, hatte McLaughlin erklärt: Die Fohlen waren völlig halfterzahm geworden. Es hatte ungefähr einen Monat gedauert.

Flicka ging zum Flüsschen hinunter, um zu trinken, und Ken sah ihr nach. Flicka war natürlich nie an den Halfter gewöhnt worden. Das war ein äußerst wichtiger Teil in der Erziehung eines Pferdes und musste so früh wie nur möglich vorgenommen werden, denn es war die Grundlage für alles andere. Nun war Flicka ein Jahr und etliche Monate alt und wollte sich nicht einmal anrühren lassen! Schon der Gedanke, ihr einen Strick umzulegen oder Decken um ihren Kopf zu schwenken, ließ ihn schaudern; er stellte sich vor, wie sie am Strick zerren und sich nicht anders benehmen würde als damals in der Koppel und im Stall – »nicht richtig im Kopf«.

Bei diesem Gedanken schlug Ken die Arme um die Knie und legte den Kopf auf die Arme – in sich zusammengezogen vor Angst saß er da, denn er wusste ja immer noch nicht, ob sie es war oder nicht. Bevor er mit den Halfterübungen anfing, konnte er das nicht wissen und vor diesem Augenblick scheute er zurück.

Noch vor kurzem hatte er irgendwie mutig hinnehmen können, dass Flicka vielleicht »nicht richtig« war, aber jetzt war dieser Mut dahin – und ließ sich nicht so leicht wiederfinden.

In den letzten Wochen, als er das Beste hoffte und für Flicka gesorgt und ihr zaghaftes Entgegenkommen erlebt hatte, war seine Furcht in den Hintergrund gedrängt und beinahe in die luftdichten Kammern seines Bewusstseins verwiesen worden. Aber die Türen dieser Kammern schlossen jetzt nicht mehr so gut wie zuvor. Er wusste, was sich dahinter befand. Einmal schon hatte er dem Furchtbaren ins Gesicht gesehen, aber er hatte sich nach dem Schlag erhoben und wusste: Er würde aufs Neue dazu im Stande sein.

Einstweilen schob er all diese unangenehmen Gedanken beiseite, schloss hinter ihnen die Tür und überließ sich ganz der beglückenden Betrachtung seiner kleinen Stute. Das kleine Tier offenbarte ihm eine eigentümliche, bezaubernde Persönlichkeit; Flicka war temperamentvoll, zurückhaltend, launisch. Auf dem Rasen tat sie immer nur wenige Schritte nacheinander. Ihr glänzendes Fell leuchtete in der Sonne wie Gold und der lange gelbliche Schweif schwang beständig von einer Seite zur anderen. Hin und wieder setzte sie damit aus und stand völlig reglos da: Dann hatte ein ferner Laut oder eine Bewegung, die Ken unmöglich wahrnehmen konnte, ihre Aufmerksamkeit erregt, und ihre bildhafte Stellung, die anmutige Wendung des Halses, die feinen, gespitzten Ohren und jede Linie des Körpers, der von so viel Leben und Klugheit sprach – all das übte auf Ken den Zauber aus, der seit je von Pferden auf menschliche Wesen ausgegangen und von diesen empfunden worden ist: ein Zauber, der uralt ist und klassisch genannt werden kann.

Wenn sie doch bloß *wirklich* gute Freunde würden!

Er hatte sein Bestes getan, um Flickas Vertrauen zu gewinnen; alles, was ihm vom Vater gesagt worden war, hatte er befolgt. Sie wusste ja doch wohl, dass er sie liebte, dass er nur dazu da war, sie zu bedienen und für sie zu sorgen; und dennoch hatte sie, sobald er sich näherte, dieses wachsame Wenden des Kopfes, diesen scheuen Blick, dieses schnelle Sichentfernen. Immer noch horchte sie auf die Hufschläge der Einjährigen und wieherte sehnsüchtig, wenn die Fohlen so nahe auf den Hügeln umhergaloppierten, dass man das Donnern ihrer Hufe hören konnte. Wenn ihre vier Beine alle gesund wären, dachte Ken, würde ich sie nie wiedersehen – sie wäre dann nichts als ein Strom von Geschwindigkeit und Kraft in Gold und Rosa, der sich durch das Gelände ergießt.

Er seufzte. Nun war Essenszeit. Er musste zum Hause zurück. Flicka stand noch immer regungslos da, als er sie verließ. Aber als er mit den Hunden auf den Fersen zurückkam, suchten seine Blicke vergeblich ihren Kopf über der Erdstufe, wo sie ihn schon so oft erwartet hatte.

Er lief den Hügel hinab und sah, dass sie flach auf der Seite lag. Als sie ihn kommen hörte, machte sie einen Versuch aufzustehen, fiel aber wieder zurück. Ken blieb wie gelähmt stehen, dann lief er zu ihr und fiel neben ihr auf die Knie. »Oh, Flicka!«, rief er, »was ist mit dir, Flicka? Was ist denn geschehen?«

Lag sie im Sterben – war sie es vielleicht schon lange gewesen? – Oder war irgendetwas geschehen, während er beim Essen gewesen war? Hatte sie sich durch einen Sturz aufs Neue verletzt? Vielleicht hatte sie sich den Rücken gebrochen …

Beinahe ohne zu wissen, was er tat, streichelte und küsste er ihren Kopf. Er kauerte hinter ihr nieder und hielt sie in den Armen.

Flicka machte einen zweiten Versuch aufzustehen. Ein Pferd, das auf der linken Seite liegt, dreht sich, wenn es aufstehen will, auf den Bauch, stützt sich auf die Vorderbeine und auf das rechte Hinterbein und kommt so auf die Füße. Nur das linke Hinterbein, auf dem es liegt, bleibt dabei untätig.

Als sie dabei war, diese Anstrengung zu machen, lag Flicka mit unter sich angezogenen Beinen und erhobenem Kopf auf dem Bauch und wieherte, wobei sie anschließend einige dunkle kleine Laute ausstieß; Ken musste lächeln, denn er verstand sie gut. Es war nicht das Wiehern nervöser Ungeduld, von dem sein Vater gesprochen hatte, es drückte Entschlossenheit aus und die kleinen, hinterherfolgenden Laute waren ein Zeichen von Nervosität; sie wollte aufstehen, war aber nicht ganz sicher, ob es ihr auch gelingen würde.

Ken trat zurück, um ihr Platz zu machen. Sie rührte die Beine, fiel aber plötzlich zusammen und ließ den Kopf sinken.

»Oh, Flicka, Flicka!«, rief er, beinahe sicher, dass ihr Rücken beschädigt war, und wieder fiel er auf die Knie und nahm ihren Kopf in seine Arme.

Sie stieß einen tiefen Seufzer aus und schloss die Augen halb, und so lag sie völlig entspannt da, während Kens kleine braune Hände ihr über das seidenweiche Fell strichen, ihr Stirnhaar ordneten und die feinen Formen ihres Kopfes liebkosten.

Und sie ließ ihn das alles tun. War es nur, weil sie hilflos war? Oder war es, wie sein Vater gesagt hatte: dass nun, in ihrer noch betrüblicheren Lage, der letzte Rest ihrer Furcht verschwunden war und dass sie ihn wirklich bei sich haben wollte und ihn liebte? Was es auch war: Es ließ die Sehnsucht und die Zärtlichkeit des Knaben endlich Ausdruck finden. Seine Hände strichen über ihr Fell und schwer atmend lehnte er den Kopf an den ihren.

Schließlich ging er wieder zur Erdstufe zurück und setzte sich dort nieder. Wenn doch der Nachmittag vorbei wäre und Gus endlich nach Hause käme! Um vier Uhr würde der Autobus auf der Lincolnstraße halten und eine halbe Stunde später würde Gus da sein, würde seine blauen Baumwollenen anziehen und damit zum Melken fertig sein. Ken sollte die Kühe eintreiben und sie in der Koppel warten lassen, dann das Mehl für sie abmessen und es ihnen vorlegen; Gus würde sie also nur hereinzutreiben und zu melken brauchen.

Flicka schien eingeschlafen zu sein. Auch Ken streckte sich auf dem Abhang aus und schlummerte ein.

Noch schlafend hörte er einen Ton, ein lautes, klägliches Schreien; es wurde immer lauter und wuchs zu einem furchtbaren, ängstlichen Gebrüll an. Ken fuhr auf; er war sofort wach und lauschte in banger Spannung. Auch Flicka hatte den Kopf vom Boden gehoben und horchte mit gespitzten Ohren.

Es war eine Kuh, die brüllte. Der Ton kam von Osten her, jenseits der Kälberweide. Dort lag Crosbys Weideland. Es war also nicht eine der Kühe, die zum Gänseland-Gestüt gehörten.

Der Laut machte Ken Angst; er fühlte sich ganz schwach. Etwas Schreckliches ging vor sich, aber was? Sollte er hingehen und nachsehen? (Du hast die Aufsicht, hatte der Vater gesagt.) Vielleicht war es der Puma? Seine Gedanken flogen zur Winchester – wo war sie? Hinten im Studebaker … Nein, die Offiziere hatten ja damit geschossen und der Vater hatte nachher alle Gewehre in den Ständer im Speisezimmer gestellt … Ja, er konnte es holen, konnte gehen und nachsehen, was los war.

Er stand langsam auf. Sollte er zuerst das Gewehr holen? Oder sollte er zuerst zur Kuh? Würde er im Stande sein, mit dem schweren Gewehr umzugehen? Vielleicht war es besser, den kleinen Zimmerstutzen zu nehmen … Oder noch besser, erst nachzusehen, was eigentlich los war?

Seine Unentschlossenheit lähmte ihn; aber plötzlich wurde er lebendig, machte kehrt und rannte nach Osten. Er flog das Ufer des Baches entlang und kreuzte ihn viele Male, je nachdem, wie er am besten weiterkam. An einigen Stellen drängten sich die Büsche so dicht ans Wasser, dass er einen Umweg machen musste.

Das Brüllen hielt an. Wenn es der Puma gewesen war, dann hatte er sie jedenfalls nicht töten können. Sie machte viel Lärm ... Schon möglich, dass sie gekalbt hatte.

Ken lief schnell, um weniger Angst zu haben. Er sah das rote Fell einer Herefordkuh – es war also keine von ihren eigenen Guernseys. Sie stand am Rande des Baches, wo dieser von einem Stacheldrahtzaun überquert wurde. Als Ken sich unten durch den Zaun rollte und auf die Kuh zuging, konnte er noch nicht sehen, was ihr fehlte, aber dann sah er es und ihm wurde ganz schlecht.

Der unterste Draht des Zaunes war zerrissen; einige andere alte Drähte hatten sich in ihm verfangen und sich um das Euter der Kuh geschlungen. Sie hatte versucht davonzulaufen – der Draht hatte sie festgehalten und sie schwer verletzt, eine Zitze hing ihr nur noch lose am Körper und das Blut floss in Strömen. Je mehr sie sich zu befreien versuchte, desto tiefer drang der Stacheldraht ihr ins Fleisch.

Ken fuhr mit der Hand in die hintere Hosentasche. Der Vater hatte ihm eingeschärft: »Dass ich dich nie ohne eine Drahtschere in der Hosentasche erwische!« Aber die Schere war nicht da. Da erinnerte er sich, dass er heute früh, als er frisch gewaschene Arbeitshosen angezogen, die Schere auf den Tisch gelegt hatte. Nun rannte er zum Kuhstall: Dort würden Drahtscheren sein. Unterwegs wünschte er immerzu, dass Gus doch nach Hause käme. Sollte er vielleicht warten, bis Gus gekommen war? (Das Gestüt gehört dir!) Nein, er würde es selbst tun.

Er brauchte fünfzehn Minuten, um mit der Schere zur Kuh zurückzukehren, und er war so schnell gelaufen, dass er einige Minuten – schon auf den Knien neben ihr liegend – warten musste, bis er ruhiger atmete und seine Hände zum Arbeiten sicher genug waren.

Die Kuh war toll vor Schmerz und stieß mit den Hörnern nach ihm. Wieder und wieder machte sie den Versuch, sich loszureißen. Ken sprach ihr zu und suchte sie zu beruhigen, während seine kleinen, an Werkzeug wenig gewöhnten Hände mit der Drahtschere kämpften, den Draht an vielen Stellen zerschnitten und die Stacheln aus dem blutenden Fleisch herauszogen. Endlich war die Kuh befreit.

Er hatte sich gefragt, was er jetzt mit ihr tun sollte. Die herabhängende Zitze und einige tiefe Risse mussten eigentlich genäht werden. Vielleicht würde es Gus tun, wenn er die Kuh mit sich nehmen könnte. Aber sie selbst ersparte Ken die Mühe des Entschlusses. Sobald sie merkte, dass sie frei war, sprang sie im Galopp davon, während Blut und Milch ihr aus den Wunden rannen. Sie nahm Richtung auf den Kuhstall, in dem sie heimisch war.

Ken ging langsam über die Kälberweide zu Flicka zurück; sie lag noch ebenso da wie zuvor.

Den Knaben überkam ein Gefühl banger Einsamkeit. Er suchte die Kühe auf, fand sie gleich in Abteilung sechzehn, trieb sie herein und sperrte sie in die

Koppel beim Kuhstall. Er maß das Futter für sie ab und verteilte es in die Tröge. Dann ging er zur Landstraße, setzte sich auf einen Stein und heftete seine Blicke auf die Stelle des Weges, wo Gus zuerst erscheinen musste, wenn er zurückkam.

Ken konnte die Geräusche auf der großen Überlandstraße hören: eine Hupe, einen Wagen, der den Gang wechselte. Die Beleuchtung wurde abendlich: Lange Schatten fielen auf das Gras … Ihm war, als ob er nun wieder in einen Tagtraum versinke, und seine Augen begannen umherzuschweifen, aber er riss sich zusammen. Flicka … und die Kuh … Er war nun im Netz der Dinge gefangen und konnte sie nicht verlassen. Weit, weit entfernt auf der Landstraße sah er einen kleinen schwarzen Punkt. Gus! Er kam mit schlenkernden Armen angetrottet und ging, als täten ihm die Füße weh …

Ken sprang von seinem Stein herab und schoss die Straße entlang, ihm entgegen. Er konnte das einsame Warten keine Minute länger aushalten.

Rob ist stolz
auf Kennie

Ken wollte, dass Gus sofort zu Flicka hinauskomme, aber der Schwede ließ sich durch nichts davon abbringen, zunächst einmal ins Arbeiterhaus zu gehen und sich aus der Stadtkleidung herauszuschälen.

Während sie nebeneinander die Landstraße entlanggingen, erzählte Ken von den schrecklichen Erlebnissen des Tages: Flicka lag am Boden und schien irgendwie verletzt, und Crosbys Kuh hatte sich das Euter zerrissen und so gebrüllt, dass er zuerst geglaubt hatte, der Puma habe sie angefallen. Beim Reden blickte er dem langen Vorarbeiter ins Gesicht. Von Gus' blassblauen Augen mit den winzigen Pupillen ging immer ein Leuchten aus, und wenn er lächelte, hoben sich seine Mundwinkel wie die eines Kindes. Nichts konnte Gus aus dem Gleichgewicht bringen oder in Eile versetzen. Der große Sombrero sah auf seinen grauen Locken sehr lustig aus.

Während Gus in seinen blauen Baumwollanzug und die Stiefel mit Gummizug stieg, trieb Ken die Kühe herein. Aber auch nach dem Melken und dem Hinaustreiben der Kühe wollte Gus nicht zu Flicka gehen; er aß allerdings auch nicht zu Abend, sondern sattelte

Shorty und ritt zu Crosby hinüber, um nach der Kuh zu sehen.

Als er zurückgekommen war, aß Ken mit ihm im Arbeiterhaus; es gab kaltes gebratenes Fleisch, gekochte Kartoffeln und Apfelgrütze mit dicker gelber Sahne.

Beim Essen berichtete Gus, er habe Crosby beim Verbinden des Euters angetroffen und ihm geholfen. Dabei habe er ihm erzählt, wie Ken die Kuh gefunden und sie vom Draht befreit hatte. Beim Verbinden hätten sie Heftpflaster benutzt.

»Warum habt ihr sie nicht genäht?«, fragte Ken.

Der Schwede schüttelte den Kopf. »Mit der ist nichts mehr zu machen. Sie kann weder kalben noch jemals wieder gemolken werden. Crosby wird sie zum Schlächter bringen.«

Gus wusch das Geschirr und Ken trocknete es ab und stellte es weg. Dann zündete Gus sich die Pfeife an, nahm seinen alten, zerrissenen Filzhut und sie gingen zusammen über die Weide zu Flicka.

Ken hatte ein Blechgefäß mit Hafer mitgenommen, und als sie den Pfad zur Hälfte hinter sich hatten, fing er schon an Flicka beim Namen zu rufen und ihr zu pfeifen. Plötzlich griff er Gus beim Arm und blieb stehen. Er rief wieder – und ein leises Wiehern antwortete ihm!

»Oh, Gus, sie ruft mich!«

»Ja, das tut sie wirklich, Kennie!«, sagte er und lächelte.

Ken lief voraus, sprang den Pfad hinunter und rief:

»Flicka! Flicka!«, und die kleine Stute antwortete mit eifrigem kleinem Gewieher.

Als Gus in Flickas Kinderstube kam, lag sie auf dem Bauch und fraß den Hafer, den Ken ihr soeben in den Futterkasten geschüttet hatte.

»Das ist sonderbar«, sagte Gus langsam, während er auf sie niederblickte. »Fresslust hat sie jedenfalls. Sie sieht weder krank noch verletzt aus.«

Froh wieder zu Hause zu sein setzte er sich gemütlich auf die Erdstufe und stimmte seine Seele friedlich, indem er lange Züge aus seiner Pfeife tat.

»Was hältst du davon, Gus? Was fehlt ihr?«, fragte Ken ängstlich. »Sollen wir nicht versuchen ihr auf die Füße zu helfen?«

Gus schüttelte den Kopf. »Warte lieber, bis dein Vater heimkommt. Es könnte natürlich der Rücken sein – aber so daliegen und dabei Hafer fressen ... ich weiß nicht.«

Ken brachte einen Eimer Wasser und Flicka steckte die Nase hinein und trank.

»Eine nette kleine Stute«, sagte Gus.

»Glaubst du wirklich, dass sie ›nicht richtig‹ ist, Gus?« Ken rollte den Eimer weg und setzte sich ins Gras, mit den Armen um Flickas Hals.

»Nein. Sieh doch den Kopf an, und diese Augen! Sie haben keinen weißen Ring wie bei Rocket.«

»Aber Gus, sie hat ja doch versucht über den hohen Zaun zu springen.«

»Das kommt von der schlimmen Mutter. Schlechte

Gewohnheiten. Mit Rocket ist sie immer durch Zäune gegangen.«

»Ja. Papa sagt auch, dass sie immer hinter ihrer wilden Mutter durch die Zäune gebrochen ist.«

»Aber es war ja doch Rocket, die sie niederriss, und das Fohlen folgte ihr bloß. Und das war richtig so. Jetzt hat Flicka einmal versucht selbst einen Zaun zu durchbrechen und ist schlimm dabei gestürzt. Sie hat böse Minuten gehabt, als sie am Boden lag und der Draht ihr wie Feuer ins Fleisch schnitt. Kann sein, dass sie dadurch gelernt hat. Kann sein, dass sie nie mehr über einen Zaun will.«

»Ich ritt mal auf Shorty, und er trat über ein loses Stückchen Draht, das am Boden lag. Es war alt und verrostet und nicht länger als drei Meter, aber Shorty zitterte am ganzen Körper, als seine Füße daran rührten.«

»Shorty ist ein kluges Pferd.«

Die Familie kam erst nach Hause, als es schon nach zehn Uhr war. Gus war längst zu Bett gegangen, aber Ken blickte mit den beiden Hunden vom Hügel hinter dem Haus auf die leere Landstraße hinaus und wartete auf den Wagen. Der Himmel war voller Sterne und die Milchstraße leuchtete so hell, dass sich mildes Licht über Wald, Strom und Feld ergoss.

Als Ken die Scheinwerfer des Wagens erblickte, durchglühte es ihn froh. Chaps fing an zu bellen und beide Hunde standen auf und liefen ungeduldig und schwanzwedelnd umher. Der Wagen kam lärmend den Hügel herauf, machte einen Bogen und hielt. Ken sprang auf das Trittbrett und steckte den Kopf zum vorderen Fenster hinein. Er war dem Gesicht der Mutter gerade gegenüber und sie lächelte ihm zu. Alle sprachen auf einmal. Sie sagte: »Hallo, mein Junge! Da sind wir also. Bist du sehr allein gewesen?«, während Howard ihm vom Rücksitz aus zurief: »Du hast viel verpasst. Hättest das Wilde-Pferde-Rennen mit ansehen sollen! Drei Indianer sind runtergeflogen.« Und der Vater wandte sich um und gab Tim die Schlüssel, damit er aus dem Gepäckraum des Wagens die Kartoffeln und die Zwiebeln herausnehmen konnte.

»Howard, du hilfst Tim beim Ausladen und Wegtragen der Essvorräte«, sagte er. Dann wandte er sich zu Ken. »Ich muss mit dir reden, Ken.«

»Papa, Flicka ...« Ken sagte das nun schon zum dritten Mal.

»Komm!« Der Vater nahm ihn bei der Schulter und schob ihn mit sich fort, um die Hausecke.

»Papa, Flicka ...«

»Ken, ich bin stolz auf dich.« Sie standen auf der Terrasse. Kens Mund öffnete sich vor Erstaunen. Er sah zu seinem Vater auf, der müde, aber mit stolzem Lächeln auf ihn herabblickte.

»Crosbys Kuh«, sagte McLaughlin. »Wir hielten auf dem Heimwege beim Laden, um die Post zu holen, und trafen dabei Crosby. Er erzählte mir, wie du seine Kuh aus dem Draht herausgeschnitten hast, als ihr Euter sich verfangen hatte, und dass Gus hinübergeritten ist und ihm alles erzählt hat.«

Ken wollte wieder »Flicka« sagen, aber sein Vater ergriff wieder eine seiner Hände und hielt sie – klein, weich und hilflos, wie sie war – in seiner harten Faust. »Ich habe immer geglaubt, dass deine Hände nie zu etwas taugen werden und dass sie ebenso wenig Kraft in sich haben wie nasse Spaghetti. Aber heute haben sie mit einer Drahtschere umzugehen gewusst, und dazu dicht neben einer Kuh, die toll vor Schmerz war. Noch nie in deinem Leben hast du dergleichen getan. Wie kamst du nur darauf?«

Ken wusste selbst nicht recht, wie er das erklären sollte. Er sagte: »Sie brüllte ja so und daran konnte man merken, dass irgendetwas los war. Ich dachte, dass vielleicht der Puma hinter ihr her war, und dann fiel mir ein, dass du gesagt hattest, das Ganze gehöre mir. Und wenn es Flicka gewesen wäre …«

»Flicka? Ach so …« McLaughlin machte kehrt und ging zur Tür; aber er behielt Kens Hand in der seinen. »Was wolltest du mir denn von Flicka sagen?«

Ken erzählte eifrig und McLaughlin hörte ernst zu.

»Woher weißt du, dass sie nicht aufstehen kann?«

»Weil sie es versucht. Sie hebt den Kopf und rührt die Beine und dann fällt sie wieder zurück. Es sieht so aus, als hätte sie sich den Rücken beschädigt.« Seine Blicke verschlangen das Gesicht des Vaters.

»In welcher Stellung liegt sie?«

»Auf der Seite. Gus und ich haben nicht versucht sie auf die Füße zu bringen; wir dachten, du würdest besser wissen, wie man das macht.«

»Und sie frisst wohl auch nicht?«, fragte McLaughlin.

»O ja, sie hat Hafer gefressen.«

»Wie denn?«

»Ich setzte ihr den Kasten neben die Nase und sie hob den Kopf und fraß den Hafer auf.«

»Alles?«

»Ja, bis aufs Letzte. Und dann gab ich ihr einen Eimer Wasser und sie trank.«

»Dann kann sie nicht sehr krank sein. Wir warten bis morgen.«

»O Papa, bitte …«

»Sei still!«, schrie McLaughlin; er ging auf die Tür zu. »Kann man denn nie Ruhe bekommen? Komm, es ist Zeit, dass du zu Bett gehst.«

Am nächsten Morgen nach dem Frühstück ging McLaughlin zur Kinderstube, um sich Flicka anzusehen. Nell ließ ihre Schüsseln stehen und begleitete ihn mit der Katze. Die Katze saß ihr auf der Schulter. Howard und Ken waren schon drüben.

Flicka hatte ihren Frühstückshafer gefressen und leckte den Kasten aus. Sie hob mühelos den Kopf und wieherte leise, wollte aber nicht aufstehen.

Rob war mit seinen Beobachtungen schnell fertig. »Tretet alle zurück«, sagte er. »Ich werde sie auf die andere Seite rollen.«

Flicka lag auf der linken Seite. Er trat hinter sie, beugte sich vor, packte ihre linken Beine mit je einer Hand und drehte sie, selbst zurücktretend, sachte herum, so dass sie auf die rechte Seite zu liegen kam.

Die Stute spannte nun sofort die Vorderbeine und das linke Hinterbein an und stand auf. Alle lachten. Flicka blieb mitten in der Gruppe stehen, und als Ken an ihren Kopf herantrat und ihr Gesicht zwischen seine Hände nahm, ließ sie sich das ruhig gefallen.

»Ihrem Rücken fehlt nichts«, sagte McLaughlin. »Es liegt am Hinterbein. Sie konnte es nicht benutzen, und da sie auf der linken Seite lag, konnte sie eben nicht aufstehen.«

»Aber früher hat sie es doch benutzt«, sagte Ken besorgt.

»Ja, es war schon verheilt. Aber seht es euch jetzt bloß an! Es ist geschwollen. Das heißt, es ist entzündet und sie hat mehr Schmerzen als zuvor. Seht nur, sie stützt sich nicht im Geringsten darauf.«

Kens Gesicht verzerrte sich, als er die Schwellung über dem Gelenk bemerkte. Alle wussten, dass Blutvergiftung bei Verletzungen durch Stacheldraht die größte Gefahr ist und dass sie sehr häufig einzutreten pflegt.

»Was tut man bei Pferden gegen eine Entzündung?«, fragte Ken unsicher.

»Ganz dasselbe wie bei Menschen«, sagte Nell in aufmunterndem Ton. »Feuchte Umschläge, Zugpflaster, so dass die Wunde offen bleibt und der Eiter herauskann.«

Flicka zeigte keine Furcht oder Nervosität. Als Ken ihren Hals streichelte, sah sie ihn vertrauensvoll und dankbar an.

»Nun, da sie uns an sich heranlässt«, sagte Nell, indem sie gewohnheitsgemäß ihre Katze streichelte, »ist nichts mehr zu fürchten.«

»Warum lässt sie uns heran, Papa?«

»Nun«, sagte McLaughlin grimmig, »sie hat ja nur drei Beine, kann einfach nicht davonlaufen – nicht wahr?«

Er ging und Howard folgte ihm. Ken wusste, dass sein Vater den Anblick kranker Tiere nicht ausstehen konnte. Aber die Mutter sagte: »Das werden wir sofort in Ordnung bringen, Kennie. Ich werde dir helfen.«

Ken fiel eine Last vom Herzen. Flicka würde also nicht sterben. Ihr Rücken war wenigstens nicht gebrochen. Er ging mit der Mutter nach Hause, sie brühte Mehl auf und tat es in einen Leinenbeutel; außerdem mischte sie eine desinfizierende Flüssigkeit mit Wasser und goss sie in einen Eimer; Ken sollte das auf die Weide tragen.

Als Flicka beide kommen sah, zeigte sie keine Furcht, obschon Nells Verbandzeug und Zugpflaster auch ein gut gezähmtes Pferd hätten erschrecken können.

»Nicht wahr, sie ist ganz vernünftig, Mutter?«, fragte Ken beim Vorbereiten des Zugpflasters. »Sie weiß, dass wir ihr helfen, glaubst du das nicht auch?«

»Ja, so sieht es aus«, sagte Nell, die mit ihrem Verbandszeug beschäftigt war. »Nun, Ken, stell dich an ihren Kopf, sie ist an dich gewöhnt; unterdessen mache ich ihr den Verband.«

Flicka hob ihr Bein vom Boden, während Nell es badete und das Pflaster auflegte. Der Verband bildete einen komischen weißen Buckel über dem Sprunggelenk.

Zunehmender Mond

Kens Nächte waren nicht mehr traumlos. Für ihn gab es keinen Frieden. Bei Tag war er erfüllt von seiner neuen Verantwortung, von leidenschaftlicher Hoffnung, von gewissenhafter Fürsorge für Flicka und bei Nacht ging ein langer Zug von oft schreckensvollen Traumabenteuern an ihm vorbei. Sein Aufschreien und Sprechen im Schlaf rief die Eltern häufig an sein Bett. Irgendetwas war ihm – wie ein reißendes Tier – stets auf den Fersen.

Es war eine tödliche Qual und sein Aussehen veränderte sich merklich. Beide Knaben pflegten während der Sommerferien größer zu werden und auch an Gewicht zuzunehmen; aber Ken hatte diesen Sommer nicht zugenommen; er war nur länger geworden; sein Gesicht war gespannt und hatte immer einen sorgenvollen Ausdruck.

Etwas Aufregendes lief wie ein roter Faden durch seine mannigfache Bedrängnis, so dass er sich ständig gespannt wie ein Bogen fühlte. Es war das erste, ungewohnte Erleben der eigenen Leistungsfähigkeit. Nicht nur seine Hände hatten sich verändert. Die ganze

Gleichmütigkeit des Tagträumers, das Hinweggleiten aus der Wirklichkeit war verschwunden. Er ging, stand und bewegte sich eifrig und entschlossen. Er war verliebt, er war mitten im Kern des Lebens und führte einen Kampf wie Jakob mit dem Engel.

Seine Leistung war Flicka und das Ringen um ihre Freundschaft. Er hatte nun ein Pferd; es gehörte ihm ebenso vertraut, wie Howard seinen Highboy besaß. Er konnte sie allerdings noch nicht reiten, aber sie war sein, weil sie sich ihm ergeben hatte.

Sie liebte seine Hände, seine Berührung, seine Zärtlichkeiten. Sie liebte es, dass er ihr gegenüberstand, während seine Hände leicht auf ihren Wangen lagen. Wie Liebende sahen sie einander in die Augen. Er verbrachte jeden freien Augenblick bei ihr.

Während sie Hafer fraß, glätteten seine Hände das samtweiche Fell unter ihrer Mähne. Es war wie Plüsch. Er spielte mit ihren langen gelblichen Haarsträhnen und ordnete ihr Stirnhaar zwischen den Augen. Wie es bei Araberpferden zu sein pflegt, standen ihre Nüstern ein wenig vor und der Abstand zwischen den Augen war breit. Ken verwahrte Striegel und Bürste in der Gabelung einer Pappel und putzte Flicka ein wenig. Sie mochte das. Wenn er so – zuerst auf einer, dann auf der anderen Seite – mit ihr beschäftigt war oder wenn er niederkniete, um ihr die Beine zu bürsten oder ihre kleinen Hufe zu polieren, die die Farbe und den Glanz gelblichen Marmors hatten, dann wandte sie ihm den Kopf zu und ließ, wenn es irgend ging, ihr Maul auf ihm ruhen. Ken wurde es gewohnt, die warmen Lippen auf seiner Schulter oder seinem Rücken zu fühlen, und seine Mutter klagte, dass infolgedessen so viele Polohemden zur Wäsche mussten.

Er verwöhnte Flicka. Es kam bald so weit, dass sie nicht zum Bach hinunterwollte, sondern darauf wartete, dass er mit dem Eimer zu ihr kam. Sie trank, hob ihr tropfendes Maul und stützte es auf seine Schulter, wobei ihre goldenen Augen in die Ferne träumten; dann tauchte sie wieder das Maul ins Wasser und trank von neuem.

Wenn sie den Kopf mit gespitzten Ohren südwärts wandte und lauschend dastand, dann wusste Ken, dass sie die anderen Fohlen auf dem Hochland galoppieren hörte.

»Einmal wirst du dorthin zurückkommen, Flicka«, flüsterte er ihr zu. »Du wirst dann drei Jahre alt sein und ich zwölf. Du wirst so stark sein, dass du mich auf deinem Rücken gar nicht fühlen wirst, und wir werden wie der Wind dahinfliegen. Wir werden ganz oben stehen, wo man über die ganze Welt sehen kann, und werden den Geruch vom Schnee des Niemals-Sommer-Landes in der Nase haben. Vielleicht bekommen wir auch Antilopen zu sehen.«

Als es mit ihrem Bein besser wurde, gewöhnte sie sich daran, hinter Ken herzulaufen. Sobald er pfiff oder rief, kam sie angehopst und hielt sich dann, wenn er umherging, neben ihm. Er hielt oft die Hand unter ihrem Kinn oder schob sie unter ihrem Halse auf die andere Seite des Kopfes oder er ließ sie leicht auf ihrem Nacken ruhen, eine Strähne zwischen den Fingern.

So hatte er es sich immer erträumt: ein eigenes Pferd zu haben, das auf seinen Ruf herbeikam und ihm freiwillig folgte.

Hin und wieder, wenn er mit dem Hafer zu ihr unterwegs war, konnte er stehen bleiben und in einer Wolke von Glück an all dies denken. Es war jetzt ganz so, wie sein Vater gesagt hatte: Sie schaute nach ihm aus, als ob er für sie das ganze Leben sei. Sie schien an nichts als an ihn zu denken. Wenn er vor dem Frühstück mit dem Hafer durch die Kuhstallkoppel zu ihr ging, begrüßte sie ihn mit leisem Wiehern. Sie schnupperte nach dem Hafergefäß, aber er lief den Pfad hinunter und sagte ihr, dass die Kinderstube der rechte Platz zum Haferfressen sei. Flicka humpelte neben ihm her. Sie wusste ebenso gut wie er, wohin es ging, und sobald sie beim Hügel waren, lief sie voraus und stand schon am Futterkasten, wenn er den Hafer hineinschüttete.

Nach dem Frühstück, wenn Ken wieder hinausging, kam die Mutter mit, und Pauly, die Katze, folgte ihr auf den Fersen. Und Flicka wusste jetzt wieder, was bevorstand, und wartete an der Koppelpforte. Sie machte kehrt, sprang vor ihnen her zur Kinderstube, wartete dort an der gewohnten Stelle und hob leicht das Hinterbein, damit der Verband entfernt wurde.

Ihre Scheu war völlig verschwunden und nichts erschreckte sie mehr. Mit Kens Freundschaft schien ihr die Überzeugung gekommen zu sein, dass alle Menschen freundlich und verlässlich seien und dass ihr seltsames Tun und Treiben keinen Schaden bringe.

Jeden Tag, wenn der Verband gewechselt, die Wunde gewaschen und ein neues Zugpflaster aufgelegt war, machte Ken auf dem Übungsfeld ein kleines Feuer und verbrannte die alten Binden. Und wenn Ken mit seiner Mutter sprach, wandte Flicka sich von einem zum andern, als ob sie alles verstünde.

»Vater sagt, dass sie wirklich verstehen kann«, sagte Ken. »Und jedenfalls kann sie reden. Ich verstehe ungefähr sechs verschiedene Dinge, die sie sagt.«

»Pauly kann auch reden«, prahlte die Mutter. »Sie kann sogar sieben Dinge sagen.«

»Was denn?«, fragte Ken.

»Sie kann ›Guten Morgen, guten Morgen, guten Morgen‹ sagen. ›Ich habe gar zu lange auf dich gewartet.‹ Das sagt sie, wenn es ihr allzu lange mit dem Frühstück dauert. Und sie kann sagen: ›O bitte, darf ich das nicht haben?‹ Und: ›Das geschieht dir recht!‹ Und: ›Nun, was willst du denn jetzt?‹ Und: ›Ist es nicht herrliches Wetter? Wir wollen irgendetwas unternehmen.‹ Und: ›Lass mich bloß allein!‹ Das sagt sie, wenn sie ihre Nervenzustände hat. Und: ›Ich bin ja nur eine kleine, hilflose Katze, die sich in der Welt zurechtzufinden sucht.‹«

»Ja, das macht sieben«, sagte Ken.

»Eigentlich kann sie noch mehr als das sagen, denn jedes Mal wenn ich mit ihr spreche, sagt sie etwas, wenn auch nur ein Wort.«

»Was für ein Wort?«, fragte Ken neidisch.

»Es kommt darauf an. ›Was?‹ oder ›Ja‹ oder ›Danke‹ oder ›Hol's der Fuchs!‹« Um das Gesagte zu beweisen, sah Nell zu Pauly hinüber, die mit halb offenen Augen wie eine kleine Sphinx auf der Erdstufe lag. Nell rief laut ihren Namen.

Paulys Antwort kam schnell wie ein zurückprallender Ball, es war ein scharfer, fragender kleiner Schrei. »Nun, was willst du denn?«, mochte es bedeuten und Ken musste zugeben, dass das mehr war, als er bisher von Flicka gehört hatte.

Der allgemeine körperliche Zustand der kleinen Stute wurde besser. Sie konnte nun auf ihren drei Beinen über die ganze Kälberweide laufen. Frühmorgens stand sie in der Nähe der drei Kiefern am Abhang und kehrte der Sonne die Breitseite zu. Das nannte Nell ihre Radiumbehandlung; und das Erste, was Ken in der Frühe sah, wenn er gleich nach dem Aufwachen zum Fenster hinausblickte, war Flicka im Profil, regungslos wie eine Statue, entspannt, mit hängendem Kopf – kurz, wie Pferde zu stehen pflegen, wenn sie Sonnenbäder nehmen.

Auch beim Gehen fing sie bald an das vierte Bein zu benutzen und Nell sagte, dass man die Zugpflaster nun weglassen könnte.

Das Bewusstsein einer Leistung, das Ken kaum deutlicher gewesen war als einem Jagdhund eine wundervolle Witterung aus weiter Ferne – dieses dunkle Bewusstsein war für ihn zur deutlichen Erkenntnis einer

Tatsache geworden. Ihn erfüllte ein Siegesgefühl; es leuchtete aus seinen Augen und machte seine Hände stark. Flicka war sein. Flicka war gesund geworden. Flicka liebte ihn. Jetzt fehlte nur noch eins …

»Papa«, sagte er beim Abendessen. »Flicka ist jetzt mein Freund. Sie mag mich leiden.«

»Das freut mich, mein Junge. Ein Pferd zum Freunde zu haben ist eine schöne Sache.«

Kens Gesichtsausdruck war gespannt. »Ihr Bein ist besser«, sagte er. »Sie hat keine Schmerzen mehr. Deshalb …«

»Nun, was denn?«

»Wir müssen doch herausbekommen, ob …«

»Was herausbekommen?«

»… ob sie richtig im Kopf ist.«

McLaughlin runzelte die Stirn. »Keine Gefahr!«, sagte er. »Die ist schon richtig.«

»Aber du hast doch gesagt, das könnte man erst dann sicher wissen, wenn das Schulen anfängt.«

»Ist dir das bis jetzt im Kopf herumgegangen? Ich wüsste nicht, dass ich je ein Pferd mit besserer Veranlagung gesehen hätte.«

»Aber Papa, wir können es doch nicht ganz sicher wissen. Es kann ja doch sein, dass sie nicht richtig ist. Sobald wir ihr nun einen Strick umlegen, ist sie vielleicht ebenso verrückt wie Rocket und wie sie selbst damals in den Ställen war. Und sie muss ja doch halfterzahm werden.«

McLaughlin sah seinen kleinen Sohn belustigt an.

»Also darauf willst du hinaus?«, sagte er. »Ich soll dir helfen dieses wilde Weib zu zähmen?«

Ken nickte. Rob sah zu Nell hinüber. Dann schob er den Stuhl zurück, nahm die Pfeife hervor und sah ernst aus dem Fenster.

»Wir könnten damit ja morgen anfangen«, sagte er endlich. »Ja, mir scheint, dass ich Zeit haben werde. Gleich nach dem Frühstück.«

Als das Abendessen vorbei war, floh Ken so bald wie möglich vom Esstisch und brachte Flicka ihren Hafer. Er erzählte ihr alles. Er glättete ihre Mähne und bat sie, recht vernünftig zu sein. Er versicherte ihr, dass sie sich nicht zu fürchten brauche, wenn sie den Halfter bekomme. Er erzählte ihr, wie er und Howard mit den Fohlen geübt hatten und dass die Fohlen es sich gern hatten gefallen lassen; es habe ihnen allen nur Spaß gemacht. Er bat sie – oh, wie er sie bat! Oh, Flicka!

Er dachte auch daran, was geschehen würde, wenn sie nicht vernünftig war. Er dachte an Rocket – und an den tiefen Schacht – und dann drückte er sein Gesicht in Flickas Mähne und schwieg, denn von diesen Dingen konnte er ihr nicht erzählen, sie würde es einfach nicht verstehen.

Nell kam, um nach ihm zu sehen; sie machte Flicka jeden Tag einen Besuch. Sie gingen alle drei miteinander über die Weide, auf der es stark nach wilden Rosen duftete. Bei Sonnenuntergang blickte dunkelblauer Himmel zwischen rosa und goldenen Wolkenstreifen hervor und eine dicke lila Wolke lag darüber. Inmitten der vielen Farben schwamm die Sichel des Mondes und in ihrer Nähe blinkte ein vereinzelter Stern.

Nell nahm Ken bei der Schulter und drehte ihn herum, noch bevor er den Mond gesehen hatte. »Es ist zunehmender Mond, Kennie, sieh ihn über die linke Schulter an, das bringt Glück!«

Ken blickte gehorsam hin. Er wollte die Augen nicht abwenden. Wenn es Glück brachte – wenn es wirklich Glück brachte …!

Die Sonne, das Wasser,
Flicka, der Vater ...

Als Gus sich am nächsten Morgen zur Tür hereinlehnte und fragte: »Was gibt's heute?«, gab McLaughlin ihm Anweisungen für einen ganzen Arbeitstag.

Er machte Pläne für die Heuernte. Mitte August sollte angefangen werden. Das Gras stand hoch und war schnittreif; in diesem Jahr konnte frühzeitig gemäht werden. Das Wetter war so günstig gewesen, dass alle Farmer in der Nachbarschaft sich bereits zur Mahd fertig machten. Von der Landstraße aus konnte man die Mähmaschinen schon beim Flachlegen des Grases sehen. Seit in Wyoming die Heuernte begonnen hatte, lag ein neuer Duft über der Gegend und der Wind trug ihn Hunderte von Meilen weit.

Die Mähmaschinen mit ihren vielen kleinen rasiermesserscharfen Schneiden mussten nachgesehen werden, Schrauben angezogen und für abgenutzte Teile Ersatz beschafft werden; in manchen Harken fehlten Zinken und an den Pferdegeschirren war allerhand auszubessern. Ken saß in banger Spannung da, während sein Vater so viele Anweisungen gab, dass sie Arbeit für den ganzen Tag bedeuteten.

»Übrigens«, fügte McLaughlin hinzu, »bevor wir mit alldem anfangen, wird Ken seine kleine Stute halfterzahm machen. Ich will gern, dass ihr beide, du und Tim, bei der Hand seid.«

Gus riss vor Erstaunen die Augen auf. Sein Blick suchte Kens feuerrotes, niedergeschlagenes Gesicht. »Zu Befehl, Herr Rittmeister. Wo soll es denn vor sich gehen?«

»Auf der Kälberweide. Geh und rufe Tim.« McLaughlin stand vom Tisch auf. »Wir wollen gleich darangehen, dann ist es erledigt.«

Tim und Gus kamen mit Lasso, Halfter und einem Strick aus Bleidraht. Sie standen in einer Gruppe dicht am Zaun auf der Weide, und McLaughlin ging ein Stückchen vor und sagte Ken, er solle Flicka herbeirufen. Ken gehorchte und gleich darauf erschien um den Hügel herum die kleine Stute. Sie trabte auf Ken zu.

McLaughlin nahm Ken die rote Bandana vom Halse, gab sie ihm in die Hand und sagte: »Schling ihr das um den Hals und binde einen losen Knoten.«

Ken gehorchte, sehr erstaunt über diese sonderbare Maßnahme; Flicka fasste sie offenbar als eine Liebkosung auf und erwiderte sie durch leichtes Reiben ihrer Nase an seinem Halse.

»Und jetzt nimm deinen Gurt ab.«

»Hier«, sagte Ken, ohne irgendetwas zu begreifen.

»Zieh ihn durch die Bandana.«

Als das geschehen war, hing der Gurt als weite Schlinge unter Flickas Hals. McLaughlin winkte mit der Hand. »Geh jetzt den Pfad entlang und zieh den Arm durch die Schlinge.«

Ken tat es, während McLaughlin zurücktrat und den Arm um die Schultern seiner Frau legte, als ob er sich auf sie stützte. Er genoss in hohem Maße die Situation; Ken ging den Pfad entlang und Flicka sprang neben ihm her. Als sie die Pappeln auf der Anhöhe erreichten, rief McLaughlin: »Kehr jetzt um und komm zurück. Lass die Schlinge los. Halte bloß deine Hand unter ihrem Kinn in der Luft.«

Ken gehorchte. Der lederne Gürtel und die Bandana hingen lose um den Hals der Stute. Kens Hand befand sich unter ihrem Kinn in der Luft. Flicka folgte ihm wie an einem unsichtbaren Zügel.

»Das nenne ich halfterzahm«, sagte McLaughlin mit einem breiten Lächeln, als der Knabe wieder bei ihm war. Ken sagte verblüfft: »Aber Papa, das ist doch kein Halfter!«

»Du bist nicht leicht zu überzeugen, junger Mann«, sagte Rob. »Aber meinetwegen. Gib mal einen Halfter her, Gus.« Er nahm ihn entgegen und sagte zu Ken: »Leg ihn ihr jetzt um.«

Ken zitterte beinahe. Er hielt den Halfter in der Hand und wandte sich zu Flicka, wagte sich aber nicht näher an sie heran.

»Wie soll ich das denn machen?«, fragte er und dachte daran, wie sehr er und Howard mit den Fohlen zu kämpfen hatten, wenn sie ihnen zum ersten Mal den Halfter umlegten.

»Genauso, wie ich es mit Taggert mache.«

Ken dachte nach. Sein Vater hielt den Halfter offen in den Händen und Taggert steckte den Kopf selbst hinein.

Er sammelte seinen ganzen Mut, ging zu Flicka und hielt ihr den Halfter hin. Flicka, die von seinen Händen nie anders als mit Liebe und Freundlichkeit berührt worden war, kam näher herbei und Ken streifte ihr den Halfter über und schnallte ihn unter der Kehle fest.

»Führe sie jetzt«, sagte McLaughlin.

Ken gehorchte und ging den Pfad ein Stückchen entlang, blieb dann stehen, kehrte um und kam zurück. Flicka folgte ihm so nah, dass der Strick schlaff hing.

»Aber Papa«, sagte Ken völlig verwirrt, »wie ist sie denn halfterzahm geworden?«

McLaughlin antwortete nicht direkt. »Das ist alles, meine Herrschaften«, sagte er zu der kleinen Schar von Zuschauern. Gus und Tim lachten. »Auf diese Weise werden auf dem Gänseland-Gestüt wilde Pferde gezähmt. Schade, dass Ross Buckley es nicht mit angesehen hat.«

»Aber Papa«, protestierte Ken, indem er Flicka den Halfter wieder abnahm. Sie stand neben ihm und schnappte mit den Lippen nach dem Riemenzeug.

»Erkläre es dir selbst«, sagte McLaughlin prahlerisch. Er war schon im Weggehen. »Komm, Gus, wir wollen uns jetzt an die Maschinen machen.«

Um die Mittagszeit ging Ken mit der Mutter baden. McLaughlin und Howard waren in die Stadt gefahren, um Ersatzteile für die Mähmaschinen zu kaufen.

Es war ein geräumiges Becken, das McLaughlin zwischen zwei Wiesen angelegt hatte, indem er den Lone-Tree-Bach bei seinem Zusammenfluss mit dem Wildbach hatte eindämmen lassen. Die Umgebung war malerisch durch die hier aufragenden Felsen, die beiden Gewässer und die kleinen, von Wiesen umgebenen Gehölze.

Ken lag auf dem Sprungbrett, das über dem tiefen Teil der Badestelle angebracht war, und ließ sich die Sonne auf den Rücken scheinen. Es war herrlich! Alles war herrlich, außen wie innen. Nichts war mehr zu fürchten – er brauchte in seinem Bewusstsein nicht mehr Türen gegen Gedanken und Ängste geschlossen zu halten –, alles war gut: die Sonne, das Wasser, Flicka, der Vater …

Nell schwamm mit gekreuzten Füßen auf dem Wasser wie auf einer Ruhebank. Sie hatte die weiße Gummimütze zurückgeschoben, so dass das Wasser ihr die Ohren umspülte. Ihr war, als läge sie am Boden einer Schale und die Bäume und Felsen umschlossen sie wie Wände. Dicht über ihrem Gesicht war das tiefe Blau des Himmels und darüber trieben wollige Wölkchen hin. Es war ein Anblick vollkommener Ruhe.

Das unruhige Getriebe des Lebens ließ doch bisweilen nach. Dinge, die so aussahen, als könnten sie nie gut ausgehen, nahmen unbegreiflicherweise ein gutes Ende. Es ging vorwärts. Sorgen wurden zunichte. Flicka wurde gesund. Rob war zufrieden und war freundlich gegen Ken. Und Ken war glücklich und froh.

Nell drehte sich um und glitt mit langen, trägen Schlägen durch das Wasser. Ihre mageren kleinen Füße, deren Form so unverbildet war wie bei einem Kinde, stießen ruckweise durchs Wasser und ließen weißen Schaum zurück.

»Mutter, sieh doch Pauly an!«, rief Ken. Nell wandte den Kopf und sah die kleine Katze ängstlich am Ufer sitzen; sie schien fest entschlossen Nell nachzuschwimmen.

»Komm, Pauly«, sagte sie lachend; sie wollte sehen, ob Katzen sich wohl ins Wasser wagen. Pauly hatte die größte Lust dazu. Sie lief miauend am Ufer hin und her, blieb dazwischen stehen und schlug leicht mit der Pfote auf die Oberfläche des Wassers; sie duckte und streckte sich, als sei sie drauf und dran hineinzugehen. Aber sie tat es nicht. Nell watete ans Ufer, streckte die Hände aus und Pauly stürzte sich in ihre Arme und kletterte ihr auf die Schulter.

Auf dem Heimweg über die überschwemmte Wiese ließen sie Pauly nachlaufen, um zu sehen, was sie wohl anfangen würde; sie hätte ja über die Hügel allein nach Hause laufen können. Aber Pauly wollte sie weder verlassen noch zurückbleiben und ließ sich durch Wasser und hohes Gras nicht abschrecken. Sie machte mehrere Sprünge nacheinander und platschte dabei ins Wasser; bald sprang sie wieder hoch, um über das Gras hinweg nach Nell auszuschauen, dann plumpste sie wieder ins Nasse. Aber sie stieß keinen einzigen Schrei aus; ihre ganze Energie war auf die Anstrengung der Fortbewegung gerichtet. Schließlich nahm Nell sie auf und ließ sie auf ihrer Schulter sitzen, worauf Pauly gleich begann sich zu lecken und ihr Fell zu glätten.

In Kens Vorstellungswelt herrschte doch noch ein kleiner Rest von Verwirrung, der beiseitegeräumt werden musste. Das Gespenst des tiefen Grubenschachtes hatte ihn gar zu lange verfolgt.

»Mutter«, sagte er, »ist es wirklich absolut sicher, dass Flicka nicht verrückt ist?«

Nell blieb stehen und sah auf ihren kleinen Sohn nieder. »Bedrückt dich das immer noch?«, fragte sie.

»Man kann ja doch nicht ganz sicher sein. Dass sie sich den Halfter gefallen lässt – das seh ich ja ein. Aber sie ist nicht wirklich geschult; es bleibt noch eine Menge zu tun übrig.«

Nell stand bis an die Knöchel im lauwarmen Wasser, und Rotklee und Timotheegras reichten ihr bis zur Hüfte. Sie trug den Kimono über dem Arm; der kurze schwarze Badeanzug trocknete ihr am Körper. Sie blieb stehen und dachte eine Weile nach, denn sie wollte Kennie für immer von dieser Furcht befreien.

»Natürlich ist sie noch nicht geschult«, sagte sie. »Und du hast ganz Recht, wenn du dir sagst, dass alles nicht so leicht gehen wird wie heute Morgen. Flicka wird eigenwillig sein, sie wird sich sträuben und du wirst sie zum Gehorsam bringen müssen. Das muss nun mal geschehen, aber es wird keine ernstlichen Schwierigkeiten geben, alles wird leicht gehen und wird weder ihr noch dir Kummer machen.«

»Warum nicht?«

»Nun, sie liebt dich ja doch!«

»O ja!«

»Das zeigt, dass sie Verstand hat. Und ein kluges Pferd, das schon einiges gelernt hat, wird sich nur auf vernünftige Weise sträuben, das ist alles.«

»Woran sieht man, dass sie klug ist?«, fragte Ken.

»Daran, dass sie sich nicht mehr fürchtet, sondern sieht, was wirklich vorhanden ist. Und was wäre die Welt ohne Liebe?«

Ken wusste gar nicht, was er darauf antworten sollte.

»Denk bloß daran, wie es hier bei uns wäre, wenn es gar keine Liebe gäbe.«

Ken sagte: »Oh!« Sein Mund bildete in seinem unschuldigen Gesicht eine ovale Öffnung und er vergaß ihn zu schließen.

Nell ging weiter und musste darüber lächeln, dass Ken sich der Liebe, die ihn umgab, ebenso unbewusst war wie der Erde unter seinen Füßen und der Luft, die er atmete. Sie versuchte es von neuem.

»Wenn du Liebe findest«, sagte sie, »wenn ein Mensch oder ein Tier Liebe findet, dann gibt ihm das ein Gefühl sicheren Geborgenseins – nicht wahr? Es bedeutet Wohlbefinden und Freundlichkeit und Hilfe. Ein jeder sehnt sich danach – nach Liebe irgendwelcher Art. Und wenn zum Beispiel Flicka sie gefunden, aber nicht genug Verstand gehabt hätte, das zu begreifen, und immer weiter dumm und närrisch vor Furcht geblieben wäre …«

»Dann wäre sie nicht richtig«, schloss Ken. Nun endlich hatte er verstanden.

Er sah die Mutter fragend an. Nell nickte. Pauly, die auf ihrer Schulter saß, leckte Nells Wange. Und Ken rief triumphierend:

»Nein, Flicka ist nicht verrückt!«

Als Ken an diesem Abend von Flicka, der er Hafer gegeben hatte, zurückkam, ging er zu seinen Eltern auf die Terrasse und sagte kopfschüttelnd:

»Bitte noch mehr Zugpflaster.«

Nell, die gerade über irgendetwas lachte, wurde mit einem Male ernst. »Weshalb denn?«, fragte sie.

»Ihr Sprunggelenk ist wieder geschwollen und sie hält das Bein hoch.«

Die Eltern saßen eine Weile so ernst und still da, dass Ken ängstlich wurde. »Die Zugpflaster haben ja bisher so gut geholfen«, sagte er. »Sie können Flicka auch jetzt wieder heilen, nicht wahr?«

Nell stand unvermittelt auf. »Ich will gehen und sie mir ansehen, Ken.«

Auch McLaughlin ging mit. Sie betrachteten die Wunde, die geschwollen und offenbar empfindlich war. Auch das rechte Vorderbein war vom Knie herauf bis zum Riss in der Brust geschwollen.

Ken erschrak, als sein Vater ihn auf die zweite Entzündung aufmerksam machte. »Können wir nicht auch diese Stelle mit Zugpflaster behandeln?«, fragte er.

Nell nickte. »Es wird nicht leicht sein, hier einen Verband anzulegen«, sagte sie, »aber es wird schon gehen.«

Sobald McLaughlin wieder in die Stadt fuhr, brachte er eine Flasche Serum mit und machte Flicka eine Einspritzung. »Wozu nützt das, Papa?«, fragte Ken.

»Das hilft bei allgemeiner Blutvergiftung.«

»Allgemeiner Blutvergiftung?«

»Ja. Zuerst war nur eine Stelle, die am Hinterbein, entzündet. Diese Wunde an der Brust war ganz verheilt und ist nie entzündet gewesen. Jetzt ist sie durch das Blut vom Bein infiziert worden, also von innen her. Das nennt man allgemeine Blutvergiftung.«

McLaughlin redete einfach, in sachlichem Ton, und das beruhigte Ken. »Wird sie nun bald gesund?«, fragte er und strahlte auf.

»Ich hoffe es, mein Junge. Mitunter hilft es großartig, in anderen Fällen schaffen es die Tiere ebenso gut auch ohne das.«

»Wo hast du es her?«

»Von Doktor Hicks.«

Der Name des Tierarztes ließ Ken immer gleich an Geld denken und er erschrak. Der Vater hatte gesagt: »Dein Erscheinen macht mir jedes Mal Unkosten.«

»Wie viel hat es gekostet, Papa?« Sie waren nun beide auf dem Heimweg.

»Es kostet zehn Dollar.«

Ken blieb plötzlich stehen und McLaughlin ging ohne ihn weiter. Er wollte zum Gerätehaus, wo Gus an der Mähmaschine arbeitete.

Zehn Dollar! Zehn Dollar! Und der Vater murrte ja

doch über jeden Cent, den seine Jungen ausgaben, und über jede Gabel Heu …

Ken lief dem Vater nach. McLaughlin sprach mit Gus schon über die Messer.

»Papa …«

»Was denn?« McLaughlin blickte von der Maschine auf.

»Ich – ich – ich wusste ja nicht – du weißt, dass du eben sagtest …«

»Nun heraus damit!«, sagte McLaughlin ungeduldig.

»Du sagtest: Immer wenn ich erscheine, macht es dir Unkosten. Ich verstand nicht, wieso – aber jetzt … Zehn Dollar, Papa! Ich danke dir so sehr, so sehr …«

»Ja, zehn Dollar!«, rief McLaughlin mit einem hintergründigen Lächeln. »Aber für dich, Kennie, ist das ja doch gar nichts. Nicht mehr als ein Wink mit der Hand. Du bist ja doch der Junge, der bloß dadurch, dass er eine Stunde zum Fenster hinaussah, dreihundert Dollar weggeworfen hat.«

»Aber wie denn – ich habe doch nie – dreihundert Dollar …?«

»Geh bloß und lass mich arbeiten!«, herrschte der Vater ihn an und beugte sich wieder über die Maschine.

Ken suchte die Mutter auf. Sie war dabei, die Wäsche zu zählen, und kauerte neben einem großen Haufen von Hemden, blauen Arbeitshosen und Haushaltswäsche.

Ken schilderte sein Problem. »Dreihundert Dollar – wie hab ich je …«

Nell lachte und schrieb sechs Paar Arbeitshosen auf ihre Liste. »Ja, du hast sie weggeworfen. Du hast eine Stunde lang zum Fenster hinausgeguckt, als du deinen Aufsatz schreiben solltest. Infolgedessen bist du nicht versetzt worden und musst in derselben Klasse bleiben. Und die Schule kostet für ein Jahr ungefähr dreihundert Dollar.«

»Dreihundert Dollar«, seufzte Kennie ganz erschlagen. »Wie kann das sein?«

»Rechne bloß zusammen: acht Monate zu fünfundzwanzig Dollar für deinen Aufenthalt. Hundert Dollar für Schulgeld und Bücher. Alles das, siehst du, hast du verschwendet. Hättest du deinen Aufsatz geschrieben, dann brauchte der Vater nicht noch einmal dreihundert Dollar für diese Klasse zu bezahlen.«

Ken setzte sich an den Tisch, stützte den Kopf in die Hände und starrte auf das rot gewürfelte Tischtuch. Es war kaum zu glauben, dass ein so kleines Versäumnis dermaßen schwerwiegende Folgen haben konnte.

»Wenn ich den Aufsatz nun jetzt schreiben würde, Mutter«, sagte er.

»Das habe ich dir ja schon vor einem Monat gesagt. Hast du es getan?«

»Nein.«

»Hast du überhaupt daran gedacht?«

»Nein. – Papa sagte ja, dass ich nicht zu lernen brauchte.«

»Du kannst es aber von dir aus tun«, sagte Nell, indem sie mit ihrer Liste fortfuhr. »Er tut ja auch allerlei für euch.«

»Ich weiß. Das ist es ja gerade. Glaubst du, dass Mr Gibson mich in die nächste Klasse lässt, wenn ich den Aufsatz jetzt schreibe?«

Nell legte Papier und Bleistift hin. »Ken, schreib doch die Geschichte von Gipsy und ich werde Mr Gibson einen Brief schreiben und es ihm erklären. Dann schicken wir es ihm und vielleicht prüft er dich daraufhin bei Schulanfang noch einmal.«

Sie machte sich daran, alles in die großen Wäschesäcke zu stopfen, und Ken kniete am Boden und half ihr. Als sie fertig waren, sagte sie: »Es wäre am besten, wenn du dich mit dem Aufsatz beeilen würdest; denn der Sommer wird schneller vorbei sein, als du glaubst.«

Die Zeit der Schnitter

Als der Augustmond safrangelb über die dunkle Linie des östlichen Horizontes stieg, lag Herbst in der Luft und eine Decke von blendendem Neuschnee breitete sich über dem Niemalssommerland aus. Der Wind drehte nach Süden und trug den Geruch von Schnee zum Gestüt hinüber. Damit trat etwas Fremdes und Drohendes ein, es war wie das unerwartete Klopfen von Händen an der Tür.

In den Tälern und an den Ufern der Wasserläufe blühten jetzt andere Blumen; es waren nicht mehr die rosa, blauen und weißen Blüten des Frühlings und Vorsommers – nicht Glockenblumen und Rittersporn. Stattdessen gab es jetzt Astern und goldgelbe und purpurrote Blumen, wie der Herbst sie bringt.

Das gute Wetter hielt noch an, und weil es jeden Augenblick damit zu Ende sein konnte, beschloss McLaughlin sechs Gelegenheitsarbeiter anzustellen und das Heu in drei Wochen zu bergen, anstatt den ganzen September hindurch bloß zwei oder drei Mann arbeiten zu lassen.

Nell hatte für zwölf Personen zu kochen und das

machte ihr so viel Arbeit, dass Ken die Beine seiner Stute allein behandeln musste. Sie sollte nun kein Zugpflaster mehr bekommen. Die Wunden fühlten sich hart an und waren nicht mehr offen.

Alle aßen jetzt in der Küche des Arbeiterhauses; Gus brauchte also nicht mehr zu kochen. Jetzt, da es hier eine ganze Schar Arbeiter gab, war seine Stellung als Vorarbeiter mehr als ein Ehrenposten; nächst McLaughlin war er der Leiter des Gestüts und sein besonderes Gebiet waren die Maschinen, für die er, wie alle Schweden, besonderes Geschick hatte.

Ken und Howard fanden es lustig, mit den Schnittern in der Küche zu essen. Die Leute stampften zu den Mahlzeiten mit gewaschenen Gesichtern und Händen und nass gebürstetem Haar herein und die Küche hallte wider von lautem Gelächter und witzelndem Geschwätz.

Kein Tag verging ohne Schwierigkeiten, ohne plötzliche Schreckensnachrichten oder kleine Unglücksfälle. Gleich zu Anfang zeigte es sich, dass die Gelegenheitsarbeiter nicht zuverlässig waren, und während der ersten Woche war McLaughlin damit beschäftigt, ihnen sozusagen das Maß zu nehmen. Er entließ einige, fuhr sie zurück zur Stadt und brachte andere heraus. Und recht oft kam es vor, dass sie aus unbekannten Gründen selbst kündigten. Sie stellten einfach kurz fest:

»Ich gehe, Herr Rittmeister.«

»Gut.«

Die Nachbarschaft der beiden Städte, Cheyenne im

Osten, Laramie im Westen, machte sie unstet. Sie konnten den Überlandautobus auf der Lincolnstraße hören, und sobald sie einige Dollar in der Tasche hatten, gerieten sie in fieberhafte Eile, sie wieder auszugeben.

Und noch mehr geschah. Eines Tages kippte der große Heuwagen um, weil der Fahrer zu scharf gewendet hatte. Nun musste alles abgeladen, der Wagen aufgerichtet und von neuem beladen werden. Das kostete zwei Stunden und McLaughlins Gesicht glich einer Gewitterwolke.

McLaughlin hatte weder Zeit noch Geduld genug, um Ken bei Flicka zu helfen. Oder, dachte Ken, war es wegen der zehn Dollar, die sie ihn gekostet hatte, dass er jetzt so kurz angebunden und reizbar war?

Als Ken ihn immer wieder fragte, was er mit Flicka anfangen sollte, schrie er ihn an: »Tu mit ihr, was du willst! Führe sie herum! Gewöhne sie an die Koppeln und die Ställe!«

Ken führte also Flicka am Halfter und einem Drahtseil umher. Er führte sie in die großen und in die kleinen Koppeln, durch den »Hals« und in die Pferdekoppel, in der sie gefangen worden war. Als sie zum ersten Mal durch die Stalltür sollte, blieb sie stehen und Ken wollte sie nicht zwingen. Er stand mit ihr an der Tür und ließ sie schließlich allein, während er selbst in den Stall ging und Hafer in eine Krippe schüttete. Das war entscheidend. Sie ging von selbst hinein, und als sie alles aufgefressen hatte, wurde sie neugierig und untersuchte jeden Winkel. Sie machten zusammen die Runde und Ken sprach über alles, was sie zu Gesicht bekamen.

Jedermann war bald daran gewöhnt, den Jungen mit der kleinen Stute auf dem Gestüt umherwandern zu sehen. Sie ging nur auf drei Beinen; das vierte hielt sie hoch. Die Wunde am Vorderbein war hart und geschwollen, schien ihr aber nicht wehzutun.

Beide Knaben mussten sich einen Teil des Tages dort aufhalten, wo gerade gemäht wurde. Sie konnten sich in mancher Weise nützlich machen. Die kleinen Heuhaufen wurden auf den Wagen geladen und die Jungen mussten oben stehen und das Heu mit Gabeln verteilen und festtrampeln. Und immer wieder waren auf Highboy und Zigarette Aufträge auszuführen und dies und jenes zu besorgen.

»Howard, sieh dir mal diese kleine Schraube an. Geh zum Gerätehaus und hol mir so eine aus der alten Kaffeekanne, die auf dem Regal überm Fenster steht.« Oder: »Ken, reit mal nach Haus und sag der Mutter, dass wir das Mittagessen gern mit dem Studebaker hierherbekommen würden.« Oder: »Sag der Mutter, dass wir schnell einen Notverband brauchen. Ein Mann hier hat sich schlimm geschnitten. Sag ihr, dass es eilt und sie den Wagen nehmen soll.«

Howard war den ganzen Tag bei der Heuernte, aber Ken lief, sobald man ihn losließ, zu Flicka in die Kinderstube.

Er bekam jetzt ein drückendes Gefühl von Eile. Es

war schon fast September geworden, die Schule fing am fünfzehnten an, er konnte nur noch ein paar Wochen mit Flicka verbringen. Dieser schreckliche Gedanke kam ihm, als er der Stute gegenüberstand; er redete mit ihr und sah ihr in die Augen. Der ganze Sommer war schon zu Ende! Und nun zurück zur Schule, ohne Flicka, und viele Monate lang ohne sie leben, ohne sie zu sehen, ohne zu wissen, was sie tat, wie sie aussah, was sie lernte, Gutes oder Schlimmes …!

Ken war es klar, dass er das wie ein Mann ertragen musste; es war ein Teil des Preises, den er für Flicka zahlte. Auch der Schulaufsatz gehörte dazu. Er hatte nun angefangen daran zu schreiben und tat dies in der Kinderstube. Dann saß er auf der kleinen Anhöhe zwischen den Stämmen der Pappeln und mitunter las er Flicka einzelne Stellen daraus vor. Es brauchten nur wenige Seiten zu sein. Das Hinschreiben war nicht schwer, denn es ließ sich viel sagen; aber schwieriger war es, mit Rechtschreibung und Zeichensetzung zurechtzukommen. Sobald er fertig war, wollte er alles am Schreibtisch in seinem Zimmer abschreiben, damit die Reinschrift einwandfrei würde.

»Dies hier, Flicka«, sagte er stolz, »ist ein Dreihundert-Dollar-Aufsatz. Papa hat dich mir geschenkt und ich gebe ihm dreihundert Dollar dafür. Du könntest also sagen, dass ich für dich bezahle. Für eine kleine Einjährige ist das ein guter Preis, aber ich muss zehn Dollar für die Serumspritze abrechnen.«

Seine Gedanken waren beim Aufsatz, während er dasaß und an seinem Bleistift kaute, aber seine Blicke ruhten auf Flicka und ihm schien plötzlich, dass ihre Rippen zu sehen waren. Er bemerkte das zum ersten Mal. Sie fraß Hafer, sie graste, aber sie war zweifellos magerer als an dem Tage, da man sie von der Sattelhöhe hereingebracht hatte, magerer, als sie noch vor wenigen Wochen gewesen war.

Er erzählte es seinem Vater. Rob starrte ihn an. »Gibst du ihr zweimal täglich Hafer?«

»Ja, gewiss.«

»Frisst sie alles auf?«

»Ja.«

»Dann ist alles in Ordnung.«

»Aber Papa, willst du nicht mal nach ihr sehen?«

»Zum Teufel, nein! Lass mich mit ihr in Ruhe!«

Ken kehrte zu Flicka und zu Schreibheft und Bleistift zurück. Aber seine Blicke wurden trübe, wenn er sie ansah. Mit den Wunden schien es weder besser noch schlechter zu werden; sie waren hart und trocken und ein wenig geschwollen, aber Flicka war jetzt zweifellos magerer.

Wenn man krank gewesen ist, ist man immer dünn, dachte Ken. Und Flicka war lange krank gewesen. Sie würde sich allmählich wieder erholen, ganz wie die Erwachsenen nach einer Krankheit. Außer an den Wunden litt sie noch an einer Infektion des Blutes, wie der Vater es genannt hatte. Das bedeutete, dass sie durch und durch krank war und dass sie noch über vieles hinwegkommen musste.

Der Puma meldet sich

Nell zählte die Tage bis zum Ende der Heuernte und bis zur Abreise der Schnitter. Dann endlich würde sie wieder aufatmen können. Bis dahin lebte sie in der heißen Küche oder auch hin und her fahrend, um neue Vorräte herbeizuschaffen.

Nach dem Abendessen, wenn das Geschirr abgewaschen war, hatte sie einige Stunden für sich selbst. Dann stand oben eine Wanne mit Wasser für sie bereit; sie streifte den Arbeitskittel ab und stieg hinein; nachher zog sie ihren kühlen grauen Leinenanzug an und ging in die Wälder, um sich zu erfrischen und allein zu sein.

Eines Abends beschloss sie zur Stallweide zu gehen, wo sie am liebsten zu jagen pflegte. Im letzten Augenblick fiel ihr ein, dass zur Abwechslung ein Kaninchenfrikassee ein gutes Mittagessen für den folgenden Tag abgeben würde. Sie nahm einen der Zimmerstutzen aus dem Ständer im Speisezimmer, füllte ihre Taschen mit Patronen und ging.

Eine Stunde später eilte sie durch den »Hals« zurück. Ihr Gesicht war sehr bleich, die Pupillen geweitet. Sie blickte über die Schulter zurück, blieb stehen und starrte in die Dunkelheit, die über den Espen und Klippen lag. Obschon nichts Furchterregendes zu sehen war, stürzte sie, laut nach Rob rufend, dem Hause zu.

»Rob! Der Puma!« Als sie den Rasenplatz erreicht hatte, blieb sie plötzlich stehen. In einiger Entfernung sah sie Rob; er war dabei, Tim herauszurufen, und hatte sie nicht gehört. Sie wollte versuchen sich ruhiger zu zeigen. Es würde sich schlecht machen, wenn sie sich vor Tim halb hysterisch benahm.

Sie ging den beiden ruhig entgegen, obschon es sie trieb, zu Rob zu gelangen, seine Hand zu fassen oder wenigstens dicht neben ihm zu sein, solange er mit Tim sprach. Sie schämte sich, dass sie so furchtsam gewesen war, und konnte trotzdem das Klopfen ihres Herzens und das Zittern ihrer Hände nicht unterdrücken. Hatte sie Rob erst einmal alles erzählt, so würde sie gewiss ruhiger werden.

Plötzlich blieb sie stehen, denn Rob rief laut: »Wenn ich dir sage, dass die Kühe nach Siebzehn sollen, dann meine ich nicht Sechzehn!«

Tims Gesicht wurde feuerrot. »Die Missus hat mir gesagt, sie nach Sechzehn zu bringen, Herr Rittmeister.«

Nell stand mit dem kleinen Zimmerstutzen in der Hand und blickte von einem zum andern. Sie hatte plötzlich keinen Wind mehr in den Segeln.

»Hast du Tim gesagt die Kühe nach Sechzehn zu bringen?«, rief Rob ihr zu.

Es war ihren gespannten Nerven eine Erleichterung, ihm ebenso zurückzurufen: »Ja. Warum hätte ich es denn nicht tun sollen?«

»Grund genug!«, rief er lärmend. »Ich habe ihm eben gesagt, dass sie nach Siebzehn sollen. Wer leitet denn eigentlich das Gestüt?«

Nell antwortete sehr ärgerlich: »Eine von den Kühen wird bald brünstig und ich wollte nicht, dass Crosbys Hereford-Stier über den Zaun von Siebzehn herüberkommt und sie deckt. Voriges Jahr ist das ja passiert. Ein Kalb war eine Kreuzung zwischen Hereford und Guernsey, und das soll nicht wieder vorkommen.«

»Wer hat hier den Leuten Befehle zu geben?«, brüllte Rob.

»Die Kühe sind meine Sache; sind es immer gewesen.«

»Sag du mir, wie du es haben willst, und ich werde die Befehle geben.«

Einige der Schnitter saßen auf der Bank vor dem Arbeiterhause. Sie konnten alles sehen und hören, was vor sich ging.

Nells Augen füllten sich mit Tränen. »Ich werde über die Kühe genau so verfügen, wie ich will.«

Sie kehrte um und rannte vor Wut weinend ins Haus. Sie schluchzte, weil sie so große Angst gehabt hatte, weil Rob schlechter Laune war und weil sie ihm nicht vom Puma erzählen konnte; weil er sie vor den Leuten gedemütigt und weil sie den Fehler begangen hatte, sein Schreien mit Gleichem zu beantworten. »Das hat ja keinen Zweck«, sagte sie vor sich hin, als sie die Treppe hinauflief. »Dann wird er ja nur noch ärger.«

Sie zog sich schnell die langen Hosen aus und machte sich für die Stadt zurecht. Gleich darauf hörte sie Rob im Wohnzimmer nach ihr rufen. Sie antwortete nicht, warf das grüne Seidenkleid über, zog den Reißverschluss hoch und wischte sich zwischendurch die Tränen aus dem Gesicht.

»Nell!«

Sie bog sich über den Schemel vor dem Toilettentisch und glättete eilig das Haar. Sie war entschlossen nicht zu antworten.

»Nell!«

»Was denn?« – Auch gegen ihren Willen konnte Rob ihr eine Antwort abpressen.

Er stampfte die Treppe herauf und betrachtete sie von der Tür aus. Da er erstaunt war, dass sie sich für die Stadt ankleidete, sagte er kein Wort. Sie gab freiwillig die Erklärung.

»Ich fahre zur Stadt«, sagte sie trotzig. »Hier halte ich es keine Minute länger aus. Ich gehe in ein Kino.«

Darauf folgte Schweigen und sie ordnete unterdessen ihr Haar. Rob sagte: »Es ist recht kalt. Du musst einen Mantel nehmen. Welchen willst du haben?«

»Den grün karierten.«

Er ging zum Wandschrank, suchte, fand den Mantel und half ihr hinein. »Hast du deine Tasche? Und Geld?«

»Ja – oder warte, nein, ich habe keins.«

Rob holte aus dem Anzug, den er zuletzt getragen

hatte, den Geldbeutel hervor und steckte einige Scheine in ihre Tasche. Er begleitete sie zum Wagen hinunter, nahm die Bürste aus der Wagentasche und reinigte den Sitz, bevor er sie einsteigen ließ.

Nell setzte sich ans Steuer, ihre Lippen waren fest geschlossen, ihre Blicke mieden ihn vorsätzlich. »Wenn er mich jetzt fragt, ob ich ihn liebe, dann bekommt er von mir eins ins Gesicht.« Sie hoffte, er werde fragen.

Er zögerte an der offenen Tür, als sie schon den Motor in Gang setzte. Dann trat er zurück, schloss die Tür und steckte den Kopf zum offenen Fenster hinein.

»Vergiss nicht, in der Stadt zu tanken.«

Nell antwortete nicht und mit übertrieben gespielter Geduld wartete sie darauf, dass er den Kopf zurückzog und sie endlich fahren ließ.

»Fahr nicht zu schnell!« Er trat zurück.

Als sie mit einer Geschwindigkeit von sechzig Meilen – fünf Meilen schneller als ihr gewöhnliches Tempo – auf der Lincolnstraße dahinrollte, hatte sie das wundervolle Gefühl, in die Freiheit hinein zu entfliehen.

Es war windstill; dünner Nebel in den höheren Luftschichten verschleierte die Sterne, und nördlich und südlich von der Straße erstreckten sich die dunklen Ebenen in unendliche Fernen voller Geheimnisse und Melancholie. Hier und da fiel das Scheinwerferlicht in die Augen eines am Zaun zur Landstraße stehenden Hereford-Stieres. Nell begegnete einem Eisenbahnzug von Cheyenne, und weil dessen Lichter sie blendeten, verlangsamte sie die Fahrt, bis sie an der langen Wagenreihe vorbei war. In Cheyenne kroch sie die Straßen entlang und·staunte über das Neonlicht, das jeder Straßenstand, jeder Laden und jedes Restaurant ausstrahlte. Die Straßen waren beinahe taghell.

Die verkehrsreiche, hässliche kleine Stadt ließ sie anderer Stimmung werden. Ihr eigenes Leben, das Gestüt, seine ganze Umgebung, Rob und die Knaben – alles war plötzlich abgeschnitten, so wie man bei der Herstellung eines Films gewisse Szenen mit der Schere entfernt und die Schnittstellen zusammenklebt.

Wie erlöst gab sie sich dieser neuen Welt hin, die ihre Nerven durch einen Strom von bedeutungslosen Eindrücken beruhigte.

Im Kino sah sie Ginger Rogers und Fred Astaire in einer Folge von Tanzbildern. Sie war selig vor Entzücken. Ihr wirkliches Leben war wie ausgelöscht. Sie fühlte sich auf die Bälle ihrer Schulzeit versetzt. Und als sie aus dem Kino herauskam, war sie wie benommen und wusste kaum, wo sie war und an welcher Stelle sie ihr eigenes Leben wieder aufnehmen sollte.

Nun musste sie nach Hause; es war schon fast elf Uhr.

Auf dem Heimweg geriet sie, wie sie zuerst meinte, in Lokomotivenrauch; dann merkte sie, dass es Nebel war. Während ihres Kinobesuches war diese Wolke – wer weiß, woher – über den Weg gekrochen und lag nun zwischen ihr und ihrem Heim.

Schon bei Tage war hier eine Fahrt durch den Nebel gewagt und schwierig; bei Nacht war sie gefährlich. Nell hielt mehrere Male unterwegs an und fragte sich, ob es nicht klüger wäre, umzukehren und über Nacht in der Stadt zu bleiben. Aber so vielerlei zog sie nach Hause – sie musste vorwärts, sie sehnte sich danach, die vertrauten Arme der heimatlichen Umgebung wieder um sich zu fühlen; sie hatte ja Rob so viel zu erzählen – auch vom Nebel. Er ängstigte sich wahrscheinlich zu Tode. Es war ihm bestimmt schrecklich, dass sie bei diesem Wetter und spätnachts auf der Landstraße fuhr.

Sie brauchte viel Zeit. Sie musste das Fenster öffnen, den Kopf hinausstecken und das Vorderrad im Auge haben, um es auf der Mittellinie der Straße in gerader Richtung zu halten. Der Weg bis zur Gabelung schien heute dreimal länger als fünfundzwanzig Meilen zu sein.

Sie hätte gern gewusst, ob Rob schon zu Bett gegangen war; dann hatte er hoffentlich im Wohnzimmer das Licht brennen lassen.

Ja, es brannte Licht. Sie ließ den Wagen auf dem Hügel hinter dem Hause stehen, ging zur Terrasse herum und schaute zur Tür hinein.

Rob saß im Lehnstuhl beim Rundfunk und schien ganz in das Hörspiel versunken zu sein, das er gerade hörte. Er hatte ein Bein bequem über die Stuhllehne gelegt und sich die Stiefel ausgezogen; nun saß er in Pantoffeln und Socken da, die er über die Enden der Reithosen gezogen hatte. Er rauchte. Sein braunes Gesicht sah bekümmert und müde aus und auf Kinn und Wangen zeigten sich dunkle Bartstoppeln.

Er bemerkte Nell, nickte lächelnd und hob die Hand;

er wollte kein Wort von dem Stück verlieren. »Erlaubst du, dass ich zu Ende höre?«, sagte er leise.

»Macht gar nichts«, sagte sie steif und ging hinauf, um zu Bett zu gehen.

Eine halbe Stunde später rauchte er im Dunkeln neben ihr seine letzte Zigarette. Ihm war, als ob das Walnussbett leise bebte. Während sie ihm den Rücken zukehrte, schien Nell vom Kopf bis zum Fuß in krampfhafter Spannung zu liegen.

Rob drückte die Zigarette aus, drehte sich herum und zog Nell an sich heran. Einen Arm schob er unter ihren Hals; mit der anderen Hand drückte er ihren Kopf an sich, strich ihr über das Haar, lehnte, wie er oft tat, die Wange daran und küsste sie sanft.

Es dauerte lange, bis sie aufhörte zu zittern. Dann sagte er ruhig:

»Was hat dich auf der Stallweide erschreckt?«

Sie antwortete nicht.

»War es der Puma?«

»Ja.«

»Ich hörte dich zweimal schießen. Hast du ihn getroffen?«

»Nein – ich schoss Kaninchen.«

»Hast du getroffen?«

»Ich schoss zwei, aber der Puma hat sie bekommen.«

»Wie kam das?«

»Du kennst den Felsen, den ich Sonnenuntergangsfelsen nenne, weil ich oft hinaufklettere, um den Sonnenuntergang von dort oben her zu sehen?«

»Ja – der zackige, steile Felsen, der im Walde ein wenig abseits liegt und wie eine Bergspitze durch den Boden hervorbricht.«

»Ja. Ich hatte zwei Kaninchen geschossen, es wurde dämmrig und der Himmel hatte herrliche Farben. Ich dachte, es müsste ein großartiger Sonnenuntergang sein, und wollte gern an eine erhöhte Stelle, um ihn zu sehen. Da fiel mir dieser Felsen ein; du weißt, er ist so steil, dass man sich stellenweise mit Händen und Füßen anklammern muss …«

»Ja, ich weiß.«

»Ich lehnte deshalb den Zimmerstutzen an eine Kiefer und band die Beine der Kaninchen mit einem schmalen, schwarzen Haarband zusammen; dann hängte ich sie über einen Aststumpf, der aus dem Stamm hervorragte.«

»Wie hoch?«

»Nicht sehr hoch – ungefähr in Kopfhöhe. Dann kletterte ich auf den Felsen und sah mir den Sonnenuntergang an. Als er vorbei war, kam ich auf der anderen Seite des Felsens wieder herunter und ging um ihn herum bis zu der Stelle, wo ich die Kaninchen und das Gewehr gelassen hatte. Aber bevor ich dahin kam, stieß ich – es war ein Abstand von weniger als drei Metern – auf den Puma, der auch um den Felsen herumging. Er hatte meine Kaninchen im Maul.«

»Teuflisch!«

»Wir standen uns gerade gegenüber.«

»Hattest du Angst?«

»Zuerst nicht. Ich war eher erstaunt. Einen Augenblick rührte sich keiner von uns – es war schon recht dunkel – und dann verschwand er, im Handumdrehen, war plötzlich wie zerflossen. Ich horchte – konnte aber nichts hören. Dann bekam ich furchtbare Angst und fing an nach Hause zu laufen, bis mir einfiel, dass man ja nicht weglaufen darf. Da versuchte ich zu gehen. Ich sah mich immerfort um. Es war ein geradezu panischer Schrecken.«

»Ich wusste, dass er hier in der Nähe war.«

»Wie konntest du das wissen?«

»Ich hatte am Morgen Fußspuren gesehen.«

»Wo?«

»In der Koppel.«

»*In der Koppel?*«

»Ja. Vier tadellose Abdrücke in dem kleinen Erdfleck, den der Wassertrog immer feucht hält.«

Nell sagte nichts darauf; sie stellte sich den Berglöwen vor, wie er von den Wäldern über das offene Gelände zu den Koppeln gekommen war. Sie sah ihn einen großen Satz auf den Zaun machen, sich auf der Spitze eines Pfostens ducken und dann geräuschlos in den eingehegten Raum hinabspringen. Sie sah ihn, schnüffelnd, witternd und immer wieder stehen bleibend, um zu lauschen, dort umherschleichen, und jede seiner Stellungen drückte die uralte Furcht aus, in der er herangewachsen war.

»Hab nun keine Angst mehr, Kleine.« Robs Hand zog ihren Kopf an seine Brust.

»Nein, aber denk doch an Flicka – wenn ihr etwas zustieße!«

»Ihr wird nichts geschehen. Die Pumas sind ja schon früher in der Nähe gewesen; wir haben die Spuren gesehen. Haben sie schreien gehört. Sie kommen und gehen. Und sie treiben sich nur selten in der Nähe von menschlichen Wohnungen umher.«

»Die Stallweide – das ist recht nahe.«

»Aber dort ist eine Menge Kleinwild. Und zudem sind die Wälder voll von Hirschen.«

Das stimmte. Einige der Schnitter hatten erzählt, dass sie in der Frühe, als sie zu den Ställen gegangen waren, Hirsche gesehen hatten. Und einmal hatte sie selbst eine Gruppe von fünf Hirschkühen mit ihren Jungen beobachtet; zuerst hatte sie sie bloß für Zweige und Büsche gehalten.

»Sonderbar, dass nicht auch die Arbeiter die Spuren des Pumas gesehen haben.«

»Gus war mit dabei, als ich sie fand. Ich sagte ihm, er solle sie wegharken. Hielt es für unnütz, dass die Leute sie sehen und darüber reden.«

»Wegen Ken?«

»Ja. Er hat diesen Sommer schon genug durchgemacht und soll sich zehn Tage vor Schulanfang nicht noch neue Sorgen wegen des Pumas machen.«

In diesem Augenblick fuhren sie beide hoch und Rob sprang aus dem Bett. Ein Schrei, der vom Hügel hinter dem Rasenplatz kam, zerriss die Luft; er steigerte sich in drohendem Crescendo zu einem Höhepunkt von ohrenbetäubender Wildheit und verebbte langsam in herzzerbrechendem Schluchzen.

Totenstille folgte – die Stille des nächtlichen Landes, so tief, als ob sie nie gestört worden wäre.

»Um Gottes willen!«, rief Rob. Er zündete die Kerze an und wandte sich zu Nell.

Sie saß aufgerichtet im Bett, ihre Augen waren weit offen und dunkel, und um ihre geöffneten Lippen lag ein leicht hysterischer Ausdruck.

»Hast du je dergleichen gehört?«

Rob schüttelte den Kopf. Eine Weile darauf sagte er: »Wundervoll, nicht?«

Nell nickte heftig: »Ja – es war großartig.«

In der Erwartung, dass der Puma noch einmal schreien würde, saßen sie lauschend da, während die Kerze flackerte und lange Schatten auf Decke und Wänden tanzten.

Nell schlüpfte aus dem Bett. »Gib mir eine Kerze. Ich will nachsehen, ob die Jungen wach geworden sind.«

Sie war sehr bald zurück. »Beide sind für die Welt nicht zu haben. Rob, wir wollen ihnen nichts sagen.«

»Nein, natürlich nicht.«

»Ob einer von den Arbeitern es gehört hat?«

»Bestimmt nicht. Es ist zwölf Uhr. Hör, was hältst du davon hinunterzugehen? Ich kann jetzt doch nicht schlafen. Ich werde dir etwas heiße Schokolade kochen. Mir scheint, du müsstest jedenfalls etwas essen, da du ja in der Stadt warst und so lange gefahren bist. Was hast du übrigens zu sehen bekommen? War es ein guter Film?«

Sie zogen Morgenröcke an und gingen in die Küche hinunter. Rob kochte die Schokolade: für jede Tasse zwei Löffel Zucker, Milch und zwei Vierecke bittere Schokolade. Alles zusammen zum Sieden gebracht gab ein dickes, beruhigendes Getränk, besonders wenn man noch etwas Sahne hinzugoss.

Sie setzten sich an den Küchentisch und nun hatte Nell gute Gelegenheit, vom Film, vom Nebel und von allem, was sie in der Stadt gesehen hatte, zu erzählen. Für sie war nichts wirklich zu Ende, bevor sie es nicht mit Rob geteilt hatte.

Als sie eine Stunde später wieder hinaufgingen, war ihr nervöser Zustand vorbei. Und beim Auslöschen der Kerze sagte sie: »Der verflixte Puma – dass der jetzt mein Haarband hat!«

Flicka wird sterben

Am Nachmittag des Tages, an dem Ken mit der Reinschrift seines Aufsatzes fertig geworden war, fuhr er mit seiner Mutter im Studebaker zum Postamt und steckte den langen Briefumschlag mit den drei sauber geschriebenen Seiten und dem Brief seiner Mutter in den Briefkasten.

Auf der Rückfahrt war er schweigsam, denn er hatte die sonderbare Empfindung, wieder einmal etwas zu Stande gebracht zu haben, und zwar etwas, was sowohl von seinem Vater wie von Mr Gibson möglicherweise recht hoch eingeschätzt werden würde. Bis Mr Gibsons Antwort kam, sollte der Aufsatz für den Vater ein Geheimnis bleiben.

»Es ist natürlich möglich, dass Mr Gibson nicht antwortet«, meinte Nell. »Vielleicht sagt er es dir einfach, wenn ihr wieder zur Schule kommt.«

Dadurch war die Schule nun plötzlich sehr nahe gerückt und das führte die Gedanken zu Flicka. Ken hätte sich nie träumen lassen, dass Flicka am Ende des Sommers noch lahm und halb krank sein würde. Nun musste er sie so, wie sie war, verlassen. Wenn er nicht mehr da war, würde niemand mehr hingebend für sie sorgen. Sie würde selbst zusehen müssen, dass es ihr an nichts fehlte. Aber ihren Hafer würde sie noch lange nötig haben, um wieder Fleisch auf die Knochen zu bekommen. Sie war in letzter Zeit immer magerer geworden und auch ihr Fell verlor täglich an Glanz und Farbe.

Als sie zu Hause waren, sagte ihm die Mutter, er solle Howard herbeiholen, denn sie beide sollten nun die Winteranzüge probieren. Sie wollte sehen, was vertragen und was ausgewachsen war, was noch anging und was neu angeschafft werden musste und wie viel Unterwäsche und Socken nötig waren.

Als sie damit fertig war, schickte sie die Jungen hinaus und machte für das Abendessen Feuer in der Küche. Dann setzte sie sich mit ihrem Nähkorb an das Küchenfenster, um die Unterwäsche der Knaben zu zeichnen.

Sie dachte an Ken und ihr Gesicht wurde sehr traurig. Was würde Rob tun, sobald er erfuhr, dass Flicka dahinsiechte? Die Arbeiter sprachen schon darüber. Erst heute Morgen hatte Gus ihr gesagt: »Es kommt vom Fieber. Das zehrt an ihr. Wenn sie aufhören würde zu fiebern, könnte sie gesund werden.«

Rob hatte weder Augen noch Gedanken für etwas anderes als für Heu und Wetter. Die Schnitter waren weg; Rob, Tim und Gus packten jetzt die Heuballen in die Scheune; das lose Heu wurde in langen Vierecken aufgetürmt, die allmählich Form annahmen und an den abfallenden Seiten mit Gabeln glatt gestrichen wurden. An der Spitze machte man einen Hut mit runden, überragenden Rändern, die vor Schnee und Regen schützten. Sobald ein Staken fertig war, wurde er mit Drähten überspannt und in der Erde verankert, indem man schwere Eisenbahnschwellen an den Enden der Drähte befestigte.

Das Wetter hielt sich immer noch, aber jeden Abend stiegen schwere Wolkenmassen über den Horizont und mitunter hörte man stundenlanges Donnergrollen.

Nell ließ ihre Arbeit in den Schoß sinken und sah zum Fenster hinaus; ihre Stirn krauste sich in Angst und Kummer.

»Die kleine Stute wird es nicht überstehen«, hatte Rob gesagt, als sie sich damals verletzt hatte, und er behielt Recht. Flicka würde sterben. Wenn Rob es wüsste – aber vielleicht hatte er es schon seit jener Serumeinspritzung gewusst und nur nichts gesagt; und wenn die Leute über Flicka sprachen, tat er so, als hörte er nicht zu. Aber Ken – wie konnte es ihm entgangen sein, dass die kleine Stute mit jedem Tag magerer, schwächer, lebloser war? Nell erinnerte sich einer Freundin, deren Baby langsam dahingesiecht war, die das jedoch über ihrer eigenen täglichen Fürsorge, über dem Lächeln des Kindes und den kleinen Armen, die sich ihr entgegenstreckten, nicht eher gemerkt hatte, als bis das Ende da war. Auch Ken merkte nichts.

Flicka magerte so stark ab, dass sie von einem Abend bis zum nächsten Morgen dünner zu werden schien.

Bald trat jede Rippe hervor. Das ehemals glänzende Fell war stumpf und struppig geworden und hing über ihrem Knochengerüst wie über einem toten Pferde.

Um das Abladen bequemer zu machen, ließ man den großen Heuwagen jeden Abend in der Nähe der Kuhstallkoppel stehen. Eines Morgens ging auch Ken mit, als McLaughlin, Howard und die Leute sich dorthin auf den Weg machten, und Gus führte die Arbeitspferde, die vor den Wagen gespannt werden sollten. Ken trug das Blech mit Flickas Hafer unter dem Arm. Die kleine Stute erwartete ihn an der Pforte der Koppel.

Als McLaughlin sie erblickte, blieb er mit einem Ausdruck des Entsetzens stehen. »Um Gottes willen«, rief er, »was ist denn das?«

Alle machten halt und sahen hinüber, und Ken, der weiß wie Papier geworden war, blickte zu seinem Vater auf. »Das ist Flicka«, flüsterte er. »Sie ist furchtbar mager geworden.«

»Mager!«, rief McLaughlin.

Gus schüttelte traurig den Kopf. »Kann mir nicht denken, dass sie's schaffen wird«, sagte er.

»Es schaffen? Die ist ja jetzt schon tot.«

McLaughlin starrte Ken an. »Wie lange ist sie denn so gewesen?«

»Es ist in den letzten Tagen sehr viel schlimmer mit ihr geworden«, stammelte Ken.

»Es kommt vom Fieber«, sagte Gus. »Das macht sie so kraftlos.«

Tim sagte: »Es ist wirklich schade. Sie war eine so nette kleine Stute. Hast kein Glück, Ken.«

McLaughlin sah noch einmal genauer hin. Flicka wieherte leise nach Ken und schaute mit erhobenem Kopf nach ihm aus. Sie war nichts als Haut und Knochen.

»Jetzt ist's aus!«, schrie McLaughlin. »So etwas will ich nicht in meinem Gestüt haben.«

Er ging zu den Pferden und spannte sie an, und Ken ging langsam weiter zu Flicka und zum Fluss; Flicka humpelte dicht hinter ihm her. Er schüttete den Hafer in ihren Futterkasten und sie tauchte mit der Nase hinein und fraß.

Nell hatte von der Terrasse her alles gehört und lief nun den Pfad entlang zu Ken. Er sah sie kommen und ihr schien, dass seine blauen Augen, die ihr entgegenstarrten, tief in den Kopf gesunken wären.

»Sie wird sterben«, sagte er leise.

»Lieber kleiner Kennie«, sagte Nell vor sich hin, während sie ihn bei den Schultern nahm und mit der anderen Hand das struppige Fell der Stute streichelte. Ihre Augen füllten sich mit Tränen, aber Kens Augen blieben trocken.

»Sie frisst noch Hafer«, sagte er mechanisch.

Nell sagte nichts. Sie liebkoste die kleine Stute. »Armes kleines Mädchen«, sagte sie und dachte im Stillen: Warum hat sie nicht damit warten können, bis Ken weg ist!

Beim Mittagessen aß Ken gar nichs. Howard sagte: »Ken isst ja nicht. Muss er denn nicht essen, Mama?«

Aber Nell antwortete: »Lass ihn in Ruhe.«

Ken hatte wohl verstanden, was sein Vater gemeint hatte, als er sagte: »So etwas will ich nicht in meinem Gestüt haben.« Er ließ niemals zu, dass ein Tier langsam dahinsiechte. Flicka würde erschossen werden.

Ken war nicht dabei, als Gus den Befehl erhielt. »Gib acht, dass Ken nicht in der Nähe ist, Gus; nimm dann das Winchestergewehr und mach Flickas Leiden ein Ende.«

»Ja, Herr Rittmeister.«

Ken behielt den Ständer mit den Gewehren im Auge. Noch waren sie alle da. In das Arbeiterhaus durften keine Gewehre mitgenommen werden. Dreimal täglich, wenn Ken zu den Mahlzeiten durch das Speisezimmer in die Küche ging, warf er einen forschenden Blick auf den Ständer, um zu sehen, ob alle Gewehre da wären. Aber am Abend waren nicht alle da. Das Winchestergewehr fehlte. Ken blieb stehen. Ihm wurde schwindlig. Er starrte immerzu auf den Ständer und sagte sich, dass es doch gewiss da sei, er zählte von neuem – er konnte wahrscheinlich nicht gut sehen …

Da fühlte er, dass sich ein Arm um seine Schultern legte, und zugleich hörte er die Stimme des Vaters. »Ich weiß, mein Junge. Es gibt Dinge, die furchtbar schwer sind. Aber wir müssen sie nun mal ertragen. Ich ebenso wie du.«

Ken fasste die Hand des Vaters und hielt sie fest. Das half, um ruhiger zu werden. Schließlich blickte er auf. Rob sah lächelnd auf ihn nieder und schüttelte und drückte ihn leicht. Auch Ken brachte ein Lächeln zu Stande.

»Ist's jetzt gut?«

»Ja, Papa.«

Sie gingen zusammen zum Abendessen. Ken aß sogar ein wenig. Aber Nell war sehr nachdenklich, als sie sein aschgraues Gesicht und das Schlagen seiner Pulsader am Hals bemerkte.

Nach dem Abendessen ging Ken mit dem Hafer zu Flicka, aber er musste ihr zureden; sie wollte ihn kaum anrühren und ließ den Kopf hängen. Doch als er ihr zusprach und sie streichelte, drückte sie ihr Gesicht an seine Brust und war zufrieden.

Er fühlte die brennende Hitze ihres Körpers. Es schien ihm unmöglich, dass ein Wesen so mager sein und doch leben konnte.

Plötzlich sah Ken, dass Gus mit dem Gewehr auf die Weide kam. Sobald er Ken bemerkte, änderte er die Richtung und schlenderte weiter, als ob er Kaninchen schießen wollte. Ken lief zu ihm.

»Wann willst du es tun, Gus?«, fragte er.

»Bald, bevor es dunkel wird.«

»Gus, bitte, tu es doch nicht heute Abend. Warte bis morgen. Nur noch eine Nacht, Gus.«

»Meinetwegen, also morgen früh. Aber dann muss es geschehen, Ken. Dein Vater hat es ja doch befohlen.«

»Ich weiß, ich werde nichts mehr sagen.«

Gus ging zum Arbeiterhaus und Ken ging zu Flicka.

Er stand bei ihr und streichelte sie wie sonst. Gewöhnlich sprach er dabei, aber heute konnte er es nicht. In seinen Gedanken war nur eines und darüber konnte er nicht reden. Hin und wieder hörte er sein eigenes Stöhnen. Aber es war, als ob es nicht von ihm käme.

Unter den Pappeln nahm die Dunkelheit schnell zu, sie verbarg Ken und Flicka und umschloss sie beide. Er konnte Flicka nicht mehr sehen, aber seine Hände berührten sie und wie immer stützte sie ihr Maul auf seine Schulter. Es war, als ob die Dunkelheit sie einander noch näherbrachte.

Nell schickte um neun Uhr Howard hinaus, um Ken ins Haus zu holen. Er rief Ken von der Pforte her.

Wieder das leise Stöhnen. Dann drückte Ken einen letzten Kuss auf Flickas Gesicht und ging zu den Pappeln hinauf.

Als der Vollmond um zehn Uhr aufging, stand Flicka noch in ihrer Kinderstube. Es war ein herbstlicher Mond; er war ebenso gelb wie der Erntemond, aber nicht ganz so groß.

Die Nacht war still, ebenso still wie das große Schweigen der See, wenn sie ganz ruhig geworden ist. Auch das ferne Geräusch der Erde, das dem Sausen in einer Muschel gleicht, war erstorben. Alles wartete.

Jedes lebende Wesen – Mensch und Tier – kann, wenn es bei Sinnen ist, die Vorboten des Todes spüren. Der Körper macht sich bereit. Eine Funktion nach der anderen hört auf, bis endlich der lebendige Strom des Lebens wie ein nach innen gewandter Wirbel abwärtszieht und das Geschöpf in immer schnelleren Kreisen in den Abgrund reißt.

Alles das kann empfunden werden.

Auch Flicka wusste, dass ihre Stunde gekommen war.

Ihr Kopf hing tief hinab; die Beine standen ein wenig auseinander. So stand sie, wie gewöhnlich, beim Futterkasten. Den Hafer hatte sie nicht angerührt. Jede Zelle ihres Körpers brannte im Fieber; zeitweise war sie benommen, zeitweise klar und wissend, zeitweise von Bildern verfolgt.

Die Wunden taten ihr nicht weh, aber jener abwärtswirbelnde Strom, der sie mit sich zog, erfüllte sie mit tödlicher Qual. Für Augenblicke besaß ihr junger Körper noch die Kraft, sich aufzulehnen, und sie hob den Kopf, um nach dem Weg zu blicken, auf dem Ken in diesem Sommer Tausende von Malen hierhergelaufen war. Er war alles für sie; alles, worauf sie hoffen konnte. Aber heute kam von dort kein Laut, kein Schritt, keine Hilfe.

Minutenlang stand sie angespannt lauschend und sehnsüchtig da, dann unterlag sie allmählich dem inneren Zug, der sie wie Treibsand einsinken ließ. Sie schwankte und stürzte hin.

In einem Versuch, sich zu wehren, wieherte sie. Meilenweit entfernt, draußen auf dem Hochland, hörte es ihr Vater und gab Antwort.

Tiere rufen einander im Vorbeigehen zu, wie Freunde, oder sie rufen wie Schildwachen: »Wer da?«, und die Antwort kündigt Freund oder Feind an. Aber Banner wusste, dass Flicka eine der Seinen war, und sprach als ihr Herr das große Wort der Wildnis, das Ken ihr aus dem Dschungelbuch vorgelesen hatte: »Du und ich, wir sind von gleichem Blut!« Und der laute, königliche Ruf, den die Ferne zu einem schwachen Trompetenstoß werden ließ, ertönte meilenweit über Straßen, über trennende Stacheldrahtbarrikaden hinweg und entzündete in Flicka einen Brand der Hoffnung gegen das sie verzehrende Fieber.

Sie sprang auf, begann ruckweise zu tänzeln wie eine Marionette, die man an Fäden bewegt. Alles, was noch an Willen und Kraft in ihr war, sammelte sich und sie trabte flussabwärts, das Ufer entlang.

Plötzlich blieb sie voll Schrecken stehen; ihr Kopf hing tief hinab, die Beine stemmten sich breit gegen den Boden, als stehe sie einem Gespenst von Angesicht zu Angesicht gegenüber. Allmählich verebbte ihr Schrecken, aber als wäre sie unfähig sich zu rühren, verharrte sie in dieser Stellung. Nur ihr Kopf wandte sich dem Hause zu … Wird er kommen?

Sie war durstig; das frische, rinnende Wasser lockte sie. Sie watete in den Bach hinab und trank. Als sie genug hatte, hob sie den Kopf und blickte wieder zum Hause. Das Wasser umspülte ihr kühlend die Füße.

Aber vom Hause her drang kein Laut und niemand lief den Pfad entlang. Plötzlich verließ sie der letzte kleine Rest ihrer Kraft. Sich vorbeugend stürzte sie und fiel halb auf das Ufer, halb in den Bach. Sie kämpfte krampfhaft, versuchte aufzustehen – zuletzt lag sie ganz still.

Einige Minuten später tönte von dem zehn Meilen entfernten, schwarz bewaldeten Pole-Berg der Laut, der an grausiger Trostlosigkeit auf Erden nicht seinesgleichen hat: das Heulen des grauen Waldwolfes. Die höheren Luftschichten trugen den Ton ungebrochen herüber – hoch, dünn, nadelspitz; er hielt während langer Minuten an, klang fern und trauervoll und verebbte schließlich langsam in fallenden Kadenzen ohne Ruhepunkt und Ziel; und noch ehe er völlig erstarb, war er eins geworden mit dem innersten Wesen der Nacht.

Ken hatte vor dem Schlafengehen den Mond über dem östlichen Horizont aufsteigen sehen; er konnte ihn auch durch die Fensteröffnung betrachten, als er nun sehr wach, von leisem Zittern geschüttelt, im Bett lag.

Er hatte sich heute nicht ganz ausgekleidet. Das Betttuch hatte er bis an das Kinn hinaufgezogen für den Fall, dass die Mutter oder der Vater nach ihm sehen würde. Er hörte sie beim Zubettgehen miteinander reden. Wie viel Zeit sie brauchten! Ihm schien, es vergingen Stunden, bis das ganze Haus ruhig war – so ruhig wie draußen die Nacht.

Nun hörte er Flicka wiehern und wusste, dass sie nach ihm rief. Banners Antwort hörte er nicht, menschliche Ohren konnten diesen Gruß aus allzu großer Ferne nicht vernehmen. Aber Ken hörte den Wolf.

Noch eine Stunde wollte er warten, bis alle in so tiefem Schlaf lagen, dass die Gefahr, entdeckt zu werden, nicht mehr bestand. Dann stahl er sich aus dem Bett und zog die Kleider an, die er vorher abgelegt hatte.

Er trug seine Schuhe in der Hand und schlich sich in die Halle, am Zimmer der Eltern vorbei; für jeden Schritt brauchte er eine halbe Minute.

Am anderen Ende der Terrasse setzte er sich und zog die Schuhe an. Sein Herz pochte so heftig, dass es ihn fast erstickte.

»Flicka – ich komme – ich komme!«, flüsterte er.

Dann lief er den Pfad hinunter. Er lief, so schnell er konnte. Unter den Pappeln war es finster, so dass er, um sich daran zu gewöhnen, einige Augenblicke stehen bleiben musste, bevor er sehen konnte, dass Flicka nicht da war. Ihr Futterkasten stand da – sie selbst war weg.

Ihn packte ein sinnloser Schrecken. Irgendetwas hatte sie weggegeistert – er würde sie nie mehr sehen – Gus war vielleicht gekommen – oder der Vater hatte …

Er rannte verzweifelt hin und her, und als er keine Spur von ihr entdeckte, machte er sich schließlich daran, systematisch die ganze Weide zu durchsuchen. Laut zu rufen wagte er nicht, aber er flüsterte: »Flicka, wo bist du denn? Flicka?«

Endlich fand er sie unten am Bach, im Wasser. Ihr Kopf hatte auf dem Ufer gelegen, aber da sie der Strömung keinen Widerstand leisten konnte, war er herabgeglitten, so dass, als Ken hinzukam, nur noch das Maul auf dem Ufer lag, während Rumpf und Beine vom Wasser umspült wurden.

Auch Ken glitt hinab in den Bach, als er sich an das Ufer setzte und versuchte ihren Kopf herauszuziehen. Aber sie war schwer und der Strom zog an ihr wie mit Gewichten. Schluchzend sah Ken ein, dass er nicht die Kraft hatte, sie ans Ufer zu bringen.

Dann aber fand er an einigen Steinen im Wasser Stütze und konnte die Füße dagegenstemmen. Als er nun wieder mit ganzer Kraft zog, glückte es ihm, ihren Kopf auf seine Knie zu ziehen und über dem Wasser in den Armen zu halten.

Er war froh, dass Gus sie nicht erschossen hatte und dass sie von selbst hier im Licht des Mondes gestorben war. Doch als er sein Gesicht nah an das ihre brachte und ihr forschend in die Augen sah – da merkte er auf einmal, dass sie lebte und den Blick auf ihn gerichtet hielt. Er brach in Tränen aus und drückte sie an sich. »Meine kleine Flicka! Meine kleine Flicka …«

Die lange Nacht verging. Der Mond glitt langsam durch den Himmel. Das Wasser spülte über Kens Beine und Flickas Körper hin. Und allmählich verließ sie das Fieber; das rinnende Wasser kühlte ihre Wunden und wusch sie rein.

Kens größte Stunde

Diese Nacht kostete Ken einen großen Teil seiner Kräfte, aber für Flicka bedeutete sie die Erneuerung. In jenem Augenblick, da Ken sie in die Arme nahm und sie bei ihrem Namen rief, erlahmten plötzlich die Kräfte, die sie wirbelnd in die Tiefe zogen. Flicka wurde von ihnen frei und empfand nicht mehr die niederziehenden Ströme. Leise und zaghaft änderte das Leben in ihr die Richtung, und statt abwärtszustreben, fing es zu steigen an. Von Ken ging Kraft in sie über; alles, was er an Jugend, an Gaben des Lebens besaß, ließ er ihr durch den Strom seiner Liebe zuteilwerden, übertrug er auf sie durch seinen brennenden Blick.

Er aber spürte mehr und mehr das Absterben seiner Glieder, auf denen das ganze Gewicht des Pferdekopfes lag. Dazu kam die Kälte des Wassers, das über seine Beine und Hüften spülte. Der Bach kam von den Bergen und erhielt sein Wasser aus dem Gebiet des ewigen Schnees; es war viel kälter, als bei diesem flachen, sonnenbeschienenen kleinen Gewässer anzunehmen war. Die Kälte machte seine Beine empfindungslos, und lange bevor die Nacht vorbei war, klapperten ihm die Zähne. Sein ganzer Körper wurde von Kälte geschüttelt.

Es machte nichts. Alles war gleichgültig, wenn er Flicka helfen, wenn er das Leben in ihr festhalten konnte.

Als der Morgen dämmerte, wurde es nicht recht hell, sondern ein Zwielicht brach herein, das nicht weichen wollte. Kein Wind sprang auf und die Wolken konnten es nun endlich treiben, wie sie wollten, und – aus allen Richtungen kommend – sich hier zusammenballen. Es war, als sei im Himmelsgewölbe nicht genug Raum für sie, so dass ihnen nichts anderes übrigblieb, als sich vielfach übereinanderzulegen.

McLaughlin hatte oft zum Himmel aufgeschaut, besonders zu den Gipfeln von Sherman Hill, und gesagt: »Das Unwetter möchte gern herüberkommen, aber die Wolken können nicht über die Berge hinüber.«

Jetzt aber waren sie endlich herübergekommen und hatten sich zusammengeballt.

Ken merkte nichts vom Wetter; er spürte nur Flicka und die Hitze ihres Körpers, der in seinen Armen glühte. Gegen Morgen wusste er, dass das Fieber sie verlassen hatte und dass dies kein Vorbote des Todes war. Wenn er zu ihr sprach, blickten ihre Augen ihn an und dafür war er dankbar.

Als die lange Nacht sich ihrem Ende näherte, gingen seine Sinne in einen Zustand über, der halb Schlaf, halb Bewusstlosigkeit war, und er hatte Augenblicke, in denen die Welt ihm zu schwanken schien. Sein Kopf fiel nach vorn. Er hörte Geräusche: lautes Brüllen und

Scharren der Kühe und den entsetzten Aufschrei eines jungen Rindes. Ken hob die schweren Augenlider und blickte zu den drei Kiefern hinüber … Dort, wo er früher Flicka mit Hafer gefüttert hatte, sah er ein einjähriges gelbweißes Kalb in den Tatzen eines wilden Tieres.

Ken schaute ohne Angst und Erregung zu. Auch die Milchkühe starrten hinüber. Sie standen, mitunter brüllend, beieinander; einige scharrten und stampften den Boden und warfen – als schauten sie nach Hilfe aus – die Köpfe hin und her. Wo war der Stier, der sie hätte beschützen können? Ohne ihn wagten sie keinen Angriff, denn ihnen fehlten die Hörner.

Allerdings senkten sie die Köpfe, als wollten sie den Feind annehmen, aber das war leere Drohung, denn sie waren waffenlos.

Dem Puma war der erste Angriff misslungen: Das Kalb hatte sich losgerissen und war mit furchtbarem Angstgeschrei davongerannt. Aber der Puma schlich sich – wie Pauly beim Vögelfangen – aufs Neue heran. Wieder tat er einen Sprung – beschrieb in der Luft eine seltsame Parabel – und nun sah Ken ihn den Kniff anwenden, von dem Ross erzählt hatte: Er ließ sich auf den Nacken des Kalbes fallen; dessen Kopf drehte sich plötzlich herum, das Maul war oben, das Schreien brach ab – und das Kalb stürzte tot zu Boden.

Der Puma packte es an der Schulter und zog es ein Stück mit sich weg, aber erregt durch den Geschmack des Blutes streckte er sich bald – das tote Kalb zwischen den Tatzen – auf dem Boden hin. Zuerst riss er ihm den Bauch auf, dann einen Schenkel, dann die Kehle …

Ken sah alles wie im Traum. Es hatte mit ihm selbst nichts zu schaffen, und lange bevor das unheimliche Mahl ein Ende fand, waren ihm die Augen wieder zugefallen. Er fühlte sich dahintreiben – Schmerz und Erstarrung waren nicht mehr da – und eine köstliche Wärme strömte durch seinen Körper …

Gus ist ungehorsam

Die Weckuhr im Arbeiterhause unterbrach die Stille des frühen Morgens. Sie schnarrte sechzig Sekunden lang. Noch bevor sie damit aufgehört hatte, saßen Tim und Gus nackt auf dem Rande der Pritschen und rieben sich gähnend den Kopf.

Gus griff nach den Kleidern und fing an sich anzuziehen; dabei fiel ihm ein, dass ihm etwas Unangenehmes bevorstand. Es dauerte eine Weile, bis ihm klar wurde, was es war: Er musste Flicka erschießen.

Er ließ beide Hände auf die Knie sinken und saß schweigend da. Nichts zu machen – es musste sein. Man hätte die kleine Stute ja auch von selbst sterben lassen können, aber das wäre gegen den Brauch auf dem Gänseland-Gestüt gewesen, ja gegen den allgemeinen Brauch überhaupt. Ein Tier, das keine Aussicht mehr hat, am Leben zu bleiben, muss von seinem Elend befreit werden. Außerdem hatte der Rittmeister es befohlen und McLaughlin hatte noch nie einen Befehl rückgängig gemacht.

Der Schwede zog sich die Socken, die schweren

Schuhe und die Baumwollhosen an und ging zum Küchenausguss, um sich zu waschen. Tim war schon dabei, hinauszugehen, er musste die Milcheimer holen.

Gus kleidete sich fertig an, machte Feuer und deckte den Frühstückstisch. Sobald er mit allem fertig war und nur noch Kaffee zu kochen war und es galt, die Eier mit Schinken zu braten, wollte er mit der Winchester auf die Kälberwiese hinaus. Es würde ihn kaum eine Minute kosten. Er hatte das Gewehr schon hier im Arbeiterhaus; es stand, noch geladen, in der Ecke. Noch bevor Tim mit dem Melken fertig war, würde er wieder zurück sein und Zeit genug für das Frühstück haben.

Tim war unterdessen zum Melken gegangen; er hatte die Kühe ruhig wiederkäuend an der Pforte gefunden, wo sie darauf warteten, dass man sie in den Stall und an ihr Futter ließ. Sie standen ganz wie sonst da. Die Gelten und die Einjährigen hatten Besseres zu tun, als an der Pforte zu warten, denn sie bekamen kein Mehl.

Gus ging zum Hause des Rittmeisters, lehnte das Gewehr draußen an die Hauswand und ging in die Küche, um Feuer zu machen. Das Herausschütteln der Asche war das tägliche Signal zum Aufstehen für die ganze Familie. Sobald das Holz brannte und die Flammen um die Kohlenblöcke leckten, schloss Gus die rückwärtige Zugklappe und ging hinaus. Er nahm das Gewehr und ging langsam über den Rasenplatz zur Kälberweide.

Nach wenigen Minuten war er in Flickas Kinderstube und stellte fest, dass sie nicht da war. Er ging das

Flüsschen entlang und fand Ken im Wasser sitzend, Flickas Kopf in den Armen.

Ein Blick in das Gesicht des Knaben genügte.

Gus ging auf das andere Ufer hinüber, legte das Gewehr nieder und zog die Stute am Kopf auf das grasbewachsene Ufer herauf – ein Ziehen, wie es auch Ärzte anwenden, wenn sie Kinder zur Welt befördern.

Ken war unfähig sich zu rühren. Gus nahm ihn in die Arme und überquerte wieder den Bach. Kens Kopf war rücklings über die Schulter des Schweden gefallen; er wandte sich ein wenig, um Flicka ein letztes Mal zu sehen.

»Leb wohl, Flicka!« – Es war nur ein Flüstern.

Rob stand am Fenster und schnallte sich den Gurt fest, als er den Vorarbeiter mit Ken in den Armen auf das Haus zukommen sah. Er dachte: Flicka ist tot. Habe allerdings den Schuss nicht gehört. – Ken hat sie tot gefunden – ist ohnmächtig geworden …

Er eilte die Treppe hinunter und hinaus, nahm Gus den Knaben aus den Armen und bemerkte dabei dessen heftiges Zittern und die unglaublich eingefallenen Züge. Das war mehr als bloß eine Ohnmacht. Gus erzählte, wie er Ken gefunden hatte. Rob trug ihn schnell hinauf. Er wurde von Rob und Nell zwischen heiße Betttücher gelegt und sie versuchten ihm etwas Branntwein einzuflößen.

Gus ging auf die Weide zurück, um das Gewehr zu holen. Flicka lag noch ebenso da, wie er sie verlassen hatte, hob aber, als er sich näherte, den Kopf. Er kniete bei ihr nieder, betastete Kopf und Hals und betrachtete ihre Augen. »Nun, nun, Flicka, kleines Mädel ...« Er war erstaunt, dass sich ihr Körper nicht mehr so heiß anfühlte; das Fieber war von ihr gewichen. Er sah ihre Wunden an; die Wundränder waren rein und die harten Geschwülste verschwunden, und er konnte ihr ansehen, dass es ihr besser ging – so wie man in Kindergesichtern, auch wenn sie noch matt und bleich sind, die Wendung zur Besserung sieht.

Er erhob sich langsam und stand mit dem Gewehr in der Hand zaudernd da. Ihm war befohlen worden Flicka bald zu erschießen, sobald Ken nicht in der Nähe war, und ein günstigerer Augenblick konnte gar nicht kommen.

Eine Weile verging und der Schwede stand immer noch da und überlegte sich die Sache. Dann reckte er sich, nahm das Gewehr unter den Arm und blickte prüfend zum Himmel nach dem Wetter; dabei suchte seine Hand automatisch in den Taschen nach Pfeife, Tabak und Streichhölzern. Einige Züge aus der Pfeife würden ihm wahrscheinlich dazu verhelfen, sich über die Sache klar zu werden. Dass die Stute wirklich gesund werden würde, war kaum anzunehmen. Wie lange mochte Ken sie so gehalten haben? Das ließ sich nicht sagen – alle kannten ja seine Gewohnheiten – und es konnte leicht sein, dass er seit dem Morgengrauen so dagesessen hatte.

Gus sah nachdenklich aus und seine blauen Augen, die gern in die Weite blickten, wie die Augen aller

Flachlandbewohner, spähten immer noch nach dem Wetter. In dem Baum dort oder dicht daneben muss irgendetwas sein, dachte er, ein Kaninchen oder eine Feldmaus. Seine Blicke wanderten weiter, streiften die Kühe, die Sterken und die Gelten. Alle grasten ruhig, über die Weide verstreut. Sie schienen gut im Futter zu sein. Er blickte auf das Gras nieder. Das würde hier noch lange reichen. Dieses Jahr schien es spät Herbst zu werden …

Er bemerkte den Rauch, der aus den Schornsteinen der beiden Wohnhäuser aufstieg, und das schreckte ihn aus seinen Träumen auf. Nein, er wollte Flicka nicht jetzt gleich erschießen. Nach dem Frühstück, sobald er sich erwärmt hatte, würde Ken seinem Vater vielleicht etwas sagen können, was diesen umstimmen und zu einem anderen Beschluss bringen würde.

Ken im Fieber

Doktor Rodney Scott war ein Meter und achtundacht-
zig lang und obendrein mager, und obgleich er kahl-
köpfig und ein Veteran des Weltkrieges war, hatte er ein
Knabengesicht. Er kaufte jedes Jahr einen neuen, stark-
motorigen Wagen, denn er verbrachte ein Drittel seines
Lebens auf den Landstraßen von Wyoming, um mit einer Geschwindigkeit von neunzig Meilen in der Stunde
allen Rufen aus der Nachbarschaft Folge zu leisten – es
hieß, dass Doktor Scott immer auf zwei Rädern fuhr.
Ein zweites Drittel seiner Zeit verstrich bei Golfspiel
und Forellenfischen, dieses an den Flüssen, die aus dem
Gebiet des ewigen Schnees kamen; und das letzte Drittel verwendete er auf das, was der Arzt zu tun hat, um
Menschenleben zu retten und Schmerz und Kummer
hinwegzunehmen.

An diesem Tage – es war ein Samstag – fuhr Rob im
Studebaker nach Cheyenne, nahm dort die Spur des
Doktors auf und jagte ihm meilenweit und viele Stunden lang nach. Endlich, um drei Uhr nachmittags, fand
er ihn tief versunken in Betrachtung eines Felsens. Er
war dabei, eine lange Angelschnur in einem besonders

dunklen Wasserarm auszuwerfen, der sich sehr tief unter ihm dahinzog.

Zwei Stunden später fuhren zwei Wagen den Hügel hinter dem Hause hinan; Doktor Scott saß in dem einen, Rob im anderen.

Kens Zustand hatte sich verschlimmert. Trotz der vorgewärmten Betttücher wurde er alle Augenblicke von Frost geschüttelt, so dass ihm die Zähne klapperten. Seine Temperatur war 39,4 gewesen, als Nell ihn zu Bett gebracht hatte; jetzt war sie noch etwas höher.

Meistens lag er in einem Zustand der Benommenheit da oder er schlief. Wenigstens dachte Nell das, wenn sie an seinem Bett saß und seine dünnen, hilflosen Hände in den ihren hielt. Sie hatte entdeckt, dass er seinen Schlafanzug in dieser Nacht gar nicht benutzt hatte. Er war um die herkömmliche Zeit in sein Zimmer gegangen, hatte sich aber offenbar gar nicht ausgekleidet. Dies war die letzte Nacht gewesen, die Flicka zu leben hatte, und als das Haus ruhiger geworden war, hatte er sich zu ihr hinausgeschlichen. Er hatte wahrscheinlich die ganze Nacht so dagesessen, wie Gus ihn gefunden hatte: im Wasser, mit Flickas Kopf in den Armen.

Nell hätte gern gewusst, ob die kleine Stute noch lebte. Und es schien ihr seltsam, wie das Leben der beiden, das des Knaben und das der Stute, ineinander verflochten war.

Wenn Ken aus dem Schlaf oder aus dem Zustand der Benommenheit auffuhr, sah er Nell bisweilen an, als ob er sie erkenne; dann wieder starrte er sie an wie eine Fremde. Mitunter schien er hinauszulauschen, dabei wandte er Kopf und Augen dem Fenster zu und lag unbeweglich da. Nell dachte:

Er horcht hinaus nach ihr, um ihr leises Wiehern zu hören. Oder er horcht auf einen Schuss.

Der Tag war dunkel. Einmal klang es wie ferne, flüsternde Trommelwirbel.

Nell ging zum Fenster und sah, dass es der Regen war. Er wuchs in einem Crescendo an und starb dann in einem Gemurmel, das nur einen Augenblick dauerte.

Vom Fenster aus hörte Nell scharfes, erregtes Hundegebell auf der Kälberweide. So bellten Chaps und Kim, wenn ihr Jagdinstinkt geweckt war. Nell sah in den niedrigen Wolken zwei Hühnerhabichte über den drei Kiefern der Kälberweide kreisen.

Sie setzte sich wieder zu Ken auf den Bettrand und beugte sich über ihn. Sein Gesicht sah aus wie immer, wenn er angespannt horchte. War er überhaupt bei Bewusstsein? Oder träumte er? Seine Augen waren halb geöffnet.

»Kennie«, sagte sie leise. »Ken!«

Aber er hörte es nicht, denn es war nicht der Laut, auf den er wartete.

Immer wieder kam, je später es wurde, jenes flüsternde Trommeln, gefolgt von dem Seufzen aufhörenden Regens.

Es heißt, dass die Behandlung des Patienten mit dem

Augenblick beginnt, da der Arzt seinen Fuß ins Haus setzt.

Als Nell unten die Stimmen und dann auf der Treppe die Schritte der Männer hörte, wurde sie so stark von einer jähen Gefühlswelle erfasst, dass sie alle Haltung verlor und ihr Gesicht mit den Händen bedeckte. Dann hob sie den Kopf und ging zur Tür, um Doktor Scott zu begrüßen.

Ken warf sich, unverständlich redend, hin und her. Er erkannte den Arzt nicht. Im Laufe der Untersuchung, die er vornahm, erfuhr der Doktor, was geschehen war.

»Seine Schule fängt Montag – übermorgen – an«, sagte Rob zuletzt in fragendem Ton. Der Doktor schüttelte den Kopf.

»Keine Möglichkeit«, sagte er und ging dazu über, Kens nackten braunen Körper zu beklopfen.

»Vielleicht am Ende der Woche?«, fragte Rob.

»Auch das ist unwahrscheinlich«, entgegnete der Doktor. »Kinder können einen mitunter überraschen, indem sie in Zustände wie diesen hier geraten, dann aber gut darüber hinwegkommen. Seine Temperatur ist 39,5 – etwas ist also los, ich weiß nur noch nicht, was es ist.«

»Irgendeine Entzündung?«, fragte Nell.

»Ja, natürlich. So hohes Fieber deutet auf eine Entzündung.«

»Könnte er von der Stute angesteckt worden sein? Er ist ständig bei ihr gewesen.«

Der Doktor zuckte die Achseln und deckte Ken wieder zu. »Das würde ich nicht zu behaupten wagen. Möglich ist es gewiss. Menschen können von Tieren angesteckt werden. Anthrax zum Beispiel kann man von Schafen bekommen. Aber hier in der Gegend sind viele Fälle von Influenza gewesen – merkwürdigerweise häufiger auf dem Lande als in der Stadt. Jetzt muss ich mir seinen Hals ansehen. Mrs McLaughlin, reden Sie doch mit ihm. Kinder erkennen die Stimme der Mutter, auch wenn sie ganz weit weg sind.«

Rob hob den Knaben in die rechte Stellung und Nell redete mit Ken in der ruhigen und mütterlichen Art, die Doktor Scott stets mit Demut, ja mit Bewunderung erfüllte. Schritt für Schritt brachte sie ihn aus der Ferne, in der sein Geist schwebte, in das kleine, ihm so vertraute Zimmer zurück und in das Walnussbett, das ihm ein Heim war.

Er wurde beinahe ganz klar, öffnete den Mund und ließ den Doktor in den Hals schauen.

»Da ist alles in Ordnung«, sagte Scott und legte das Kind in die Kissen zurück. Ken wandte den Kopf zur Seite und Nell schien es wieder, dass er hinaushorchte.

Der Arzt hielt Kens Handgelenk in seiner großen Hand und betrachtete das Gesicht auf den Kissen.

Einige Minuten lang herrschte Schweigen.

Im Zimmer war es sehr schnell dunkel geworden. Plötzlich wurde es von einem Blitzschlag erhellt.

Ein Windstoß folgte. Er fuhr seufzend durch den »Hals«, beugte die Bäume auf dem Hügel und schlug die Küchentür zu. Nell zündete die Petroleumlampe an und der Doktor blickte wieder auf Ken nieder. »Was ist in diesem Sommer mit ihm vorgegangen? Ich kann ihn kaum wiedererkennen. Es ist nicht nur dieser Schüttelfrost und das Fieber.«

Nell und Rob wechselten einen Blick. Die Frage war nicht einfach zu beantworten. Es gab so viel zu berichten. Sie gingen die Treppe hinunter und Rob sagte: »Er hat sich ein Pferdeschicksal allzu sehr zu Herzen gehenlassen.«

Dem Doktor erschien das seltsam. Er fragte, ob Ken schon früher krank gewesen sei.

»Nicht gerade krank«, sagte Nell, »aber er ist stets in einem Zustand furchtbarer Spannung gewesen, weil *sie* krank war.«

Scott merkte, dass es Nell zu Ken zurücktrieb. Er zog den Mantel an und sagte: »Lassen Sie sich nicht aufhalten, Mutter.« Er pflegte alle Frauen »Mutter« zu nennen. »Sie wollen gewiss zu ihm zurück. Rob, er muss sofort Arznei bekommen.«

»Ich fahre mit zur Stadt, um sie zu holen«, sagte Rob.

Wird Flicka leben?

Draußen auf der Kälberweide lag der zerrissene Körper des toten Kalbes immer noch unentdeckt. Weder Gus noch Tim oder Howard hatten ihn gesehen. Niemand war gerade dort vorbeigekommen.

Die gelten Kühe und die einjährigen Kälber wanderten um den Kadaver herum, ließen sich aber durch ihn nicht stören im Weiden. Der Puma lag anmutig ausgestreckt auf dem Ast einer Pappel, er war zu weit entfernt, als dass sie ihn gewittert oder gesehen hätten. Er war völlig satt, aber es war anzunehmen, dass er in der Nacht noch mehr von dem toten Tier verspeisen oder auch ein anderes töten würde. Pumas mögen Fleisch, das sehr frisch ist, und hier hatte er Auswahl genug.

Um die Mittagszeit ließ er sich wie ein Lot vom Ast fallen und ging zum Bach hinunter, um zu trinken. Bei seinem Anblick drängten sich Kühe, Sterken und Kälber zusammen und wandten ihm stampfend und scharrend die gesenkten Köpfe zu.

Der Berglöwe kehrte dahin zurück, woher er gekommen war, kroch durch Gesträuch und Steine zu einer Höhle am Fuß eines Felsens und schlief.

Die Rinder warteten auf seine Rückkehr, aber er ließ sich nicht blicken.

Plötzlich ging ein trommelnder Regenguss nieder. Die Kühe schienen dafür dankbar zu sein, denn nach ihren Bewegungen zu urteilen nahmen sie das nicht anders hin als Wasservögel – sie schienen ihr Fell dem Regen wohlig hinzuhalten.

Gus hatte bei seiner Arbeit den ganzen Tag lang an Flicka gedacht. Er hatte nicht wieder nach ihr gesehen und auch keine neuen Anweisungen erhalten. Wenn sie am Leben war, dann hatte der Befehl, sie zu erschießen, noch volle Gültigkeit. Aber Kennie war krank und McLaughlin war zum zweiten Mal nach der Stadt gefahren, um Arznei zu kaufen, und würde erst lange nach Einbruch der Dunkelheit zurück sein. Gus wusste nicht recht, was er tun sollte.

Nachdem Tim und Gus im Arbeiterhause zu Abend gegessen hatten, gingen sie zusammen zum Bach hinunter. Sie schwiegen, während sie sich der Stute näherten, die flach ausgestreckt – genauso, wie Gus sie zurückgelassen hatte – auf dem Grase lag.

Als sie sie erreicht hatten, hob sie den Kopf.

»Beim Himmel!«, rief Tim. »Sie ist ja recht munter!«

Sie ließ den Kopf sinken, hob ihn von neuem und bewegte die Füße, wie um aufzustehen. Die Leute riefen ihr ermunternd zu. Sie rollte sich auf den Bauch, streckte die Vorderbeine aus und kam halbwegs hoch.

»Sieh mal an!«, sagte Gus. »Sie hat ja noch eine Menge Kraft.«

»Hopp!«, rief Tim. »Nun kommt sie auf die Beine.«

Aber Flicka schwankte, glitt wieder zu Boden und lag flach auf der Seite. Und zum Zeichen, dass sie das Aufstehen nicht wieder versuchen würde, seufzte sie tief und schloss die Augen.

Gus nahm die Pfeife aus dem Munde und dachte nach. Was auch befohlen worden war – er wollte versuchen, die Stute zu retten. Ken hatte für sie zu viel getan, als dass man ihn im Stich lassen konnte.

»Ich werde ihr aus einer Decke einen Bauchgurt machen, so dass sie sich auf den Füßen halten kann«, sagte er. »Wenn es eine Möglichkeit für sie gibt, gesund zu werden, dann wird ihr das helfen. Und wenn nicht, so schadet es ihr auf keinen Fall.«

Während sie ihre Werkzeuge holten: Eisenstange, Spaten, Hebel, Stricke und Decke, kam ein zweiter Regenguss, der dieses Mal anhielt. Die beiden Männer gingen zum Arbeiterhause zurück, zogen ihr Ölzeug an und nahmen einige Laternen mit.

Flicka lag so da, wie sie sie verlassen hatten.

»Sie wird jetzt noch einmal gründlich nass werden«, sagte Tim.

»Wird ihr nicht schaden«, meinte der Schwede. »Sie ist seit ihrer Geburt bei Gewittern draußen gewesen.«

Es kostete sie eine ganze Stunde, den Bauchgurt anzubringen, denn beim Graben stießen sie auf Steine, die ausgehoben werden mussten. Flicka lag auf einem ebenen Rasenstück, das nur ein wenig höher war als die Wasseroberfläche des Baches. Hinter ihr stieg der Boden zu einem steilen Hügel an, dessen Abhang zum Teil aus einer der Felsspalten bestand, die für die Bodenbildung des Geländes so kennzeichnend waren.

Die Männer rammten neben der Stute zu beiden Seiten zwei große, stämmige Espenpfosten tief in den Boden und rollten Flicka dann auf die zusammengefaltete Decke. Die Enden wurden zusammengefasst und mit einem Strick so gebunden, dass der Knoten sich umso fester zog, je größer das in der Decke hängende Gewicht war. Die Pfosten wurden oben eingekerbt und in diese beiden Kerben legte man querüber eine eiserne Stange. Das Ende eines jeden Strickes wurde unterhalb dieser Stange durch ein Loch gezogen, das sie durch den Pfosten gebohrt hatten, und als man mit alldem fertig war, sagte Gus: »Nun rauf!«, und beide zogen gleichzeitig an ihren Stricken, so dass die Decke mit der Stute sich hob. Als sie so hoch war, dass Flicka mit den Füßen eben den Boden berührte, befestigten sie die Enden der Stricke an der eisernen Querstange.

So hing sie also – keineswegs missvergnügt; und als Tim ihr einen Eimer Wasser brachte, steckte sie die Nase hinein und trank.

Während die beiden Männer die Geräte wieder zurückbrachten, öffnete der Himmel alle Schleusen.

»Jetzt kriegen wir's gründlich ab«, sagte Tim. »Hätte nicht geglaubt, dass es noch viel ärger werden könnte.«

»Gut, dass wir die Staken überdeckt haben«, sagte Gus. »Das Heu hat sich ja noch nicht gepackt.«

Als sie das Haus erreichten, übergab er Tim die

Werkzeuge. »Will mal hineingehen und nachschauen, ob die Missus etwas braucht. Und wer weiß, wie es dem Kleinen geht.«

Tim ging weiter und Gus trat in die Küche, in der die Petroleumlampe neben dem Herd brannte. Er zog sich den Mantel aus. Nell hörte ihn umherstampfen und eilte die Treppe hinab.

»Bist du's, Gus?«

»Ja, Missus. Wie geht's dem Kleinen?«

»Ach, das wissen wir noch nicht – er scheint recht krank zu sein.«

Nells Gesicht war müde und sorgenvoll. In ihrem anliegenden grauen Flanellüberwurf sah sie schlank und kindlich aus. Das Haar hing ihr lose auf die Schultern und sie schob es mit einer müden Handbewegung zurück. »Gus«, fragte sie, »ist Flicka tot?«

»Nein. Tim und ich haben sie eben in eine Deckenschlinge gehängt. Sie kann allein nicht stehen; aber jedenfalls ist Leben in ihr und sie hat einen großen Eimer Wasser ausgetrunken.«

Nell blickte zu Boden und stand eine Weile nachdenklich da.

»Du hast sie also nicht erschossen«, sagte sie wie zu sich selbst. »Sag, Gus, hat er ... hat der Herr Rittmeister gesagt, dass du sie nicht erschießen sollst?«

»Nein. Er sagte mir gestern Abend, ich solle sie, wenn Ken nicht in der Nähe ist, von ihrem Elend befreien. Aber als ich sie heute Morgen so viel besser fand, da ...«

»Ja, ich weiß«, sagte Nell schnell. »Ich weiß, was du

meinst. Und ich werde es Ken sagen. Vielleicht wird es ihm helfen. Es wird ihn ja so glücklich machen, dass sie noch lebt. Gus, nun, da du hier bist, wäre es das Beste, wenn du mir ein Feldbett in Kens Zimmer stellen würdest, damit ich dort schlafen und ihn besser pflegen kann. Es ist unten im Keller – du könntest es herauftragen.«

»Ich weiß, wo es steht«, sagte Gus fürsorglich. »Gehen Sie nur zum Kleinen, ich trage das Bett gleich hinauf.«

Nell fand Ken mit weit offenen Augen liegend. Er warf sich fortwährend von einer Seite auf die andere und atmete nur flach und bisweilen entstanden zwischen den einzelnen Atemzügen lange Pausen.

Nell saß auf dem Bettrand, beugte sich über Ken und sah ihm liebevoll in die Augen. Der Schatten eines Lächelns antwortete ihr. Sie strich ihm das Haar aus der Stirn, nahm dann eine seiner Hände in die ihren und sagte: »Kennie, weißt du, dass es Flicka etwas besser zu gehen scheint? Gus hat ihr eine Deckenschlinge umgelegt; sie haben sie auf die Füße gestellt und sie hat aus dem Eimer getrunken.«

Das Gesicht des Knaben verwandelte sich, als wäre ein Licht darauf gefallen; er bewegte ohne Worte die Lippen.

»Mag sein – es kann sein, vielleicht – dass sie doch am Leben bleibt. Wir wollen alles tun, was wir können – aber du musst nicht allzu sehr hoffen.«

Ken versuchte noch einmal zu reden. Endlich hörte sie die Worte: »Aber Papa gab doch Befehl …«

In diesem Augenblick kam Gus mit dem Bett herein. Dann brachte er auch die Matratze, und während das Bett aufgestellt wurde, sah Ken zu.

Gus trat auf den Fußspitzen zu ihm heran.

»Die kleine Stute ist wieder auf den Füßen, Kennie. – Sei jetzt ein braver Junge und werde auch du schnell gesund.«

»Gus?«

»Ja?«

»Hat Papa dir gesagt, dass du sie nicht erschießen sollst?«

»Nein, Kennie. Aber noch habe ich es nicht getan und er wird vielleicht noch anderer Meinung.«

Kens Gesicht veränderte sich. Er schloss die Augen mit einem Ausdruck schmerzlicher Angst. Gus ging auf den Zehenspitzen hinaus und gleich darauf hörte Nell ein Flüstern vom Bett: »Mutter?«

»Ja, Kennie?«

»Wo ist der Vater jetzt?«

»Er ist zur Stadt gefahren, um Medizin für dich zu besorgen, die der Doktor verschrieben hat.«

Ken sagte nichts mehr. Er schien zu schlafen und Nell war damit beschäftigt, ihr Bett für die Nacht in Ordnung zu bringen.

Ken fragte wieder: »Wird er bald zurück sein?«

»Er kann, glaube ich, jeden Augenblick kommen.«

Ken lag mit geschlossenen Augen da, aber Nell sah ihm an, dass er angespannt darauf wartete, den Studebaker heranrollen zu hören.

Auch Rob
wacht für Flicka

Die Bergbarrieren von Sherman Hill wurden endlich überwunden und es war nicht nur ein, sondern ein halbes Dutzend Unwetter, die sich an verschiedenen Stellen des Horizonts türmten und aufeinanderprallten.

McLaughlin befand sich auf der Lincolnstraße und näherte sich bereits seinem Hause, als das Unwetter ihm mit voller Stärke begegnete.

Gleichzeitig merkte er, dass der Wagen sich nicht gut steuern ließ, und ein plötzliches Hopsen und Schleifen sagte ihm, dass ein Reifen geplatzt war.

Auch bei bestem Wetter und unter günstigsten Bedingungen konnte McLaughlin keinen Reifen wechseln, ohne diese Arbeit als eine persönliche Kränkung zu empfinden. Aber jetzt, bei solchem Wetter – und noch dazu ohne Ölzeug!

Völlig durchnässt, halb ertränkt, kaum im Stande, im strömenden Regen auf der Landstraße fest zu stehen, beugte er sich über das Hinterrad; sein Fluchen begleitete die ohrenbetäubenden Donnerschläge. Er kochte vor Wut: über den Wagen, über das Unwetter, über Ken, der gerade vor Schulanfang sich diese tödliche Erkältung holen musste, bloß weil er mit Flicka auf dem Schoß hatte im Wasser sitzen wollen. Und vor allen Dingen ärgerte er sich über Flicka. Flicka – Flicka – Flicka – das war alles, was er den ganzen Sommer lang zu hören bekommen hatte. Wenn Flicka nicht gewesen wäre, dann wäre Ken nicht krank geworden und er, Rob, würde nicht hier auf der Landstraße stehen, während ihm das Wasser den Rücken hinab bis in die Stiefel lief.

Als er zu Hause aus dem Wagen stieg, trat Gus auf ihn zu und sagte ihm, dass die Heustaken überdeckt worden seien.

Rob eilte ins Haus, Gus hinter ihm her; er versuchte das Heulen des Windes und die Donnerschläge zu überschreien. Sie gingen in die Küche und Rob zog sich den nassen Mantel aus und schüttelte sich das Wasser aus den Haaren. Nell kam ihm entgegen.

»Wie steht es mit Ken?«, fragte Rob, bevor er Gus eine Antwort gab. Er suchte in den Taschen seines Mantels nach der Arznei.

»Es scheint ein wenig besser zu sein«, sagte Nell. »Jedenfalls hat er einige Worte gesprochen. Er ist nicht bewusstlos.«

»Gus«, sagte McLaughlin zu dem Schweden, »hast du die Stute erschossen?«

»Herr Rittmeister«, antwortete Gus, »ich habe es nicht getan.«

»Ich hatte es befohlen, du hast Zeit genug dazu gehabt.«

»Ich – ich – hab's nicht fertiggebracht.«

Rob nahm seinen nassen Mantel und fing an ihn wieder anzuziehen.

»Wo ist die Winchester?«, fragte er.

»Im Arbeiterhause.«

»Geh und hol sie.«

Gus ging langsam aus der Tür.

Nell griff nach Robs Arm. »Bitte, Rob, lass es sein. Kennie weiß, dass sie lebt. Er glaubt, dass sie gesund werden wird. Lass ihn doch auf etwas hoffen.«

»Ich hatte es befohlen«, sagte Rob. »Ich sehe keinen Grund, den Befehl rückgängig zu machen. Im Gegenteil, es wäre viel besser gewesen, wenn sie schon vor Wochen erschossen worden wäre. Nun hat sie uns nur Mühe und Sorgen gebracht. Sieh bloß, was Ken davon gehabt hat.«

»Ich möchte so sehr, dass du's nicht tust.«

»Er braucht es ja nicht zu wissen.«

»Er wird den Schuss hören.«

»Bei diesem Wetter? Er wird glauben, dass es der Donner ist.«

»Nein, bestimmt nicht. Er hört heraus, dass es das Winchestergewehr ist.«

»Wie denn?«

»Er wird es eben wissen.«

Gus kam herein. Er hatte das Winchestergewehr in einer Hand, in der anderen eine lange Patrone. »Es ist nur eine Patrone da, Herr Rittmeister.«

»Wo sind denn die andern? Wir hatten doch einen ganzen Kasten voll.«

»Die Offiziere haben sie damals am Sonntag alle ver-schossen.«

Rob nahm schnell die Patrone und steckte sie ein. »Eine genügt.«

Gus sagte: »Sie finden die Stute in einem Deckengurt auf der anderen Seite des Baches. Tim und ich haben sie da hineingehängt, als wir sahen, dass wieder etwas Leben in ihr war.«

Rob nahm die Taschenlampe vom Regal und ging hinaus. Gus blickte Nell traurig an. »Nehmen Sie's nicht allzu schwer, Missus«, sagte er. »Der Herr Ritt-meister hat Recht. Es hat keinen Sinn, kranke Tiere am Leben zu lassen.«

Nell sah weg. Ihr Gesicht war weiß; sie drückte eine Hand an die Wange und verschluckte ihre Tränen. Dann wandte sie sich wieder zu Gus und sagte gefass-ter: »Geh nun schlafen, Gus. Es ist spät. Alles wird wie-der gut werden. Und mach dir meinetwegen keine Sorge.«

»Gute Nacht, Missus«, sagte er bescheiden, drückte sich den Hut auf die grauen Locken und ging.

Nell lief hinauf zu Ken. Ob er wohl schlief? Oh, wenn er doch schlafen wollte! Aber er war ganz wach. Er setzte sich allein im Bett auf und sagte:

»War es der Vater, der mit dem Wagen kam?«

»Ja, Kennie, er ist jetzt zu Hause.«

Nell fiel am Bett auf die Knie, nahm das Kind in die Arme und drückte seinen Kopf so an ihre Brust, dass ihre Hand über seinem Ohr lag.

Rob lud das Gewehr, er trug es in der Linken, in der Rechten hatte er die Taschenlampe. Er kannte den Weg ebenso gut wie sein eigenes Zimmer, aber das Licht ließ ihn sehen, wohin er die Füße zu setzen hatte.

Sein Ärger war verflogen, aber es musste nun mal abgetan werden. Er ging durch die Pforte, die vom Rasenplatz zur Kälberweide führte.

Während er längs dem Zaun den Pfad hinabging, hielt er den Kopf gebeugt, damit der Regen ihm nicht in die Augen schlug. Wo hatte doch Gus die Deckenschlinge aufgehängt? Er blieb stehen und versuchte trotz der Dunkelheit etwas zu erkennen. Da zuckten dicht nacheinander drei Blitze, die die ganze Weide erhellten. Gleich darauf krachte der Donner. Bevor es wieder finster wurde, hatte Rob drei Dinge gesehen: die Stute jenseits des Baches und die Felsenplatte dahinter; die Kühe, die weit draußen beieinanderstanden und wachsam und ängstlich hinausstarrten. Und drittens sah er das, was sie anstarrten: etwas Weißes, nahe bei den drei Kiefern, und darüber kauernd einen riesigen Berglöwen.

Rob stand, ohne sich zu rühren, im Dunkeln und überlegte. Er fragte sich, ob der Puma ihn gesehen hatte. Der nächste Blitz gab ihm Antwort. Der Puma war verschwunden.

Aber was war jenes Weiße dort am Boden? Das wollte Rob wissen. Aber da er nur eine einzige Patrone hatte, wagte er nicht, sich zu rühren.

Lange stand er so mit gespannten Sinnen und

horchte und spähte in die Dunkelheit. Das Gewehr hielt er bereit und entsichert.

Im Licht der Blitze sah er, dass die Kühe immer noch eng beieinanderstanden und auf der Wacht waren. Nichts Lebendiges rührte sich in der Nähe jener weißen Masse. Dann bemerkte er plötzlich, dass zwei flammende grüne Augen auf ihn gerichtet waren. Ob sie sich in der Nähe oder in größerer Entfernung befanden, ließ sich nicht feststellen. Erst das Aufleuchten eines Blitzes zeigte ihm, dass der Puma sich in einem Dickicht versteckt hatte und von dort her zu ihm herüberspähte.

Die Augen schienen unbeweglich. Rob hob den Arm, zielte und drückte ab, aber ihm schien, dass die Augen, schon bevor er geschossen hatte, verschwunden waren. Er ließ das Gewehr sinken und spähte wieder horchend in die Runde.

Nach einer Weile ging er rufend und das Gewehr schwingend auf die Büsche zu. Er untersuchte sie alle mit seiner Taschenlampe und stellte fest, dass er, wie erwartet, gefehlt hatte. Vom Puma war nichts zu sehen.

Er fragte sich, ob der Puma diese Nacht wieder ein Tier reißen würde, ob er hungrig war oder bereits genug gefressen hatte. Allerdings bedeutete das nicht viel, denn er tötete, sobald es ihm einfiel und aus den verschiedensten Gründen – aus Hunger, aus Furcht, aus Wut und weil es ihm Spaß machte; und hier auf der Weide konnte er Kühe und Kälber und Pferdefleisch haben – auch Flicka. Sie war derartig eingebunden, dass sie, auch wenn sie die Kraft dazu besessen hätte, sich nicht hätte rühren können. Sein Jähzorn flammte auf. Ja, so gingen die Menschen mit Tieren um! Sie nahmen ihnen die natürliche Möglichkeit der Selbstverteidigung und unterließen es, sie auf irgendeine andere Weise zu schützen. Es würde ihm also nichts anderes übrigbleiben, als die ganze Nacht bei Flicka Wache zu stehen!

Vor allem mussten die Kühe in den Kuhstall getrieben werden.

Er tat das, während tödliche Angst um Flicka ihn quälte, und sobald er die Kühe im Stall hatte, eilte er zurück. Flicka begrüßte ihn mit leisem Wiehern. Er streichelte ihren Kopf. »Du wirst gewinnen, Flicka.« Die Decke hatte sich im Regen gestreckt und sie hing nun einige Zoll tiefer. Rob sah, dass Flicka ihr Gewicht selbst trug, und kam nun zum ersten Mal auf den Gedanken, dass sie möglicherweise gesund werden könnte.

In der inneren Tasche seines Hemdes fand er Streichhölzer und einen Tabaksbeutel, der trocken geblieben war. Er zündete sich die Pfeife an und dachte auch daran, ein Feuer zu machen, aber alles Holz in der Nähe war triefend nass.

Während er rauchte, stellte er sich vor, was voraussichtlich demnächst geschehen würde. Nell hatte den Schuss gehört. Sie wusste, dass er nur eine Patrone besaß. Sie würde sich fragen, warum er nicht zurückkam, und der Puma würde ihr einfallen. Sie würde sich Sorgen machen und nicht lange Zeit vergehen lassen, bevor sie etwas unternahm.

Er war kaum so weit gelangt, als er sah, dass auf dem Pfad ein Licht sich näherte. Es schaukelte hin und her.

»Hallo, Nell!«

»Rob? Alles gut? Wo bist du?«

»Hier – auf der anderen Seite des Baches!« Er schwenkte die Taschenlampe.

Gleich darauf sah er, in dem Laternenlicht von unten her beleuchtet, ihr besorgtes Gesicht. Sie war mit Khakihosen und Wollhemd angetan und trug das große Repetiergewehr unter dem Arm.

»Braves Mädchen!« Er half ihr über den Bach, wo einige Steine im Wasser lagen, und nahm ihr das schwere Gewehr und die Laterne ab.

»Was ist passiert? Ich hörte den Schuss – war es Flicka?«

»Nein. Der Puma.«

»Ah – hast du ihn getroffen?«

»Nein.«

»Als du nicht zurückkamst, hab ich mir's gedacht.«

»Gut, dass du das Gewehr mitgebracht hast. Das hatte ich gerade nötig. Da fühlt man sich gleich viel besser.«

»Sieh doch Flicka an. Sie kann nicht begreifen, was los ist. Wie sie uns ansieht!« Nell ging zu der kleinen Stute und streichelte ihren Kopf. »Sieh doch, sie erkennt mich.« Nell wandte sich nach Rob um. »Sie sieht ja viel besser aus. Glaubst du, dass sie doch durchkommen kann?«

»Das lässt sich noch nicht sagen. Ich hab es ja nicht geglaubt, aber diese Wildpferde sind aus hartem Holz.«

Nell streichelte Flickas Gesicht und redete leise mit ihr. »Rob, mir liegt so sehr daran, dass sie gesund wird!«

»Warum?«

»Nun – wegen Ken natürlich. Sie sind so ganz miteinander verwachsen. Wenn sie gesund wird, dann wird auch er gesund.«

Robs Stimme klang etwas ärgerlich. »Sag das nicht. Er wird auf jeden Fall gesund. Hör, Nell, du glaubst doch nicht, dass er wirklich in Gefahr ist? Er ist ja so oft erkältet gewesen und hat gefiebert – übrigens auch Howard.«

Nell schwieg einen Augenblick, dann schüttelte sie den Kopf. »Nicht auf diese Weise, Rob. Und Rodney kommt morgen wieder. Er macht nicht umsonst tägliche Besuche.«

Rob knurrte: »Du wirst sehen: Er kommt schon wieder hoch. Morgen früh wird er ganz anders aussehen.«

»Er hat den Schuss gehört.«

»Wie hat es auf ihn gewirkt?«

»Er hat es eben hingenommen. Fragte nicht, lehnte sich nicht auf. Ich hielt ihn so, dass ich hoffen konnte, er würde den Schuss nicht hören. Aber gerade als er fiel, setzte das Donnern aus und das Winchestergewehr ist ja mit nichts anderem zu verwechseln.«

»Nein. Wie nahm er es auf?«

»Sein Ausdruck veränderte sich. Er riss sich aus meinen Armen, setzte sich auf, fiel dann zurück und vergrub das Gesicht im Kissen. Seitdem hat er nicht wieder geredet. Ich gab ihm das Schlafpulver, das der Doktor ihm daließ. Es ist recht stark und jetzt schläft er; deshalb konnte ich herkommen.«

Eine Weile herrschte Schweigen, dann sagte Rob: »Nell, wenn Ken aufwachen und Fragen stellen sollte, so halte ich es für besser, ihm nicht zu sagen, dass die Stute noch am Leben ist. Sie ist nun schon so viele Male tot und wieder lebendig gewesen, dass er dadurch ständig auf der Folter ist. Und sie kann morgen früh tot sein; ich meinerseits würde mich darüber nicht wundern. Er hat nun die Tatsache ihres Todes hingenommen und schläft. Und er wird einen ganzen Monat schlafen, wenn Flicka tot ist. Wenn sie lebt, wird die frühere Spannung wieder anfangen.«

Nell stimmte zu. »Ich werde es ihm nicht sagen.« Dann erzählte Rob ihr von dem gerissenen Kalb.

»Ich hatte mir schon so etwas gedacht. Die Hunde bellten heute auf der Weide und außerdem saßen eine Menge Elstern in den Bäumen.« – Sie sah sich unruhig um. »Glaubst du, dass er hier in der Nähe ist?«

»Ich glaube es nicht nur, ich weiß es!«

»Kann er uns jetzt eben in diesem Augenblick sehen?«

»Er hat ja Augen.«

»Belauert er jetzt Flicka und uns?«

Rob lachte. »Ganz fraglos, der hält sich zur Sache. Im Augenblick sind wir es, auf die er es abgesehen hat.«

Nells erschreckte Augen streiften über die Mauer

von Dunkelheit hin, die sie rings umgab. Sie schauderte. Rob untersuchte das Gewehr, um zu sehen, ob es geladen war. »Ich habe es geladen«, sagte Nell kurz. »Und hier –«, sie steckte die Hand in die Hüfttasche und reichte Rob seinen Revolver.

Rob lachte, als er ihn nahm. »Du hast sichergehen wollen, das sieht man! Du hast ja ein ganzes Arsenal«, fuhr er fort, denn Nell zog Gewehr- und Revolverpatronen aus ihren anderen Taschen.

»Ich wünschte, dass er sich jetzt gleich zeigte und eine Kugel bekäme«, sagte Nell. »Was tut er wohl jetzt eben?«

»Sehr möglich, dass wir ihn nicht wiedersehen. Es ist nun auf ihn geschossen worden, und wenn er mich hier sieht, kann es sein, dass er in den Wald zurückgeht.«

»Nun, und wenn er es nicht tut – Flicka ist ja doch hier …«

»Ja, das ist's eben. Ich muss die ganze Nacht bei Flicka bleiben. In den Stall kann ich sie nicht bringen. Sie kann ja nicht gehen.«

»Gerade das habe ich mir auch gedacht.« Sie ergriff seine Hand. »Rob, deine Hände sind eisig.«

»Ich bin nass bis auf die Haut und es war ja auch ziemlich windig.«

»Jetzt hat es aufgehört zu regnen, wir könnten hier ja doch ein Feuer machen, damit du trocken wirst.«

»Ja, daran habe ich auch gedacht. – Sag, wohin gehst du?«

»Zurück, um etwas trocknes Holz zu holen.«

»Nein, das alles sollst du nicht für mich hierherschleppen. Bleib du hier, und ich hole es; nein, verdammt, es ist doch besser, du gehst und ich bleibe.«

Sie redeten hin und her darüber, wer die Laterne, die Taschenlampe, das Gewehr und den Revolver bekommen sollte; denn ob Gehen oder Bleiben – beides war gefährlich. Schließlich zog Nell mit dem Revolver und der Taschenlampe ab und Rob rief ihr noch nach: »Bring auch etwas Hafer für Flicka mit, wir wollen sehen, ob sie fressen kann.«

Nell kam wie ein Packesel zurück. Sie hatte einen Sack mit Kleinholz auf dem Rücken, ein Badehandtuch und trockene Kleider für Rob über dem Arm und Ölzeug, Kissen und Decken über dem anderen. Den Revolver und eine Flasche Whisky hatte sie in die Hüfttaschen gesteckt.

»Es wäre nicht so ohne, wenn ich dem Puma gerade jetzt begegnen würde«, sagte sie sich, als sie schwankend den Pfad hinunterging, und sie musste laut lachen, als Rob ihr über die Steine im Bach hinüberhalf.

»Aber du hast ja Flickas Hafer vergessen«, sagte Rob vorwurfsvoll, als sie allmählich alles niedersetzte. Nell legte die Hand auf die Brust, die ungeheuer geschwollen aussah. »Ist das etwa meine natürliche Gestalt?«

»Ja, was denn sonst?«, fragte Rob ernst.

Nell fuhr mit der Hand unter die Bluse und zog einen alten Salzsack hervor, der jetzt mit Hafer gefüllt war. Rob nahm ihn mit befriedigtem Lächeln entgegen und ging damit zu Flicka. Sie fraß gleich aus seiner Hand und ihre Ohren streckten sich eifrig vor.

»Verdammt, nicht zu glauben …«

»Siehst du wohl?«, sagte Nell und streichelte Flickas Nase. »Sie wird jetzt wieder fressen und gesund werden.«

»Vergiss das lieber«, sagte Rob; er war schon dabei, etwa zehn Fuß von Flicka entfernt ein Feuer zu machen. »Beobachte sie jetzt«, sagte er. »Sie hat noch nie Feuer gesehen. Sprich mit ihr.«

Flicka spitzte die Ohren und ihr Gesicht drückte so große Neugier aus, dass Nell lachen musste. Die Flamme stieg und knisterte, und Flicka starrte hinein und blickte fragend in die Runde, als ob sie an die Dunkelheit und an Nell die Frage stellen wollte: »Was ist denn das?«

»Die große Frage ist«, sagte Rob, »ob jetzt getrunken werden soll oder nachher, wenn ich wieder in trockenen Kleidern stecke.«

»Trink jetzt gleich«, sagte Nell, ohne sich zu besinnen.

Rob nahm einen guten Schluck und reichte dann Nell die Flasche. »Willst du?«

Sie schüttelte den Kopf, denn sie dachte an die Nachtwache bei Ken, die ihr bevorstand.

»Rob, glaubst du, dass es alles sieht?«

»Wer?«

»Das Untier.«

Rob lachte. »Ich hab dir's ja gesagt: Er bleibt bei der

Sache. Aber das Feuer beunruhigt ihn ja bedeutend mehr als Flicka.«

»Wenn du doch nicht die ganze Nacht hierbleiben müsstest! Du könntest ja doch einschlafen und dann kommt er und frisst dich.«

»Stell dir das nur lebhaft vor ...«

»Was denn, um Gottes willen?«

»Was die Bestie sich denkt.«

»Darauf verstehe ich mich nicht. Nur du weißt, was die Bestien hier ringsum denken. Was ist es denn?«

»Nun, Flicka ist ja doch hier. Und er weiß das.«

»Ja, und er weiß, dass sie ein Pferd ist. Und Pferdefleisch liebt er.«

»Stimmt. Gewiss ist sie magere Kost, aber immerhin doch ein Pferd. Diese eiserne Hebestange quer über ihr, die Stricke und die Decke und dazu die Pfosten zu beiden Seiten – alles das macht sie den Pferden, die der Puma bisher gesehen hat, recht unähnlich.«

Nell musste lachen.

»Und überdies brennt hier ein Feuer«, fuhr Rob fort. »Und es soll mit der Zeit ein Riesenfeuer werden. Der einzige Grund, weshalb Flicka keine Angst hat, ist ihr völliges Vertrauen zu uns. Wenn wir ›all right‹ sagen, dann ist es eben ›all right‹. Aber der Puma – darauf kannst du dich verlassen – ist in diesem Augenblick aufs Höchste bestürzt und sehr bange. Ich glaube nicht, dass er sich in unsere Nähe wagt.«

Nell schwieg. Nach einer Weile stand sie auf und nahm den Regenumhang.

»Wo willst du dich niederlassen?«

»Dicht unterhalb der Felsenplatte, ungefähr in der Mitte zwischen Flicka und dem Feuer, so dass ich beide vor Augen habe. Da habe ich auch eine Rückenstütze. Wenn das Biest verrückt genug sein sollte uns anzugreifen, dann muss es das von vorn her tun; der Hügel steigt hier unter mir lotrecht auf. Wenn der Puma anfällt, dann setzt er über mich hinweg.«

Sie verhandelten wieder über die Verteilung der Schusswaffen. Nell meinte, Rob müsste den Revolver haben, denn die Bestie könnte ihn ja aus der Nähe angreifen. Anderseits würde ihr das schwere Repetiergewehr wenig nützen, wenn sie auf dem kurzen Wege zum Rasenplatz überfallen werden sollte.

Schließlich nahm sie die Laterne in die Linke, den geladenen Revolver in die Rechte und Rob sah zu, wie sie auf den Steinen über den Bach sprang und den Pfad hinaufging. Bald konnte er nichts als die Laterne sehen, die den Weg entlangschwankte, bei der Pforte anhielt, die Richtung wechselte und dann verschwand.

Es war kurz vor Sonnenaufgang, als Rob zum Schuss kam.

Er hatte während der Nacht recht viel geschlafen. Bequem gegen den Felsen gelagert, Flicka auf der einen und das Feuer auf der anderen Seite, fühlte er sich mit dem geladenen Repetiergewehr neben sich als Herr der Lage. Er stand mehrere Male auf, warf Holz auf das Feuer und sah sich minutenlang um. Es war klarer geworden, der Wind hatte sich gelegt. Rötlich zog der

Mond über den Himmel. Die Kälberweide, auf der Rob und Flicka die einzigen lebenden Wesen zu sein schienen, lag wie ausgestorben da.

Am Morgen, dachte Rob, muss vor allem Flicka in den Stall geschafft werden – es mag biegen oder brechen. Und dann will ich den Puma aufspüren, mit den Hunden … durch Gift … oder Fallen – auf irgendeine oder andere Weise muss man ihn loswerden.

Der Morgen war nahe, und Rob war im Sitzen, mit dem Kopf auf der Brust, eingeschlafen, als er durch Flickas Wiehern geweckt wurde. Noch mit geschlossenen Augen, noch bevor er nach dem Gewehr gegriffen hatte, war ihm klar, dass es ein Wiehern der Angst gewesen war. Sie hatte den Kopf gewandt und schaute über den Bach zu den drei Kiefern hin. Er folgte ihrem Blick und sah, dass der Puma wieder bei den Resten des Kalbes kauerte und fraß.

Rob setzte das Gewehr an die Schulter, spannte den Hahn, drückte ab. Er hatte noch nie einen Puma erlegt, wusste aber, dass die Lebenskraft dieser Tiere außerordentlich groß ist und dass sie, auch tödlich verwundet und mit schweren Kugeln im Leibe, noch im Stande sind, mit großer Wildheit zu kämpfen. Nun hatte er Gelegenheit, das selbst zu sehen.

Als den Puma die Kugel traf, sprang er drei Meter hoch und landete zusammengezogen wie ein Ball auf dem Boden. Nach mehreren Purzelbäumen kam er wieder auf die Füße und sprang dann, seiner angeborenen Neigung zu Bäumen folgend, an einer der Kiefern hoch. Zwei bis drei Meter über dem Boden umklammerte er den Stamm und blieb dort einen Augenblick hängen – es war das erste Anzeichen dafür, dass die Kräfte ihn verließen. Dann kletterte er schnell am Stamm hinauf und erreichte den ersten großen Ast.

Rob war ziemlich sicher gewesen, dass sein Schuss ins Herz getroffen hatte; jetzt aber fragte er sich, ob er vielleicht gefehlt oder dem Tier nur eine oberflächliche Wunde beigebracht hatte.

Er legte schon zum zweiten Schuss an, als er sah, dass der Berglöwe die Kräfte verlor. Er glitt von dem Ast herab, tat einen fünf Meter tiefen Fall – und war tot.

Sommerende

McLaughlin behielt beinahe Recht mit seinem Aus-
spruch, dass Ken einen Monat lang schlafen würde,
sobald er glaubte, dass Flicka tot sei. Wenn er nicht
schlief, war er benommen oder lag in Fieberfantasien.
Er war so schwer krank, dass es nicht möglich war,
ihn ins Krankenhaus nach Cheyenne zu bringen. Es
dauerte nicht lange und eine Lungenentzündung kam
hinzu, und der Doktor verbrachte nun viele Nächte bei
ihm und fuhr erst am Morgen in der Frühe zu seiner
Sprechstunde in die Stadt.

Flickas Kräfte nahmen dagegen ständig zu. Sie konnte
sich bald ohne Stütze auf den Beinen halten und Gus
nahm daher den Deckengurt weg. Sie konnte liegen
und aufstehen, zum Bach hinuntergehen und trinken,
und beim Haferfressen zeigte sie große Fresslust.

»Schlägt das nicht alles?«, sagte Tim zu Gus, als sie
im Arbeiterhause beim Abendessen saßen. »Da sieht
man wieder einmal, dass noch Wunder geschehen können!«

»Na«, sagte Gus, »es war eben das kalte Wasser, das
ihr das Fieber aus dem Leibe gewaschen hat. Aber noch

mehr als das hat Ken zu Stande gebracht. Glaubst du denn, es wäre für nichts zu rechnen, dass der Junge die ganze Nacht dagesessen ist und immer wieder gesagt hat: ›Halt bloß durch, Flicka! Ich bin hier bei dir. Ich stehe zu dir, wir beide halten zusammen!‹?«

Tim gab keine Antwort. Er starrte zu Gus hinüber und überlegte. Gus stopfte sich derweilen die Pfeife. »Gewiss«, sagte Tim endlich, »gewiss, so hängt es ja wohl zusammen …«

»Jetzt handelt sich's um den Jungen«, sagte Gus langsam. »Der kleine Bursche …! Er ist ja so furchtbar dran!«

Nell verließ kaum Kens Zimmer. Rob und Gus besorgten das Kochen und brachten auf einem Teebrett das Essen zur Tür des Krankenzimmers hinauf. Einmal am Tage setzte sich Rob an Kens Bett; er bestand darauf, dass Nell wenigstens für eine Viertelstunde täglich ins Freie kam.

Dann rannte Nell über die Weide zu Flicka, und wenn sie vor ihr stand, versuchte sie in der Zukunft zu lesen. Wie würde es mit ihr gehen? Würde sie gesund werden? Der Blick ihrer Augen war hell und aufmerksam; wenn Nell zu ihr kam, wandte sie rasch den Kopf und spitzte die Ohren, und mitunter blickte sie in die Richtung des Hauses und wieherte nach Ken.

Nell eilte den Pfad entlang zurück und lief, so schnell sie konnte; atemlos, mit roten Wangen und voller Hoffnung kam sie in Kens Zimmer zurück.

Bisweilen aber, wenn sie an seinem Bett kniete, stiegen ihr bei seinem Anblick heiße Tränen in die Augen. Es handelte sich ja nicht nur darum, dass er so krank aussah, dass sein Atem so schwer ging, dass das Fieber so hoch war und seine Lippen bläulich schimmerten – es war seine unendliche Mattigkeit, die ihr Besorgnis einflößte. Dieser Sommer und der verzweifelte Versuch, sein Gedankenleben umzustellen, waren zu viel gewesen für ihn.

Rob fuhr mit Howard am ersten Schultag zur Stadt und sprach mit Mr Gibson über Ken. Erstaunt und gerührt über das, was der Knabe getan hatte, kehrte er zu Nell zurück.

»Hast du ›Die Geschichte von Gipsy‹ gelesen?«, fragte er Nell leise, als sie in Kens Zimmer am Fenster saßen.

»Nein. Wir beschlossen, dass er sie ganz allein schreiben müsste. Hätte ich sie gelesen, so hätte ich mich doch versucht gefühlt allerlei darüber zu sagen und auf diese Weise etwas mit beizusteuern, und das wäre nicht richtig gewesen, da es ja doch eine Prüfungsarbeit war.«

Rob reichte ihr die beschriebenen Bogen. Beim ersten Durchlesen hatte der Aufsatz in ihm jene seltsame Rührung hervorgerufen, die sein jüngster Sohn bisweilen in ihm weckte.

Nell las:

»Flicka ist das Enkelkind von Gipsy, die ein englisches Vollblut und eine Polostute war. Mein Vater kaufte sie, als er Kadett in West Point war.

Flicka hat keine Ähnlichkeit mit Gipsy – die war

pechschwarz –, aber sie ähnelt ihrem Vater, der ein Goldfuchs ist. Sein Name ist Banner. Flickas Mutter hieß Rocket. Sie war das schnellste Pferd, das wir je gehabt haben, schnell genug, um Rennen zu gewinnen; aber es war alles zu nichts nütze, denn sie war nicht richtig im Kopf und nahm ein böses Ende. Flicka ist nicht verrückt.

Rocket war deswegen verrückt, weil ihr Vater ein wilder Mustang war. Er hieß ›der Albino‹, denn er war schneeweiß. Er war ein Wildpferd und stahl sich überall Stuten. Er stahl Gipsy und behielt sie vier Jahre, und als wir sie wiederbekamen, brachte sie vier Fohlen mit und eins davon war Rocket.

Sie waren so schön, diese Stuten, dass mein Vater sie behielt und sie zu zähmen versuchte, aber er hatte kein Glück! Sie wollten sich nicht unterwerfen, keine einzige von ihnen, und es tat ihm leid, dass er sie behalten hatte, und er ließ ihr Blut sich mit dem Blut unserer Pferde mischen; sie wurden von Banner gedeckt und hatten dann auch Fohlen; und Flicka ist eins dieser Fohlen.

Flickas Farbe ist genau wie die Banners (der ein eingetragener Vollbluthengst ist) und ihr Bau gleicht ein wenig ihrer Mutter, und das macht sie so schnell; denn das, was Pferde schnell macht, sind lange Beine und ein langer Körper, und beide sind bei Flicka ein wenig zu lang. Aber darum ist sie so schnell. Sie schlägt jeden anderen Einjährigen.

Flicka ist mein Pferd. Ich sorge für sie und erziehe

sie, und wenn sie drei Jahre ist, kann ich sie reiten. Und wenn sie zahm wird, kann sie ein Rennpferd werden, denn sie ist schnell und sie ist nicht verrückt. Das ist die Geschichte von Gipsy.«

Nell hatte zu Ende gelesen und blickte auf. »Flicka … Flicka … Flicka …«, sagte sie.

Rob nickte. »Ja, das sagt auch Gibson. Statt einer Geschichte von Gipsy ist es eine ausgezeichnete Geschichte von Flicka geworden.«

Ken stammelte etwas Unverständliches vor sich hin und warf einen Arm über die Decke. Nell trat an sein Bett, um ihn eine Weile zu beobachten und ihm das feuchte Haar aus der Stirn zu streichen. Er schien die Berührung ihrer Hand immer wiederzuerkennen und von ihr beruhigt zu werden.

Nell kehrte zu Rob zurück. »Was hat Gibson dazu gesagt?«

»Er sagte, es sei eine gute Arbeit. Ken sei ein glänzender Kopf – er fragte auch, ob ich das wisse …«

»Was sagtest du ihm?«

»Ich sagte Nein, ich halte ihn für einen Jungen ohne Interessen, und er sagte, ausgezeichnete Begabungen seien bisweilen in hohem Maße so.«

In Nells sorgenvollem und müdem Gesicht zeigte sich auf einmal das Grübchen in der linken Wange. »Ich wusste nicht, dass Gibson gescheit genug ist so etwas zu sagen«, flüsterte sie.

»Nell, hast du gewusst, dass Ken eine glänzende Begabung ist?«

»Ich habe mir so etwas gedacht.«

»Was hat dich bloß auf diesen Gedanken kommen lassen? Ihm ist ja bis jetzt noch nie etwas geglückt …«

»Nun …«, Nell sprach langsam und nachdenklich, »ein Träumer – ist eben jemand, der hinter die Dinge sieht, so wie Ken das tut, wenn er, wie er das nennt, ›in andere Welten‹ geht: in ein Bild, in einen Wassertropfen, in einen Stern, in alles und jedes …«

Rob blickte zum Fenster hinaus.

»Wie hat Mr Gibson nun entschieden?«, fragte Nell.

»Er sagte, da Ken sich ernstlich angestrengt habe, wolle er ihn zur Probe in die nächste Klasse nehmen.«

Rob verließ das Zimmer und Nell blickte auf den Rasenplatz hinaus. Die Blätter der jungen Pappeln waren goldgelb geworden und jeder Windstoß ließ sie mit sanftem Rascheln in Schauern niederfallen. Nells Blicke schweiften noch weiter und sie bemerkte mit einem Mal, dass die Landschaft ganz farblos geworden war. Das geschah im Herbst immer ganz plötzlich; die vollen blauen, roten und grünen Farbtöne des Sommers waren verschwunden, die Gegend wurde grau und schien zusammenzuschrumpfen und blieb so, bis der Schnee kam und sie aufs Neue veränderte.

Kens Zustand besserte sich im Laufe der dritten Woche. Das Fieber sank, das Bewusstsein wurde klarer und er erkannte seine Eltern wieder. Aber nachts lag er oft ruhelos. Nell, die im Feldbett in seinem Zimmer schlief, wurde häufig von seiner Stimme geweckt, wenn er »Mutter!« rief; dann stand sie auf und setzte sich zu ihm auf den Bettrand und hielt seine Hand in der ihren, bis er wieder eingeschlafen war.

Er sprach niemals von Flicka.

Nun, da keine Pflichten, keine Forderungen irgendwelcher Art an ihn herantraten und seine Mutter Tag und Nacht neben ihm saß, wirkte er sehr klein und kindlich.

Eines Morgens sagte er: »Schläfst du überhaupt nie, Mutter?«

»Aber gewiss schlafe ich, Kennie. Warum glaubst du denn, dass ich es nicht tue?«

»Darum, weil du immer gleich antwortest, wenn ich dich rufe; und deine Stimme klingt, als wärest du immer wach.«

»Ich halte beim Schlafen stets ein Ohr offen.«

Müde, aber doch wissbegierig blickte er zu ihr auf. »Welches Ohr, Mutter?« Oftmals lag er nachts lange Zeit wach und sie unterhielten sich. Seine Gedanken beschäftigten sich mit Ereignissen und Dingen, die Nell längst vergessen hatte.

»Du kennst doch die alte Mrs Perkins, Mutter?«

»Ja, Kennie.«

»Sie ist furchtbar alt, nicht wahr?«

»Ja, das kann man sagen.«

»Musst du auch alt werden, Mutter?«

»Gewiss.«

»Ganz genauso?«

Nell lachte.

»Ich will nicht, dass du anders wirst, Mutter.«

»Ich werde nicht anders werden, Kennie – nicht mein wirkliches Ich …«

»Aber dein Gesicht.«

»Das wird dann ein falsches Gesicht sein – so eins, wie man es im Zehn-Cent-Basar in Laramie kaufen kann …«

»Wirklich, Mutter? Wirst du im Innern nicht anders sein? Wirst du dasselbe *Du* sein?«

»Ja, Kennie.«

»Dann macht mir das falsche Gesicht nichts aus.«

Ein anderes Mal sagte er: »Weißt du noch, Mutter, dass du sagtest, einmal hättest du dir etwas ganz furchtbar gewünscht? Es war einige Jahre nachdem ich geboren war … Was war das?«

Nell antwortete nicht gleich. Sie lag im Feldbett, Ken zugewandt. Auf dem Nachttisch brannte mit schwachem Schein eine Lampe.

»Mutter, sag es doch!«

»Ich habe mir immer ein Mädchen gewünscht, Ken.«

Ken gab lange Zeit keine Antwort. Dann sagte er verträumt: »Wir beide haben uns dasselbe gewünscht, nicht wahr, Mutter?«

»Wie meinst du das?«

Wieder machte er eine so lange Pause, dass sie glaubte, er sei eingeschlafen, und ihre Augen schlossen sich. Dann hörte sie ganz schwach seine Stimme: »Mutter, weißt du, wie ›kleines Mädchen‹ auf Schwedisch heißt?«

Ihre Augen öffneten sich weit. Sie wollte schon anfangen zu sprechen, da hielt sie das Wort zurück. Er war noch nie so nahe daran gewesen, von Flicka zu sprechen. Er schlief ein, aber sein Schlaf war unruhig und abgerissen. Etliche Male rief er laut, und schließlich stand sie auf und saß bei ihm auf dem Bettrand und streichelte sein Haar.

Draußen krähte ein übereifriger Hahn; es war erst zwei Uhr. Ken öffnete die Augen und fing an von dem Hahn zu sprechen. Er war gereizt und weinerlich.

»Es heißt doch, Mutter, dass sie krähen, wenn etwas Gutes geschehen wird.«

»Das ist nur ein kleiner junger Hahn, der noch keine Manieren gelernt hat.«

»Aber Mutter, es krähen ja immer Hähne draußen. Werden sie denn nie aufhören?«

Nell beugte sich über ihn.

»Sie krähen, weil der Morgen kommt.«

»Aber wenn dann schreckliche Dinge geschehen?«

»Trotzdem kommt immer ein Morgen.«

»Aber wenn etwas schon tot ist ...«

Sie antwortete nicht.

»Mutter?« Er wollte ihre Antwort hören.

»Auch dann – kommt ein Morgen.«

Der junge Hahn krähte wieder. Seine schrille Stimme erinnerte an einen Jungen im Stimmbruch.

Nell versuchte Ken für Kleinigkeiten zu interessieren, die täglich auf dem Gestüt vor sich gingen; für das, was die Arbeiter taten, was der Vater plante; aber Ken war allen diesen Dingen abgewandt. Sie spürte, dass sie ihm zu wirklich waren. Er hatte noch nicht Kraft genug, sie zu ertragen.

Er sprach von seinem Zimmer, seinen Bildern, von den ihm gewohnten Dingen um ihn herum und fragte Nell, was mit ihnen geschehen sei und warum sie sich so verändert hatten.

»Verändert, Kennie?«

»Ja, nichts ist so wie früher.«

Er wandte den Kopf, um das Bild rechts von seinem Bett zu betrachten, das den kleinen nackten Knaben inmitten der Entchen, den Mann mit der Flöte und die Frau in bäuerlicher Kleidung darstellte. Danach besah er auch das Bild zur Linken: die Mutter, die ihren zwei Kindern ihr Neugeborenes zeigt. Aber keins der Bilder schien für Ken jetzt noch irgendwelchen Wert zu haben. Länger als auf diesen beiden ruhten seine Blicke auf dem Bilde am Ende des Zimmers, in dessen Ecke der Vers stand:

Wo du hingehst, da will auch ich hingehen.

Dein Haus sei mein Haus.

Auch dieses Bild hatte sich für ihn verändert, aber auf ganz andere Art und Weise. Einst hatte er bei seinem Anblick etwas Geheimnisvolles empfunden, das ihm unverständlich blieb; nun verstand er es. Er schloss die Augen und wollte es nicht mehr sehen.

Nell wartete auf den rechten Augenblick, um Ken zu erzählen, dass Mr Gibson bereit sei ihn in die nächste Klasse zu versetzen; dass die Polo-Ponys für einen guten Preis verkauft waren und, vor allem, dass Flicka am Leben war und immer kräftiger wurde. Aber Rodney Scott sagte:

»Lassen Sie ihn einstweilen noch in seiner Welt. Er wird nun kräftiger, und wenn er noch etwas weiter ist, wird er wieder Interesse für allerlei zeigen. Dann ist immer noch Zeit genug dazu.«

Eines Abends nach dem Essen saßen sie vor dem Feuer im Wohnzimmer. Ken schlief. Rob hatte, da es kälter geworden war, den Kamin mit Holzblöcken gefüllt und die Flammen schlugen in den Schornstein hinauf.

Sie sprachen über die Veränderung, die der Besitz Flickas bei Ken bewirkt hatte; warum er das Fohlen bekommen und worin seine Unzulänglichkeit bis dahin bestanden hatte.

In ihrem Gespräch ergaben sich mitunter lange Pausen, in denen ihre Blicke am Feuer hingen und sie schweigend ihren Gedanken nachhängen konnten.

Nach einer solchen Pause sagte Nell mit einem Mal: »Eins ist mir immer ein Rätsel gewesen: Warum hat Ken plötzlich angefangen nachts zu träumen? Er hat es doch früher nie getan – und nun hat er so quälende Träume.«

Der Doktor warf einen raschen Blick zu ihr hinüber. »Das ist interessant«, sagte er, »aber bei näherem Zusehen ist es nicht weiter erstaunlich.«

»Warum?«

»Alle Fantasien, die sich früher bei ihm ungehemmt

in Tagträume umsetzten, mussten sich, als die ausgeschlossen wurden, ein anderes Strombett suchen. Deshalb brachen sie in seinen Schlaf ein.«

Nells Gesicht zeigte, wie sehr sie das fesselte. »Das ist also der Grund, warum er früher nie geträumt hat?«

Doktor Scott nickte. »Gewiss. Es ist tatsächlich eine recht ernste Sache, einen Tagträumer in einen praktisch denkenden und handelnden Menschen zu verwandeln. Psychiater müssen das oft tun – oder wenigstens versuchen. Meistens missglückt es ihnen. Tagträume sind ebenso verlockend wie Morphium und ihre Wirkung ist ebenso stark. Sind sie einmal zur Gewohnheit geworden, dann nehmen sie von dem betreffenden Menschen Besitz und sehr viele Kinder geben sich ihnen hin. Mir scheint, dass dies leider recht selten verstanden oder richtig erkannt wird, und doch ließe sich gerade in der Kindheit noch einiges dagegen tun. Wenn Ärzte oder Psychiater hinzugezogen werden, sehen sie meistens nur noch die Folgen: unzulängliche Leistungen, Misslingen, Unehrlichkeit, kurzum Unfähigkeit, mit dem Leben fertig zu werden. Und dann ist es gewöhnlich schon zu spät, die Gewohnheiten des Tagträumers zu brechen. Aber hier handelt es sich um einen Fall, in dem die Sachlage erkannt und nach den Grundsätzen moderner Psychologie vorgegangen worden ist –«

»– nämlich mit ein wenig altmodisch-gesundem Menschenverstand«, unterbrach ihn Nell.

Rodney Scott lächelte knabenhaft. »Für Sie und

mich bedeutet das ungefähr dasselbe und mir scheint, dass altmodischer gesunder Menschenverstand da immer noch ein Stückchen voraus ist. Immerhin, Sie haben ihn angewandt und die Folgen haben dem Jungen die großen Erfahrungen des Lebens eingebracht: Verliebtheit, Glück, Verzweiflung, Opfer, Tod. Wenn mit jedem Tagträumer so verfahren werden könnte, dann könnte man sie wahrscheinlich alle heilen.«

Nell seufzte. »Es ist gar nicht unsere Absicht gewesen«, sagte sie, »es ist ganz einfach so gekommen.« Und als der Doktor aufstand, um zu gehen, stellte sie ihm die Frage: »Soll ich Ken jetzt die Wahrheit sagen? Er glaubt nämlich immer noch, dass Flicka erschossen worden ist.«

Rodney gab nicht sogleich seine Zustimmung. »Gute Nachrichten können unter Umständen ebenso sehr erschüttern wie schlechte. Er scheint an das alles gar nicht mehr zu denken.«

»Aber vielleicht ist das der Grund, weshalb er nun überhaupt nicht mehr an etwas Wirkliches denken will. Eben weil Flicka tot ist und nicht mehr in die Wirklichkeit gehört.«

»Das zu beurteilen will ich Ihrem Einfühlungsvermögen überlassen, Mutter«, sagte Rodney. »Wenn es Ihnen scheint, dass der rechte Augenblick da ist, und wenn es Sie drängt, ihm alles zu sagen, dann tun Sie's!«

Nell sagte es Ken, als er schlief. Wieder und immer wieder, wenn sie an seinem Bett stand, beugte sie sich über ihn und sagte sehr leise: »Weißt du auch, Kennie, dass Flicka lebt und täglich gesünder wird?«

Ken war ihre Stimme und ihre Anwesenheit so gewohnt, dass er nie davon aufwachte.

Der erste große Schneefall des Winters war gekommen und hatte das Gras auf der Sattelhöhe zugedeckt. Die kleinen Fohlen wimmerten, wenn ihnen, sobald sie grasen wollten – darin bestand jetzt ihre Hauptnahrung –, nur eiskaltes, geschmackloses weißes Zeug zwischen die Lippen geriet. Banner unterrichtete sie davon, dass ihre erste Kindheit nun vorbei war und dass sie um ihr Leben kämpfen mussten. Er zeigte ihnen auch, wie sie dabei zu Wege gehen mussten, indem er anfing neben irgendeinem hilflos dastehenden kleinen Burschen im Schnee zu scharren, bis das Gras zum Vorschein kam. Das kleine Fohlen streckte den Kopf unter Banners gewölbten Hals und haschte nach dem Grase. Banner scharrte noch mehr Gras frei und trieb das Fohlen an, seine eigenen kleinen Hufe zu benutzen. Das war bald gelernt; die Kleinen ahmten ihren Vater nach und bald scharrten sie überall im Schnee.

Dann kam wieder gutes Wetter, es wurde ein Altweibersommer von drei Wochen und während dieser Zeit nahmen Kens Kräfte schnell zu.

Als Nell eines Tages sein Zimmer aufräumte, fragte er sie: »Wo ist denn eigentlich Flicka?«

»Sie ist unten auf der Weide. Wir haben sie nicht von dort weggebracht, denn sie hat es dort so gut. Würdest du sie gern sehen?«

Nach einer langen Pause sagte er: »Ach, ich weiß nicht recht ...«

Nell wischte bei allen Gegenständen auf der Kommode gewissenhaft Staub. Sie wandte sich zu Ken: »Nicht wahr, du hast nie geglaubt, dass sie erschossen worden ist?«

Ken zögerte mit der Antwort und sagte dann ziemlich wirr: »Ich weiß nicht recht; damals hatte ich so viele Träume und wusste nicht, was Wirklichkeit und was Traum war. Ja, ich habe wohl geglaubt, dass sie erschossen worden ist – einmal hörte ich einen Schuss aus einem großen Gewehr.«

»Das war der Puma, den der Vater in jener Nacht auf der Weide erlegt hat.«

»Nein, wirklich?«, fragte Ken. Er zeigte zum ersten Mal Interesse für ein Geheimnis.

»Nicht mit dem Schuss, den du hörtest. Aber er erlegte ihn bei Sonnenaufgang am folgenden Morgen. Dein Papa ist die ganze Nacht bei Flicka auf der Weide gewesen, um sie vor dem Puma zu schützen.«

Ken stellte sich das offenbar sehr deutlich vor, während er aus dem Fenster blickte; er lächelte schwach und sah nicht mehr so gleichgültig aus.

»Würdest du sie nicht gern sehen?«, wagte Nell wieder zu fragen; aber Ken wandte sich ab und antwortete matt: »Ach, ich weiß nicht ...«

Mit Zustimmung des Doktors wurde eine kurze Spazierfahrt mit Ken unternommen, aber sie ermüdete ihn sehr. Seine Augen bekamen zu viel zu sehen, seine Lungen zu viel einzuatmen und es gab allzu viel, worüber er nachdenken musste. Er wollte lange Zeit nicht wieder hinaus.

»Es ist, als ob er jeglichen Mut verloren hätte«, sagte Rob sehr beunruhigt zu Nell.

Einige Tage später, als leichter Schnee gefallen war und das ganze Land braun-weiß wie ein Kupferstich aussah, hüllte er den Jungen gut ein und sagte Nell, er wollte Ken etwas zeigen, was er auf einem der Hügel gesehen hatte. Er fuhr die Landstraße hinunter und hielt dort an, wo in geringer Entfernung das offene Gelände aufhörte und der Wald begann.

»Guck mal dorthin«, sagte McLaughlin und zeigte aus dem Fenster.

Am Waldrand stand ein Hirsch mit großem Geweih; die Farbe seines Fells war der braun-weißen Landschaft so angepasst, dass man ihn zuerst gar nicht bemerkte. Er stand im Profil zum Wagen, aber sein hochgehobener Kopf war ihnen zugewandt und er blickte unverwandt herüber. Die aufwärtsgeschwungenen Linien von Hals und Kopf setzten sich mit unbeschreiblicher Schönheit bis in die vielverzweigten Enden des Geweihes fort.

Kens Mund öffnete sich, als er hinschaute. Der Hirsch stand völlig reglos da. Um alles auszudrücken, was das prachtvolle Tier verkörperte, hätte das Wort »Adel«, wenn es nicht schon vorhanden gewesen wäre, geprägt werden müssen. Oder auch das Wort »Mut«.

McLaughlin blickte auf seinen Sohn.

»Papa, wie wusstest du, dass er hier war?«

»Ich sah ihn, als ich von der Lincolnstraße heim-fuhr.«

»Warum steht er so lange da, ohne sich zu rühren?«

»Dort unten liegt eine Hirschkuh. Er beschützt sie. Darum rührt er sich nicht.«

Wieder blickte der Knabe lange hin, dann sah er zu seinem Vater auf.

»Ist es, weil er Verantwortung für sie hat?«

»Ja.«

McLaughlin setzte den Motor in Gang, kehrte um und fuhr nach Hause.

Solange er irgend konnte, blickte Ken zu dem reglos dastehenden Hirsch zurück. Die Augen brannten ihm und es war ihm, als müsste er ersticken, als gingen ihm brausende Ströme durch den Körper.

Als er den Hirsch nicht mehr sehen konnte, schweif-ten seine Augen über Hügel und Wälder. Er wusste nicht, was dem Gefühl der kalten, trüben Abgeschie-denheit ein Ende gemacht und ihn wieder mit der Welt verbunden hatte; er wusste nur, dass sie ihm jetzt wie-der gehörte, dass sie schön und voller Leben war und dass er Flicka sehen wollte. Und er presste das Gesicht gegen den Arm des Vaters und weinte.

Am späten Nachmittag dieses Tages schlug Ken, gut eingepackt in ein Wollhemd, die Haustür hinter sich zu. Er stapfte über den Rasenplatz und öffnete die Pforte. Er fand eine neue Weide: Schnee deckte den Boden, die Bäume waren kahl und ein winterlicher, organge glühender Sonnenuntergang färbte den Himmel. Und Flicka …

Während vieler Wochen hatte sie täglich nach ihm ausgeschaut. Sie pflegte mit erhobenem Kopf und scharf gespitzten Ohren an der Koppel zu stehen und schließlich enttäuscht mit ungeduldigem Wiehern umzukehren und ruhelos um den Hügel herumzutraben, bis sie wieder wendete, die Ohren spitzte und aufs Neue zu lauschen begann.

Sie war mittlerweile fünf Zentimeter höher geworden und versprach ein großes, geschwindes und feuriges Pferd zu werden. Ihr Fell war jetzt dick und langhaarig – ein warmer Winterpelz – und die Schwellungen an den Beinen waren verschwunden. Wenn der Morgen kalt war, senkte sie die Nase zum Erdboden und schlug aus oder sie krümmte den Körper zusammen und bockte, wenn sie nicht mit flatternder blonder Mähne und wehendem Schweif von einem Ende der Weide zum anderen galoppierte. Brachte bisweilen ein heulender Winterwind Schnee, dann schüttelte sie die Mähne, warf den Kopf hoch und rannte mit geblähten Nüstern umher.

Das Zuschlagen der Wohnhaustür hatte jetzt ihre Aufmerksamkeit erregt und sie trabte neugierig zur Koppel. Und als Ken den Pfad entlanggelaufen kam und laut »Flicka! Flicka!« rief, da war ihr Wiehern in der kalten Winterluft ein Laut, wie ihn die kleine Stute noch nie hervorgebracht hatte.

Wenn dein Leben von magischen Kräften bedroht ist, musst du deine Liebe vor Unheil bewahren

Tricia Rayburn

IM ZAUBER DER SIRENEN

Roman

ISBN 978-3-548-28284-8
www.ullstein-buchverlage.de

Während ihrer Sommerferien an der Küste Malnes stößt die 17-jährige Vanessa auf ein dunkles Geheimnis: die Frauen von Winter Harbour sind Sirenen. Mit ihrem magischen Gesang können sie die Männer des Ortes regelrecht verzaubern. Auch Simon, Vanessas große Liebe, gerät in ihren Bann. Als dann auch noch Vanessas Schwester tödlich verunglückt, begreift sie, welch große Gefahr von den Sirenen ausgeht und wie sehr ihr eigenes Schicksal mit diesen rätselhaften Frauen verbunden ist.

UB565

Ein stolzer Hengst

Shelley Peterson
König der Pferde
Schattentänzer-Trilogie
Band 1
288 Seiten
Taschenbuch
ISBN 978-3-551-35792-2

Hilary, genannt Mousie, hat den wilden Hengst Schattentänzer mit viel Liebe und Geduld erfolgreich gezähmt. Als die beiden ein wichtiges Turnier gewinnen, ist Mousie im siebten Himmel. Wäre da nicht der skrupellose Gutsbesitzer Owens, der mit allen Mitteln versucht, das Pferd in seinen Besitz zu bringen.